中華書局

大故宮

九五之尊

閻崇年 著

目錄

太和殿外景

清帝大婚時的太和殿形象

交泰殿（林京　攝）

太和殿內（任超　攝）

北京城中軸線（林京　攝）

《康熙萬壽盛典圖》（局部）

《大故宮》再版自序

今年是北京故宮建成六百周年。《明太宗實錄》永樂十八年（一四二〇年）十一月初四日記載：「爰自營建以來，天下軍民，樂於趨事，天人協贊，景貺駢臻，今已告成。」北京皇宮壇廟告成，永樂皇帝在奉天殿（今太和殿）暨殿前廣場，接受朝賀，大宴群臣，以及貢使。這就表明，從故宮建成於一四二〇年，到現在二〇二〇年，整整六百年了。故宮六百年的歷史，包括明朝首都（二百四十二年）、李自成大順都城（四十二天）、清朝都城（二百六十八年）、民初都城（十七年）、日據北京（八年）、民國北平（十三年）和新中國首都（七十一年）七個歷史時期。我從二〇一二年到二〇二〇年，先後八年，撰著「故宮系列」八本書。二〇一二年，《大故宮》一、二、三部，在央視《百家講壇》播出，同時由長江文藝出版社出版。二〇一七年，《御窯千年》在《百家講壇》播出，同時由讀書．生活．新知三聯書店出版。二〇二〇年，《故宮六百年》（上下冊），在華文出版社出版；《大故宮六百年風雲史》先在喜馬拉雅網絡音頻平台播出，隨之由青島出版社出版；《故宮疑案》由中國民主法制出版社出版。為紀念故宮建成六百年，故宮出版社將《大故宮》重新增訂、配圖、編輯面世。上述「故宮系列」八書，可以分作三種類型：其一，《大故宮》開創了以電視視頻與圖書結合的形式，系統講述故宮歷史與文化的先河。它以故宮建築空間格局為線索，橫向講述大故宮的文化精粹。其二，《故宮六百年》及《大故宮六百年風雲史》，開創了以網絡音頻與圖書結合的形式，系統講述故宮歷史與文化的先例。它以故宮歷史演進軌跡為線索，縱向講述故宮六百年來的歷史與文化。其三，《御窯千年》和《故宮疑案》則選取故宮歷史文化中為人們津津樂道的專題，條分縷析，剝繭抽絲，逐層開解，進行詮釋。以上電視視頻、網絡音頻、紙質圖書三種形式，互相補充，各展所長，相得益彰，立體推進，受眾所及，遠達海外，影響之廣，超出預料。「故宮系列」諸書，以耄耋之微力，借八年之時間，廣彙資料，潛心撰寫，傳播故宮六百年的歷史與文化。當這項文化工程落下帷幕時，我百感交集，也頗感欣慰。故宮是中華歷史文化的一部偉大教科書。這是因為：從時間來說，它反映了中華五千年文明的精華；從地域來說，它以紫禁城為核心，並涵蓋兩宮三院即北京故宮、瀋陽故宮、北京故宮博物院、瀋陽故宮博物院和台北故宮博物院，以及故宮姻系——皇家壇廟寺觀、西苑南苑、三山五園、避暑山莊、木蘭圍場、明清陵寢、王府宅邸、江南織造、景德鎮御窯，以及武當山金頂等；從文物來說，至二〇二〇年本書出版前夕，故宮典藏珍品凡二十五大類，共一百八十六萬三千四百〇四件（套），以及原故宮藏品南運後現藏台北故宮博物院的六十五萬件藏品，也有文物南遷返回後二千一百七十六箱、十萬〇四千七百三十五件（套）暫存南京博物院的藏品，亦有後來移交國家圖書館的善本祕籍，以及現珍藏在中國第一歷史檔案館的檔案——一千多萬件（套）明清檔案、二百多萬件（套）滿文檔案等。所以，明清故宮藏品總數應當是以千萬計；從建築來說，故宮內外，宮殿樓閣、亭館台榭、奇珍異寶、名花異木，是中國歷代宮殿園囿的集大成者，是一座中華古代建築實物的博物館；從人物來說，明清六百年來，中華各界各地名人幾乎都直接或間接地同故宮有着文化與精神的聯繫；從事件來説，此期重大歷史事件，都同當時皇權中心的故宮，有着密切的關聯。總之，明清六百年來，中國政治、經濟、文化、軍事、交通、國際交往的中心在北京，北京的中心則在故宮。故宮，這座中華文明的文化寶庫，包羅萬象，紛華燦爛，但百川有源、萬樹有根——其根其源，斯光斯華，就是中華優秀的傳統文化。一切科學最高、最後都通向藝術和哲學。於藝術，故宮從宏觀到微觀、從總體到珍品，都散射着藝術的光輝，因此，故宮是一座龐巨的藝術寶庫。於哲學，司馬遷説：「究天人之際，通古今之變」，聯通天、人、古、今的關係，就是哲學。故宮所體現的精神，是中華傳統文化的精粹；故宮所彰顯的理念，是中華傳統哲學的精華。如「中」「正」「和」「安」的精神和理念，就是哲學的思想體現。就中與正而言，《易》云：「中正之氣，成就萬物」，「大哉乾乎，剛健中正」。北京城是按照《周禮．考工記》都城中正型理論建造的，北京城和故宮有一條貫穿南北的子午線即中軸線，這都突出一個「中」字。中軸線上北京城的正陽門突出一個「正」字，乾清宮內寶座上方懸匾御書「正大光明」也突出一個「正」字。《易》云：「居中得正」、「處正得中」。中則正，正則中。這體現儒家文化大中至正的哲學理念。就和與安而言，宮城三大殿，明初分別為奉天殿、華蓋殿、謹身殿，突出「天」，就是皇權神授；明嘉靖重修三大殿後，依次改名為皇極殿、中極殿、建極殿，突出「極」，就是皇權；清初重修三大殿後，依次改名為太和殿、中和殿、保和殿，突出「和」，就是社會協和。太和殿前三門——太和門、協和門、熙和門，也都突出「和」的理念。皇城六門——天安門、長安左門、長安右門、東安門、西安門、地安門，都突出一個「安」字。上述由神權的「天」，到皇權的「極」，再到社會的「和」，反映出帝制社會雖然發展緩慢，思想理念卻在不斷進步。「中正和安」——中則正，和則安。這體現了中華優秀傳統文化的精髓與核心。《禮記．中庸》言：「中也者，天下之大本也；和也者，天下之達道也。致中和，天地位焉，萬物育焉。」當然，「中正和安」在帝制時代只能是一種理念、一種期望，實際上是不可能真正完全實現的。新版《大故宮》，簡體字版由故宮出版社面世，其突出特點是「新」。「新」在何處？一是「文新」。這部書從首印至今八年間，有人統計發行超過百萬冊，其間，良善建議被接納，疏誤文字被訂正，從而文字更準確、更精練、更鮮明、更曉暢一些；二是「圖新」。全書圖片做了調整、完全換新，圖片共一百五十六幅，出自故宮資料庫的原片，更清晰、更精美、更貼切、更大幅；三是「書新」。全書的紙張、設計、編輯、排版、圖片、色彩、印製、裝幀等，大氣凝重雋美，令人耳目一新。行筆最後，特別感謝——全國政協文化文史和學習委員會副主任、中國版權協會閻曉宏理事長，故宮博物院王旭東院長，全國政協委員、原故宮博物院常務副院長、故宮出版社王亞民社長，故宮出版社宮廷歷史編輯室王志偉主任、紀希萱責任編輯，以及其他諸君的關愛和支持；感謝本書初始創意的長江文藝出版社金麗紅副總編和黎波副社長、《百家講壇》那爾蘇製片人；本書最後修訂完成於烟台紫金山莊，感謝李林才先生的熱情關心和真誠襄助。謹此三躬，虔敬致謝！

自序

《大故宮》的有關想法，寫在前面，做個交代。

一　事情緣起

在中央電視台「百家講壇」講《大故宮》，同時出版《大故宮》一書，這個想法，醞釀多年。直到二〇一〇年底，才與「百家講壇」製片人聶叢叢、副製片人那爾蘇，長江文藝出版社副總編金麗紅、副社長黎波等朋友，取得共識，定了下來。從二〇一一年初開始，就全身心地投入到搜集資料、實地考察、撰寫文稿和電視錄播之中。在落筆本篇文字時，已到二〇一二年初，殫心竭慮，整整一年，《大故宮》第一部二十二集即將播出，而《大故宮》（第一冊）也同時問世。

《大故宮》的一個特點是「大」。我講過的《正說清朝十二帝》，那是以清朝十二個皇帝的生命軌跡為線索，圍繞清宮疑案，講述清朝歷史；我講過的《明亡清興六十年》，那是以袁崇煥為典型人物，僅涉及明清甲乙之際六十年的歷史；我講過的《康熙大帝》，則更為單純，那是以康熙皇帝的生命軌跡為經線，以歷史事件為緯線，講述康熙朝六十一年的歷史。上述三個系列，都屬於歷史學的範疇。但這次講《大故宮》不同，它既有歷史學，還涉及建築學、文物學、文獻學、檔案學、藝術學、園林學、規劃學、故宮學和滿學、蒙古學、藏學等；而且時間跨度近六百年，內容涉及歷史、人物、時間、建築、文物、宮廷、園林、藝術等。方方面面，林林總總，太大，太雜。

我有自知之明。故宮內外，專家濟濟。古建，我不如古建專家；器物，我不如器物專家；書畫，我不如書畫專家；文獻，我不如文獻專家；檔案，我不如檔案專家；宮史，我也不如宮廷史專家等。但是，借用「百家講壇」這個平台，全面講述《大故宮》，傳承與弘揚中華文明這一精粹華采，總得有人做吧！而為甚麼由我來做呢？

轉念一想，事有陰陽。困難屬陰，解難屬陽。重要的是，我身後有一個學術團隊支持，幫我解難。故宮博物院前院長、中國紫禁城學會會長鄭欣淼先生暨學會同仁，故宮博物院院長單霽翔先生暨故宮博物院專家，北京社會科學院院長譚維克先生暨院裏同仁，北京滿學會榮譽會長陳麗華先生暨學會同仁，以及晉宏逵（故宮博物院前副院長、古建專家）、陳麗華（故宮博物院副院長、宮廷歷史文物專家）、呂舟（清華大學國家遺產中心主任、教授）、鄒愛蓮（中國第一歷史檔案館館長）、秦國經（中國第一歷史檔案館前副館長、宮廷檔案學專家）、錢曉雲（原《故宮博物院院刊》編審）、左遠波（故宮博物院研究室研究員）、金衛東（故宮博物院書畫部研究員），還有馮乃恩（故宮博物院辦公室主任）、黃希明（故宮博物院古建部專家）、周功鑫（台北故宮博物院院長）、馮明珠（台北故宮博物院副院長）、張永和（著名劇作家）等諸位朋友，他們熱情襄助，得以拙工玉成。

就我個人來說，曾任中國古都學會常務理事兼秘書長，考察並了解許多歷史古都；曾任北京史研究會常務理事兼秘書長，學習、研究了北京的歷史與文物；任北京滿學會會長，對明清故宮有新的視角、新的研究；任職於北京社會科學院歷史所、滿學所，研究課題也多同故宮攸關；學習明清歷史，「大故宮」正是明清歷史研究和關注的一個焦點；而忝列中國紫禁城學會副會長，使我有更多的機會參觀故宮、了解故宮、學習故宮、研究故宮。以上這些閱歷和知識，不是我的資本，卻給了我講《大故宮》和寫《大故宮》以責任、信心、勇氣和力量。

二　世界瑰寶

講《大故宮》，先看世界，再看中國。

先看世界四大文明古國。古埃及的文明中斷了，古印度的文明中斷了，古巴比倫的文明也中斷了，唯有古中華的文明沒有中斷。

在古埃及文明中，古埃及法老的宮殿建築，遭到戰爭與自然的毀壞，沒有存留下來。古埃及給人留下深刻印象的是金字塔群，而不是宮殿建築群。我們今天看到的是，古埃及法老的陵墓——金字塔，建築宏偉，令人震撼；但不是宮殿，而令人遺憾。

在古印度文明中，古印度的宮殿建築，也沒有完整地保存下來。人們說起古印度建築，就要提泰姬陵了。泰姬陵位於距新德里一百九十五公里的阿格拉市，是莫臥兒帝國（一五二六～一六三八年）沙賈汗為他的愛妻泰姬建造的陵墓，所以稱泰姬陵。陵墓建於一六三一年（明崇禎四年），用純白色大理石修砌，總高七十四米，面積七十萬平方米，陵前水池倒影，月光之下，如臨仙境，被譽為「世界完美藝術的典範」，並被列為「世界七大奇觀」之一。印度的阿格拉古堡，城裏雖然有內宮（內廷）和外宮（外朝），但宮殿建築群沒有被完整地保存下來。古印度帝王的宮殿建築群，或為歷史殘跡（如阿格拉古堡），或被夷為平地。人們當下所能看到的如泰姬陵，不是帝王的宮殿，而是王后的陵墓。

在古巴比倫文明中，當年瑰麗的宮殿，早已不復存在。今人已幾乎看不到其古代叱吒風雲的帝王時代的宮殿建築。不過，被視為「世界七大奇跡」之一的「空中花園」尚留存於文字記載中——相傳西元前六世紀，新巴比倫國王尼布甲尼撒二世，為他的妃子建造了一座特別的花園，採用立體造園手法，在高二十多米的平台上，栽植各種樹木花卉，從遠處看去，猶如懸在空中，所以叫空中花園。空中花園聞名遐邇，今人已經不能看到它的原貌，只能從文學描述中，領略它的瑰麗與風采。

古希臘，曾有壯美的殿宇，但現在也只能從派特農神廟的遺存，去遙想它昔日的輝煌。

古羅馬，有鬥獸場、萬神殿（潘提翁神殿）等恢宏建築，以及羅馬帝國在各地域的宏偉瑰麗的宮殿，但大多是歷史殘跡，人們只能讚歎羅馬皇宮往昔的光輝，遺憾其沒能留下古代完整的宮殿建築群。

在美洲瑪雅等古文明中，或有偉麗宮殿，今已蕩然無存，只留下太陽金字塔、月亮金字塔，以及神廟等歷史殘跡，令人驚歎，供人憑弔，卻沒有完整的宮殿建築群存世。

那麼，世界上現存的古老宮殿，有哪些在人們的心目中，留下了華麗風采呢？譬如：

法國巴黎的盧浮宮和凡爾賽宮。盧浮宮本來是十五世紀的一座城堡，自一五四一年（明嘉靖二十年）改建為皇宮。後經法王路易十四和拿破崙·波拿巴等多次改建、擴建，才具有後來的規模，成為法國一座富麗堂皇的宮殿。之後曾經一度成為歐洲的政治中心和文化中心。但是，盧浮宮與明清故宮相比，僅以面積來説，盧浮宮的建築面積不到紫禁城建築面積的四分之一。凡爾賽宮，被稱作夏宮，相當於清代北京的暢春園、頤和園（清漪園）和圓明園。但是，凡爾賽宮的建築面積，尚不及頤和園建築面積的十分之一。

俄羅斯先後有兩座重要的皇宮：聖彼德堡的冬宮和莫斯科的克里姆林宮。聖彼德堡始建於一七〇三年（清康熙四十二年）五月二十七日，一七六四年（清乾隆二十九年）建成冬宮。聖彼德堡歷史上發生過三次大水災，即一七二四年（清雍正二年）、一八二四年（清道光四年）、一九二四年（民國三年），巧合的每一百年發生一次。冬宮建成後，經水災和戰爭的毀壞，歷次修復和重建，大體上是現在人們看到的樣子。但是，聖彼德堡冬宮的建築面積，僅相當於北京紫禁城面積的九分之一。克里姆林宮，俄文原意是「衛城」，這同中國古代「城以衛君」的意思相同。因為要「衛君」，所以有城牆與護城河，且位於莫斯科市中心。一九一八年，列寧從聖彼德堡遷都莫斯科。有人稱克里姆林宮為歐洲最大的皇宮。克里姆林宮後來加以擴建，但擴建後的面積，尚不及北京紫禁城面積的二分之一。

英國的白金漢宮，一七〇三年（清康熙四十二年），由白金漢公爵喬治·費爾特興建。一八二五年（清道光五年），由英王喬治四世加以擴建。一八三七年（清道光十七年），維多利亞女王移居白金漢宮。但是，白金漢宮的面積約相當於北京紫禁城面積的十分之一。白金漢宮裏最豪華的、英王坐朝的宮殿，功能相當於北京故宮太和殿，其面積約六百平方米，而故宮太和殿的面積為二千三百七十七平方米。白金漢宮的主殿面積約為北京太和殿面積的四分之一。

亞洲的日本，現存御所（皇宮）主要有兩處：一是京都的御所。京都於西元七九四年（唐德宗貞元十年）開始為日本首都，被日本譽為「千年古都」。京都給人們留下最著名的建築，如東寺、金閣寺、御所。京都御所的面積為十一萬〇四百平方米，其面積約為北京故宮面積的六分之一。地面不像北京故宮，以墁磚鋪地，而是用石子鋪地。御所的圍牆，僅高一米多，上面種樹，圍成禁垣。二是東京的皇宮。一八六八年（清同治七年），日本明治維新，後將都城從京都遷到江戶，翌年改江戶名為東京。日本東京的皇宮，自然比京都御所高大、宏偉，其面積約為二十一萬七千多平方米。東京皇宮面積尚不及北京故宮面積的三分之一。

此外，世界上還有其他古代宮殿遺存或遺跡，如泰國、柬埔寨、尼泊爾等的皇宮（王宮），雖其建築、裝飾、歷史、文物各有可贊之處，但其或為歷史殘跡，或則規模較小，本文不述及。

由上看出，明永樂十八年（一四二〇年）建成的北京皇宮，是世界上現存最大、最完整的古代宮殿建築群。

三　故宮特色

中國已知最早的宮殿，學者認為是河南偃師的夏朝宮殿遺跡。之後，河南安陽有殷商宮殿遺跡。《史記．殷本紀》載：殷紂王「以酒為池，懸肉為林」，日夜縱樂，導致覆亡。秦阿房宮，漢未央宮，唐大明宮，還有在北京建都的遼南京宮城宮殿、金中都宮城宮殿、元大都大內宮殿，明南京宮殿，都遭到焚毀或平毀，早已不復存在。現在能看到的是「兩宮三院」，就是北京故宮和瀋陽故宮，北京故宮博物院、瀋陽故宮博物院和台北故宮博物院。瀋陽故宮時間較短，天命十年（一六二五年）始建，清太祖、太宗、世祖三位皇帝在此治居，比明朝北京皇宮晚建二百一十八年；規模雖小卻具特色，佔地六萬餘平方米，現存建築一百一十六座五百餘間；其現藏文物二萬〇七百件。

北京明清故宮，簡稱故宮，又稱紫禁城，一九八七年列入世界文化遺產名錄。這標誌着北京故宮不僅是中華文化珍寶，而且是世界文化瑰寶，因為它是世界上現存規模最大、保存最完整的古代宮殿建築群，也是世界上最大的歷史文化藝術博物館。據統計，二〇一六年北京故宮接待國內外觀眾達一千六百萬一千八百五十四人次。所以，北京明清皇宮，既是中國的故宮，也是世界的故宮。緣此，我要向國人、向世人，介紹中國北京明清故宮。《百家講壇》本系列電視講座的題目，以及本書的書名，為甚麼叫「大故宮」呢？

第一，規模大。故宮平面呈長方形，南北長九百六十一米，東西寬七百五十三米，佔地面積七十二萬多平方米（約合一千〇七十八畝），建築面積達十五萬平方米。故宮內有各類殿宇房屋九千餘間（經點查現實有房屋九千三百七十一間），金碧輝煌，宏偉壯麗；外有高十米、周長三千四百二十八米的城牆，聳以四座瑰麗角樓裝點；城外有一條寬五十二米、長三千八百米的護城河環繞。這裏是明清盛時一千四百萬平方公里版圖、四萬萬人民和中華五千年文明的一個集中展現。

第二，歷史久。北京故宮於明永樂元年（一四〇三年）決定興建，明永樂四年（一四〇六年）開始修建，明永樂十八年（一四二〇年）基本建成，以後又不斷重建、修建、改建、增建。先後有明朝十四位皇帝、清朝十位皇帝共二十四位皇帝和一位慈禧「女皇」在紫禁城治居，統治中國近五百年。故宮從決策興建至今已經六百〇九年。在世界現存皇宮建築史上，連續五百年不間斷地使用的皇宮，只有北京的故宮；而在中國皇朝史上，連續五百年不間斷地使用的皇宮，也只有北京的故宮。

第三，珍寶多。故宮現珍藏文物，包括建築、陶瓷、書畫、碑帖、青銅、玉器、傢具、雕塑、珍寶、典籍、檔案等，根源清晰，傳承有緒。經過鄭欣淼院長等故宮博物院人七年全面認真清點，故宮博物院文物現有一百八十萬七千五百五十八件套（單霽翔《故宮的世界，世界的故宮》，光明日報，二〇一五年一月八日）；台北故宮博物院珍藏傳世珍寶六十五萬餘件（套）、檔案約四十萬件（包）；還有分藏在國家博物館、瀋陽故宮博物院、承德避暑山莊、南京博物院、頤和園管理處、天壇公園管理處的文物，以及中國第一歷史檔案館藏的一千萬件（包）檔案、二百萬件（包）滿文檔案等，還有遼寧省檔案館的館藏等，則是中華五千年文明的精華，是中華各族人民智慧的結晶。

第四，涵蓋廣。大故宮的範圍，不僅以紫禁城為核心，而且包括故宮外延——瀋陽故宮、台北故宮博物院、南京博物院文物南遷珍品、第一歷史檔案館珍藏明清大內檔案，兼及景山三海、三山五園、避暑山莊、木蘭圍場，相關壇廟寺院、行宮陵寢、宮廷制度、宮廷事件、宮廷人物，以及明中都和明南京相關歷史遺跡等，凡原內務府管理的範圍，都納入故宮姻系，也都涵蓋在「大故宮」之內。

第五，藝術美。世界著名的首都，其藝術之美、其寶物之多，英國的寶物集中在大英博物館，法國的寶物集中在盧浮宮，俄國的寶物集中在冬宮（主要為埃爾米塔什博物館）[1]。

第六，子午線。故宮的建築嚴格地遵循對稱規則，

1 美國的寶物集中在大都會博物館，這四座博物院館，被譽為世界四大博物館。中國的寶物集中在故宮博物院），應當說，北京故宮博物院與英國大英博物館、法國盧浮宮、俄國冬宮（主要為埃爾米塔日博物館）、美國大都會博物館，被列為世界五大博物館，應是世界公認的，也應是當之無愧的。

沿一條南北走向的子午線即中軸線，依次排列，對稱展開，無論是平面佈局、立體效果還是建築形式，都顯示出莊嚴、雄偉、壯麗、中和的氣度。這條中軸線向南北延伸，就是北京城市中軸線，從今永定門到鐘鼓樓，長約十六華里。整個佈局，講究平衡，東西南北，勻和對稱。東西——天壇對先農壇[2]，文衙六部對武衙五軍都督府，太廟對社稷壇，文華殿對武英殿，東華門對西華門，東六宮對西六宮；南北——前三殿對後三宮，太和殿對保和殿，乾清宮對坤寧宮；中——太和殿與保和殿之中為中和殿，乾清宮與坤寧宮之中為交泰殿，天安門與午門之中為端門，正陽門與天安門之中為大明門（大清門）等。這條子午線即中軸線的中心就是故宮；故宮主要建築坐北朝南，太和殿的皇帝寶座恰在中軸線上，體現着皇權至高至尊至重至威的地位，也體現中華優秀傳統文化——中正安和理念的精髓。

總之，只有偉大的中華，偉大的歷史，偉大的文化，偉大的智慧，才會有偉大的北京故宮！在當今世界上，亞洲、歐洲、非洲、美洲等所有現存宮殿，就其佔地面積之廣闊，建築組群之雄偉，珍藏文物之豐富，連續時

2 明清的天壇與先農壇，在明初的南京與北京，尤其在北京的永樂與嘉靖、明朝與清朝，均有重大變化，極為複雜，一言難盡。故在此約略而言之。詳見《明史．禮志》和《清史稿．禮志》、《萬曆大明會典》和《光緒大清會典事例》等書。

間之綿長，蘊含理念之深邃，文化影響之久遠，綜合起來而言，北京明清故宮可謂無與倫比。

故宮是複雜的，多面的。有人用「血朝廷」來揭示帝制時代皇宮陰暗、冷酷、血腥、暴虐的一面。但是，故宮的建築、人物、器物、服飾、瓷器、書畫、典籍、檔案等，早已不是皇家的財富，而都是士人、匠師、能工、伕役等，用鮮血、智慧、汗水和生命凝聚的，是中華民族的珍貴財富。後人對中華文化遺產，應抱以敬畏之心，讚頌之意，驕傲之情，欣賞之趣，而行守護之職，關愛之舉，學習之實，弘揚之責。

四　六把鑰匙

俗話說：學到用時方恨少。準備講課，深感困難。困難之所在，在於八個字：亦事亦理，入耳入心。如何讓學術研究成果走出書齋，面向大眾，普惠社會，為觀眾和讀者所喜聞樂見？這就要雅俗共賞——雅很難，俗也不易，雅俗共賞則更難。這就必須做到：亦事亦理，入耳入心。故事和道理，入耳和入心，事理圓融，很難做到。有故事，沒有道理，不夠深刻；講道理，沒有故事，未必好聽。能入耳，未必能入心；既能入耳，又能入心，確實不容易。這是我在本講座中的一個心結。

這次講《大故宮》，應注意並把握些甚麼要點？力求把握六個要點：

第一，空間為序。以往講《正說清朝十二帝》、《明亡清興六十年》、《康熙大帝》，都是主要沿歷史人物的生命軌跡，以時間為順序，逐漸演繹推進。這次講《大故宮》不同，是以空間為順序，就是以故宮的建築空間，作為講述的線索。每一講，都先設定一個空間的概念，再講在這個空間裏的時間、人物、事件、建築、文物等。就像拼圖一樣，先有一張總圖，分拆開來，微觀展示，再一塊一塊拼接，整合成一幅全圖。

第二，影像為長。《大故宮》一個最大的優勢是，不僅有人物，有事件，而且有建築，有文物——人物可描述、事件可敍述，建築、文物則更適合於以影視形象展現。影像比文字，比講述更形象、更直觀、更韻美、更生動。所以，《大故宮》這個題材其文字與影像可以形成最佳拍檔。

第三，文化為魂。人物、事件、建築、文物等都要有一根主線貫穿，這條主線就是文化，就是性靈。人們對人物、事件、建築、文物、歷史的了解，不僅是豐富知識、欣賞藝術、拓展視野、提高素養，而且要得到啟示、增長見識、陶冶性情、淨化心靈。簡單地說，貫穿人物、故事、建築、文物、歷史的思想理念和文化內涵，應是「大故宮」的精髓與靈魂。

第四，合縱連橫。有些歷史題材，雖然具有地域性，但不具有國際性。大故宮卻不同，明清故宮已被列為世界文化遺產，它具有國際性。這就需要將中國明清故宮同亞洲、歐洲、非洲、美洲等現存的宮殿相比較，在比較中認識中國明清故宮建築的偉麗、文化的輝煌。物以人存，睹物見人，從而了解中國之偉大，中華之偉大。

第五，史藝聯通。歷史是一門科學，電視是一種藝術。歷史的、學術的內容，通過影像、聲音、語言、文字等手段表現出來，又使抽象的、邏輯的思維蘊含其中。這是一個科學與藝術相互聯通轉化的過程——既將史實、理念轉化為可視、可聽的藝術，又將可視、可聽的藝術轉化為科學的道理；既值得探索，也值得期待。

第六，中正安和。北京、故宮有一條貫穿南北的子午線即中軸線，這就要突出「中」；中軸線上北京大城的正陽門，突出「正」；皇城正門的天安門，突出「安」；故宮的太和殿、中和殿、保和殿，突出「和」。總之，「中正安和」的理念體現了中華優秀傳統文化的精髓。譬如，「和」字為重，和者為尚。具體説來，如大智大慧者所説的「六和」——自己和悦，人我和敬，家庭和睦，自然和順，社會和諧，世界和平。

總上，以故宮建築空間為順序，以傳統文化為脊樑，以同大故宮相關的典型歷史、人物、事件、文物、古建、藝術、園林、哲理等為主要內容，全面展現大故宮，進而體現大故宮既是中華文化的精粹，也是世界文化的瑰寶。

五　團隊力量

《大故宮》的電視播出與書籍出版，是眾多師長、朋友共同智慧的結晶，我個人僅為一個代表符號。在這裏，對為《大故宮》播出和出版給予指導和幫助的所有師友，謹致敬謝！

感謝中央電視台「百家講壇」馮存禮、聶叢叢、那爾蘇、王曉、高虹、吳林、楊靜，以及編導孟慶吉、王珊、迮方樂；感謝長江文藝出版社金麗紅、黎波、安波舜、郎世溟、陳亮，以及馬琳（電視編導），還有出版社約請為本書審稿並配圖的左遠波等諸君。

愛新覺羅．啟驤先生為《大故宮》題寫片名和書名，至為敬謝。

特別要感謝我的家人。我的家庭，不客氣地説，是一個學術型的家庭。在整個寫作和錄製

《大故宮》的過程中，夫人和兒子闓天等幫着提供資訊，查找資料，遠從美國，傳來資訊，核對史實，商量提綱，討論講稿，先行試聽，反覆修改，直到敲定。家人的後勤服務使我得以專心地做點事情，完成《大故宮》的播出和出版。

本書重在採信第一手歷史資料，主要是「三實錄」——《明實錄》、《清實錄》、《李朝實錄》，「二史書」——《明史》、《清史稿》，「一檔案」——北京和台北等珍存的明清大內檔案；參閱萬曆《大明會典》、光緒《大清會典》、《日下舊聞考》、《國朝宮史》、《清宮述聞》、《酌中志》和《春明夢餘錄》等官私冊籍；吸納鄭欣淼《故宮與故宮學》和《天府永藏》，單士元《史論叢編》，萬依主編《故宮詞典》，故宮博物院的「三刊」——「學刊」、「院刊」、「紫刊」，台北故宮博物院的《故宮文物月刊》等學術研究成果，以及一百年來各位賢達的相關論著。恕不一一列舉，在此敬致謝忱！

故宮六百年，特點是在變：歷史在變，建築在變，名稱在變，功能在變，主人在變，陳設在變，器物在變，記載在變。一切都在相互聯繫的變化之中。因時間、篇幅、資料、平台、視野和知識等所限，只能選取故宮紛繁萬象中的若干個點，動中取靜，靜中取動，突出重點，擇例講述，因此，以偏概全，詳靜略動，欠缺之憾，敬請見諒。

第一講　永樂遷都

大明永樂十九年（一四二一年）正月初一，永樂皇帝身着龍袍，端坐在奉天殿（太和殿）的寶座上，接受百官朝賀，慶祝新年的到來，也慶祝新落成的皇宮——紫禁城宮殿正式啟用。從這一天開始，北京正式升格為明朝的都城，南京則成為陪都。從這一天開始，大明皇宮正式登上歷史文化的舞台！永樂帝遷都北京，是驚天動地的壯舉，更是影響千秋的決策。

△北京明清故宮，是中華文明的精粹，是人類文明的瑰寶，是現存最大的宮殿建築群，也是世界著名的文化遺產。

△儒家經典《大學》說：「物有本末，事有終始。」要了解「大故宮」，先要從了解「永樂遷都」開始，而要了解「永樂遷都」，就要從「燕王裝瘋」說起。

一　燕王裝瘋

堂堂燕王，為何裝瘋？事出有因，一一細講。

朱元璋起兵，建立明朝，定都金陵（今南京），國號大明，年號洪武。同年，大軍北進，推翻元朝，改大都為北平，取意北方平定、和平[1]。他為江山永固，採取了一項「強枝幹、固根本」之策，就是分封子侄為王，分駐要地，加強地方，鞏固中央。朱元璋有二十六個兒子，除長子朱標留在南京，第九子朱杞和第二十六子朱楠早死外，其餘二十三個兒子都封為藩王，分駐各地。

1　金朝建都北京，稱中都，為北京正式建都的開始。元朝時北京稱為大都。明初定都南京，大都改稱北平。永樂元年（一四〇三年），朱棣改北平為北京，此為北京這一地名的開始。民國二十八年（一九三九年）時，北京曾改為北平。一九四九年，北平又改稱北京，並沿用至今。

這裏特別要說的是燕王朱棣。

朱棣（一三六〇～一四二四年）是明太祖朱元璋第四子，朱元璋稱帝時朱棣才八歲。他十一歲被封為燕王，十七歲娶開國元勳、大將軍徐達的長女徐氏為王妃，二十一歲帶領護衛軍官兵五千七百七十人離開南京，就藩北平。燕王府在故元大都皇太子居住的隆福宮，位置在今中南海。二十三歲時父皇選派高僧道衍（姚廣孝）和尚為燕王隨侍。

老子說：「福兮，禍之所伏。」風雲突變，禍臨王府。洪武三十一年（一三九八年），朱元璋死。這時皇太子朱標已先死，朱標之子朱允炆以皇太孫嗣繼皇位，改年號為建文，史稱建文帝。朱允炆繼承皇位時二十二歲（時燕王朱棣三十九歲）。他生長在皇宮，少年聰穎，會念書，懂禮儀，很聽話，是個乖孩子；但他缺少社會經驗，更缺乏政治謀略。建文帝感覺到：威望不高，皇位不穩，擔心叔王權勢過大，威脅皇權，於是聽信兵部尚書齊泰、大臣黃子澄的話，削奪藩王，強化皇權。從哪兒動手呢？俗話說：「吃柿子先揀軟的捏。」他先懲治五王——以兵襲開封，將周王廢為庶人；轉過手來，又廢岷王；湘王膽小，「闔室自焚」；齊王被削，成為平民；代王被囚，高牆圈禁。對燕王朱棣，他也有所試探。本來，燕王府邸在元朝舊宮，規模自然比別的王府大，如今建文帝卻翻起老賬，指責燕王府邸「越分」。朱棣上書辯解說：「《祖訓錄·營繕》條云，明言燕因元舊，非臣敢僭越也。」燕王朱棣打出皇父的「祖訓」，來回答皇侄建文帝的指責，算是躲過一劫，但他仍然感覺到了政治風浪的險惡。為穩住朝廷，再圖良策，他心生一計——裝瘋！

梅蘭芳先生有一齣著名的京劇《宇宙鋒》。這齣戲說的是秦趙高的已嫁女豔容，二世胡亥欲納為嬪妃，趙高也獻女逢迎。一邊是君命，一邊是父命，趙豔容急中生智，金殿裝瘋，逃過一劫。這齣戲又叫「金殿裝瘋」。燕王演出的舞台不在金殿，而在王府，簡直就是一齣「王府裝瘋」的政治滑稽劇。事情是這樣的：朝廷從南京派官，前來北平察看燕王朱棣的動靜。一到燕王府，接待的不再是從前那位堂堂威武的燕王，而是一個瘋瘋癲癲的狂人朱棣。北平三伏，揮汗如雨，可是燕王身上穿着破棉襖，圍着火爐，蓬頭散髮，哆裏哆嗦，嘴裏大喊：「冷啊，冷啊！」他神智錯亂，滿口胡言。使者一見，扭頭就走，回南京報告說：燕王瘋了，不足為患！但有的大臣不信，認為朱棣是裝瘋。於是朝廷派官到燕王處再探。這次，燕王乾脆把戲演到了廳堂之外，在大街上呼喊亂走，搶奪酒食，狂言亂語，躺在泥地，滿臉污垢。使臣回到南京報告說：燕王真的是瘋了！這下朝廷不再懷疑，暫時對燕王放鬆了警惕。通過燕王的「王府裝瘋」，可以看出朱棣是一位胸藏大智慧、大謀略的政治家，可謂能屈能伸、大智若愚。相比之下，年輕氣盛的建文帝根本不是這位皇叔燕王朱棣的政治對手。

朝廷使臣走後，朱棣回到王府，找來道衍，共同謀劃。

道衍（一三三五～一四一八年），俗名姚廣孝，江蘇長洲（今蘇州市相城區陽澄湖鎮）人。他十四歲出家後，修禪理，悟性高，通儒道，諳韜略，習兵法，工詩畫，應燕王之自求，受朱元璋指派，侍隨燕王朱棣。燕王同道衍共同謀劃舉兵大事，但事關天機，屬絕對機密，需要彼此試探，以明隱秘心意。《長安客話》記載了一個故事：一天特冷，道衍陪燕王吃飯。酒席之間，二人對話——

朱棣說：「天寒地凍，水無一點不成氷！」

道衍答：「國亂民愁，王不出頭誰作主！」

朱棣話的字面意思是：雖然天寒地凍，但是「水」字缺一「點」，就不成「氷」（冰）字——

「氷」與「兵」諧音，言外之意，就是「起兵如何」。

道衍話的字面意思是：國家混亂、庶民愁苦，此時「王」字的一豎若不出頭（加一點），怎麼能成為「主」字呢！這分明是鼓勵燕王朱棣起兵「出頭」，做天下之「主」。

此事，另有史載。道衍曾說：「若蒙不棄，當奉上白帽子戴。」（王世貞《名卿紀蹟》卷二）道衍還說：「臣奉白帽着王。」（查繼佐《罪惟錄·姚廣孝》傳卷十六）以上兩說，都是隱語，意思一樣：「皇」字拆開來，不就是「白」加「王」等於「皇」嗎！

總之，燕王與道衍，對坐飲茶，經過試探，兩人所想，

明成祖朱棣像

暗自相合。於是，秘室策劃，克期起兵。燕王起兵之時，狂風暴雨，房瓦墜地。朱棣大驚，臉色驟變。道衍說：大吉祥啊！飛龍在天，從以風雨；灰瓦墜地，將換黃瓦。（《明史．姚廣孝傳》卷一百四十五）燕王轉驚為喜，師向南京，征戰四年，奪取帝位。這裏插敘道衍後來的故事。論功行賞，重獎道衍：賜蓄髮，道衍堅辭，是為一；賜府第，道衍堅辭，是為二；賜土地，道衍堅辭，是為三；賜美女，道衍堅辭，是為四；賜金銀，道衍堅辭，是為五；賜高官，道衍堅辭，是為六；賜厚祿，道衍堅辭，是為七；賜爵位，道衍堅辭，是為八。道衍和尚八拒永樂皇帝的賞賜，只請求到大慶壽寺（在今西長安街路北，後稱雙塔寺）青燈一盞，念經修行。道衍上朝時穿官服，退朝後披袈裟。道衍和尚文足以安邦，武足以定國，他的確高明：奪天下時獨居首功，治天下時全身而退，知進知退，知行知止，胸懷大格局，心藏大智慧！

回過頭來，還說朱棣。朱棣挑戰皇位，事關江山社稷，更要爭取民心。他借用漢朝「清君側、誅晁錯」的歷史經驗，打出「靖難」的旗號，就是宣稱國家有難，奸臣齊泰、黃子澄之流當道，所以要帶兵來拯救國難、靖安社稷。建文元年（一三九九年），燕王朱棣在北平起兵，時年四十歲。靖難之役，血戰四年，慘烈非常。最後，朱棣率軍攻入南京，以武力從侄子手中奪取皇位，成為大明朝的第三任皇帝。據《明實錄》載，建文帝於城破後自焚而死，一說由地道出逃，落髮為僧，還有說流亡海外，成為歷史疑案。

朱棣坐上皇位成為永樂帝，要把這個特大喜訊昭告天下。但是，事物有陽，必定有陰。事情順利的內瓤，總有不順利因素。永樂帝取得勝利滿心高興的同時，卻惹來了一場「血色詔書」風波。

二 血色詔書

朱棣奪得皇位後，要寫詔書，佈告天下。事先道衍和尚給他介紹了方孝孺其人其事，並囑託道：您到了金陵後，殺誰也不能殺方孝孺，「殺孝孺，天下讀書種子絕矣」（《明史·方孝孺傳》卷一百四十一）。永樂帝點頭應允。

方孝孺（一三五七～一四〇二年），浙江寧海人。幼年警敏，雙眸炯炯，每天讀書，數量過寸。他受《孟子·告子》「天將降大任於是人也，必先苦其心志，勞其筋骨，餓其體膚，空乏其身」的訓導，「嘗臥病，絕糧」。家裏人很納悶，他笑着解釋說：「古人三旬九食，貧豈獨我哉！」這裏「三旬九食」用的是陶淵明《擬古》詩中「三旬九遇食，十年着一冠」的典故，意思是衣食難以自足。孝孺長大後受到了明太祖和建文帝的信用，官至翰林院侍講學士，給皇帝講課，並參與機要檔起草。史稱其「文章滂沛，議論波瀾」。

燕王兵進南京金川門後，方孝孺被逮，帶到燕王面前。朱棣命他起草繼位詔書。方孝孺悲慟大哭，哭聲震動殿堂。因為有道衍囑託的話在先，朱棣不顧九五之尊，走下寶座，到方孝孺面前，君臣有了一段對話。

朱棣說：「先生，不必自找苦吃。我要效仿周公輔佐成王啊！」

孝孺說：「成王在哪裏？」

朱棣說：「他自焚死了！」

孝孺說：「為何不立成王的兒子呢？」

朱棣說：「他的兒子太小，國家需要年長的國君。」

孝孺說：「為何不立他的弟弟呢？」

朱棣說：「這是我們的家事！」

孝孺說：「我不能起草詔書！」

朱棣說：「這份昭告天下的文書，非先生起草不可！」說完命太監將筆墨紙硯等放在孝孺的面前。

孝孺直對朱棣，不但不寫，還將御賜的筆墨擲在地上，又哭又罵，並說：「死即死耳，詔不可草！」

朱棣大怒，忘了（或拋卻了）道衍的囑託，說：「不寫，你就不怕誅九族？[1]」

孝孺說：「就是誅十族，我也不能寫！」

朱棣以殺其弟相威逼。方孝孺面對胞弟孝友即將臨刑而潸然淚下，其弟吟詩道：「阿兄何必淚潸潸，取義成仁在此間。華表柱頭千載後，旅魂依舊回家山。」（《明史紀事本末》卷十八）

朱棣大怒，命人以刀抉方孝孺之口，裂至兩耳，再將其寸磔於市，並誅其十族。十族，就是宗親九族加上學生。可憐那些與方氏有牽連的讀書人，無辜被殺，血染黃泉。史載孝孺口占絕命詩，慨然赴死，氣節高昂。

1 九族：《辭海》引《尚書·堯典》「以親九族」，解釋「九族」有兩說：一是指高祖、曾祖、祖父、父親、自身、兒子、孫子、曾孫、玄孫，「舊時立宗法、定喪服，皆以此為準」；二是指父族四、母族三、妻族二。

清人倪瑞璿詩曰：「碧血一區埋十族，青山千古護孤墳。」這表達了後人對方孝孺的崇敬和懷念。

方孝孺不寫詔書，詔書還是有人寫的。建文四年（一四〇二年）六月十七日，朱棣在金陵皇宮奉天殿即皇帝位，昭告天下。

上面的故事反映了一個血腥的現實：永樂新貴族與建文舊貴族之間，進行了一場生與死、天堂與地獄的殘酷廝殺——《明史紀事本末》記載：方孝孺之黨，坐死者八百七十三人；鄒瑾之案，誅戮者四百四十人；練子寧之獄，棄市者一百五十人；陳廸之黨，杖戍者一百八十人；司中之系，姻婭從死者八十餘人；胡閏之獄，全家抄提者三百一十七人；董鏞之逮，姻族死戍者二百三十人等。以上七個案子，牽連二千二百多人！其中許多人是前朝官員和社會名流！史家對他們稱讚道：「忠憤激發，視刀鋸鼎鑊，甘之若飴，百世而下，凜凜猶有生氣！」（《明史》卷一百四十一）

孝孺「血色詔書」風波剛平息，朱棣「白日噩夢」悲劇又上演。

三　白日噩夢

燕王朱棣登極稱帝，不僅遭到建文儒生的抵制，而且遭到建文官員的反抗。這突出反映在永樂帝的一場白日噩夢裏。

永樂皇帝的白日噩夢是怎麼回事呢？

一天，永樂皇帝在南京皇宮迷迷糊糊地做了個白日夢，夢見一個叫景清的人手持寶劍，繞着皇帝寶座跑，想要追殺他。他趕快退避，退得愈快、追得愈快，退得越慢、追得越慢。景清，這個人是大有來頭的。

景清，何許人也？本姓耿，訛姓景，陝西真寧（今甘肅省慶陽市正寧縣山河鎮寨子村）人，洪武二十七年（一三九四年）一甲第二名進士（榜眼）。建文帝曾派北平參議景清，從南京到北平，察看燕王府的行動。燕王宴請景清，見他言論明爽，舉止清雅，心中大加讚賞。景清公事後返回南京。燕王朱棣攻佔南京，奪取皇位後，委任景清，官復原職。景清卻「身在曹營心在漢」，八月十五早朝時，懷揣利刃，違制獨穿緋（大紅色）衣上朝。待朱棣下朝出殿門時，景清突然犯駕，揮起利刃，刺向皇帝（一說被搜出），被御前侍衛擒拿。永樂帝責問，景清答：「欲為故主報仇耳！」且高聲謾罵。永樂帝命敲掉他的牙，景清邊被敲牙，邊破口大罵，口中鮮血噴向朱棣的龍袍。朱棣氣急敗壞，下令將景清剝皮，楦上草，戴枷鎖繫在長安門。後朱棣御駕經過長安門，繫索忽斷，「皮草景清」趨前數步，狀如犯駕。永樂帝大驚，命焚燒之。隨後，永樂帝白天睡覺，夢見景清圍繞御座追殺他。驚醒之後，嚇出一身冷汗，命誅其族，籍沒其鄉（《明史紀事本末》卷十八）。還有，像胡閏之獄，「所籍數百家，號冤聲徹天。」（《明史・陳瑛傳》卷三百八）永樂帝覺得在南京殺人多、陰氣重，實非久留之地。他不願再以南京為都城，決意遷到自己的「龍興之地」北平。

禮部尚書李至剛等，遵照永樂皇帝的旨意，在永樂元年（一四〇三年）正月十三日，就明朝遷都一事上奏：北平為皇上龍興之地，請立北平為京都。永樂帝制曰：「可。」（《明太宗實錄》卷十六）明朝決定遷都北平。

然而，朱棣決定遷都北京，僅僅是因為白天夢見景清犯駕嗎？僅僅是因為在南京殺人過多，陰氣太重嗎？其實如此重大決策，必有更為複雜的考量：

第一，北京是「龍興之地」，根基穩固。永樂帝認為，北平風水好，成全了他的皇帝夢，而南京有鬼魂犯駕，風水對自己不利。朱棣在北平經營二十多年，基礎深厚，而南京則遍佈前朝遺民，人心不穩，所以，還是回大本營北平為好。

第二，北京是雄險之區，位置重要。北京「北枕居庸，西峙太行，東連山海，南俯中原。沃壤千里，山川形勝，足以控四夷、制天下，誠帝王萬世之都也」（《明太宗實錄》卷一百八十）。當時的故元勢力，「控弦之士，不下百萬」，嚴重威脅明朝北方安全。都城設在北京，「天子守國門」，利於北邊防務。

第三，北京是居中之地，交通便利。古代交通不便，四方入貢，道里均勻，為聯通九州八方，都城位置宜居天下之中。盛明疆土，北到黑龍江入海口和庫頁島（今薩哈林島），南達曾母暗沙，北京的地理位置，約略南北居中。那時候沒有汽車、飛機、高鐵，交通主要靠陸運和水運——京杭大運河貫通海河、黃河、淮河、長江、錢塘江五條大江河，北京則為這條大運河的起點和終點。

第四，北京是帝王之都，積澱豐厚。北京自遼南京、金中都，到元大都，作為帝都，已綿延四百多年。北京歷史文化積澱豐厚，有大氣象，有帝王氣。

第五，北京位於華北大平原北端，平原開闊，沃土千里，四季分明，氣候宜人。北京既不像南國的夏天溽熱，也不像北疆的冬天嚴寒，而是比較溫和，益於人居。

所以，永樂帝遷都北京，從當時或從後來看，都是正確、重大的決策。

從決意遷都北平，到正式定都北京，經過了十八年。這是一個很長的過程：永樂元年（一四〇三年），朱棣下詔以北平為北京；永樂四年（一四〇六年）閏七月，朱棣詔建北京宮殿；永樂七年（一四〇九年）以後，朱棣多次北巡，長期住在北京，而以太子朱高熾在南京監國，永樂十八年（一四二〇年），北京宮殿建成。而後，朱棣下詔：明年正月初一日，以北京為京師，正式遷都北京，舉行慶賀大典。

定都，對於一個政權、一個君王來說，是一件頭等大事。當年明太祖朱元璋成了氣候，要建立都城，在鳳陽、金陵（今南京）、開封、洛陽、西安、北平（今北京）之間猶豫不決。一天，他讓群臣寫詩表示自己的意見。儒士鄧伯言獻詩說：「鼇足立四極，鐘山一蟠龍。」（《七修類稿》卷十二）這詩契合了朱元璋定都金陵的意向。朱元璋在金鑾殿上拍案高聲朗讀這首詩，鄧伯言誤認為皇帝震怒，自己小命完了，當堂嚇得昏死，被抬出東華門時才蘇醒過來。

遷都，也同樣是驚心動魄的。歷來遷都，都極艱難，前朝經驗，歷歷在目。北魏孝文帝以爭戰為名，脅迫貴族從大同遷都洛陽；金海陵王也是毀掉上京（今哈爾濱市阿城區）宮殿，逼迫貴族遷到中都（今北京）；努爾哈赤從遼陽遷都瀋陽，八大貝勒反對，他獨自行動，諸貝勒們看老爺子走了，也只好跟着走。永樂遷都，既有雄才遠略的一面，也有被逼無奈的一面。直到明朝覆亡，黃宗羲等仍在議論：如果都城還在金陵，明朝就可能擺脱覆亡的命運；其實，如果不是遷都北京，「天子守國門」，恐怕早在英宗朝「土木之變」時，明朝可能就已丟掉北方的半壁江山。當然歷史是不能假設的。

從永樂十九年（一四二一年）正月初一開始，北京繼元大都之後，再次成為中國的政治中心、文化中心。北京在元、明、清三代，是全中國的政治中心、文化中心，而今又是中華人民共和國的首都、全國文化中心。

永樂皇帝是一位雄才大略的君主。為甚麼這樣説？因為他對中國歷史的發展作出了重大貢獻：

第一，維護國家統一，鞏固北方邊境。

第二，派遣鄭和下西洋，完成人類航海史上的壯舉。

第三，派亦失哈赴奴兒幹，設立奴兒幹都指揮使司，實現對黑龍江女真和東海女真等族群的招撫和地域管轄。

第四，編修《永樂大典》，為中華文化史上的盛事。

第五，營建都城北京，為人類增添了一份世界文化遺產。

朱棣和他的皇父朱元璋一樣，雖都有歷史大功績，但也

《明北京宮殿圖》（局部）

有歷史大罪過——他們都漠視生命，特別是漠視士人生命，對於異己者，濫施淫威，殘暴屠殺。

我們在電視螢屏上，常能看到雄偉壯麗的紫禁城，看到巍峨壯觀的故宮三大殿，看到三大殿中建築等級最高、體量最大的太和殿（奉天殿）。我們把時間往前推五百九十年。在大明永樂十九年（一四二一年）正月初一這一天，在北京，在中國，在亞洲，在世界，發生了一個歷史性的大事件：永樂皇帝身着龍袍，端坐在奉天殿（太和殿）的寶座上，接受百官朝賀，慶祝新年的到來，也慶祝新落成的皇宮——紫禁城宮殿正式啟用。奉天殿（太和殿）前，香煙繚繞，鞭鳴樂奏，文武百官，山呼萬歲。禮畢，舉行盛大宴會，招待文武百官及朝貢使臣。

從這一天開始，北京正式升格為明朝的都城，南京則成為陪都！

從這一天開始，大明皇宮正式登上歷史文化的舞台，莊嚴載入人類文化史冊！

總之，永樂帝遷都北京，是驚天動地的壯舉，更是影響千秋的決策！

永樂帝詔建的北京城和北京皇宮，先定下一條中軸線。這條中軸線及坐落在中軸線上的皇宮，居於「天下之中」，有些甚麼故事呢？

第二講　天下之中

《呂氏春秋・慎勢》說：「擇天下之中而立國，擇國之中而立宮。」北京城設計與建設的法寶，是一個「中」字，特別體現為兩個關節點：北京皇宮（心臟）和中軸線（脊樑）。

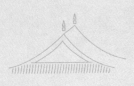

△ 明永樂元年（一四〇三年）正月十三日，永樂皇帝朱棣決定遷都北京，隨即開始北京城池宮殿的籌備和建設，到永樂十九年（一四二一年）正月初一正式啟用，歷時十八年。

△ 《呂氏春秋．慎勢》說：「擇天下之中而立國，擇國之中而立宮。」北京城設計與建設的法寶，是一個「中」字，特別體現為兩個關節點：北京皇宮（心臟）和中軸線（脊樑）。講「天下之中」，先從「哪吒傳說」講起。

一 哪吒傳說

故事的主人公是劉伯溫（名基）和姚廣孝（道衍）。姚廣孝是朱棣的軍師、謀士，前面介紹過。他出家後，遊嵩山寺，相面的說他是元世祖忽必烈謀士「劉秉忠流」。他是重修《明太祖實錄》的監修官，又是編輯《永樂大典》的纂修官。無論政事，還是文事，他都頗有建樹。

劉伯溫（一三一一～一三七五年），名基，浙江青田人，是朱元璋的軍師、謀士。青田山明水秀，溪谷蜿蜒，飛瀑直瀉，有個石洞，相傳是劉伯溫當年讀書修心之處。劉伯溫學問好，博覽經史，精通易理，有諸葛孔明搖羽毛扇、謀定乾坤之風；人也標緻，史載「基虬髯，貌修偉」，就是高大個頭，留着長須，一表人才。他還性情十足，「慷慨有大節，論天下安危，義形於色」。朱元璋對劉伯溫「察其至誠，任以心膂」，經常召見，密談玄機。因是君臣私話，外間知之甚少，加上劉伯溫精通「象緯之學」（占卜吉凶），所以關於他的神奇傳說特別多，修北京城就是一例。

相傳，永樂帝派劉伯溫和姚廣孝二人到北京，進行都城的規劃設計。到北京後，劉伯溫稱大軍師，住東城公館；姚廣孝稱二軍師，住西城公館。他們約定各想各的，第十天分別拿出北京城設計圖，然後背靠背地坐着交換，看彼此的心思對不對頭。第二天，兩人分別前去察看地形。可是兩個人的耳朵裏，都聽見有個孩子的聲音説：「照着我畫，不就結（成）了！」劉大軍師琢磨不透，姚二軍師也琢磨不透。第三天，他們又各自看見一個穿紅襖短褲的孩子在前面走，你快走他也快走，你慢走他也慢走，急追慢走，總趕不上。回到公館，前一天的耳語又響起：「照着我畫，不就結了！」思來想去，劉伯溫和姚廣孝恍然大悟：那個穿紅襖短褲的小孩不就是腳踩風火輪、手握金剛叉、八條膀臂的哪吒嗎！那個耳語的聲音，不就是哪吒的聲音嗎！到了第十天正午，劉伯溫和姚廣孝擺下桌椅，劉面朝東、姚面朝西，背對背地坐着畫北京城圖。交換過來一看，兩人不由得哈哈大笑：所畫兩張城圖，竟然一模一樣，都是八臂哪吒城！

劉伯溫解釋説：這（京城）正南中間的一座門，叫正陽門，是哪吒的腦袋；甕城東西開門，是哪吒的耳朵；正陽門裏的兩眼井，是哪吒的眼睛；正陽門東邊的崇文門、東便門，加上東城牆的朝陽門、東直門，是哪吒左半邊身子的四臂；正陽門西邊的宣武門、西便門，加上西城牆的阜成門、西直門，是哪吒右半邊身子的四臂；北城牆的安定門、德勝門，是哪吒的兩隻腳。京城裏四方形的皇城，是哪吒的五臟，皇城的正門——承天門（天安門）是五臟口，從五臟口到正陽門中間這條長長的平道，是哪吒的食道。那宮城則是哪吒的心臟。貫穿宮城從玄武門（神武門）到大明門（大清門）的御道，則是哪吒的脊樑骨。所以，老北京人説，北京城是一座八臂哪吒城。（參見金受申《北京的傳説》）

上面傳説，不必當真。修北京城時，劉伯溫已經死去二十多年，姚廣孝在修行，他們都沒有參與北京城的興建工程。更何況，傳説裏提到的東、西便門，都開在外城上，而外城到嘉靖時才修成，晚一百多年呢。那麼，這個故事是怎樣移花接木到劉、姚二位身上的呢？香港中文大學歷史系主任陳學霖教授根據二十多年的研究，在《劉伯溫與哪吒城——北京建城的傳説》這本專著裏，做了詳細的考證。劉、姚二人按照哪吒形象修建北京城的傳説，濫觴於劉秉忠修建元大都城的故事。劉秉忠是元大都的總設計師，他當過和尚，同姚廣孝身世經歷相似，又是忽必烈的謀士，同劉伯溫的身世經歷也相似。這樣故事的兩位主角就湊齊了。那麼故事的場景是怎樣從元朝移到明朝的呢？這個故事移植，起到橋樑作用的是朱棣的蒙古血統。原來，據學者考證，朱棣的生母不是正史記載的朱元璋原配夫人——大腳馬皇后，而是蒙古汪古部的碩妃。漢文和蒙古文的文獻都記載説，朱棣建北京城時曾求助於生母碩妃，母親授予他錦囊妙計，要他請劉伯溫襄助。劉伯溫受命之後，得到一位黑臉、黑衣、黑騎的神人指點，依計行事，修建了北京城。這個故事有漢文本，有蒙古文本，也有從蒙古文本翻譯的英文本；於是在國內與國外，在蒙古族與漢族地區，特別在北京地區，廣泛流傳，歷久不衰。這個故事反映出在北京城規劃和建設中，蒙漢、中外、元明、僧俗多元文化在北京交流和融匯。

那麼，哪吒傳説中北京宮城是北京城的心臟，真的是這麼回事嗎？

二　北京心臟

事實上，明北京城不是按照哪吒八臂，而是依照《周禮．考工記》的禮制，在元大都城基礎上重新規劃和建造而成的一座新的都城。

關於都城的規劃建造，早在兩千年前，儒家經典《周禮．考工記》就規定：

匠人營國，方九里，旁三門，國中九經九緯，經塗九軌，左祖右社，面朝後市。

這就是說，都城呈方形，每邊長九里，旁各開三門。城中的道路，縱橫各九條，路寬可以九輛車並行。左翼是祭祀皇帝祖先的太廟，右翼是祭祀土地和五穀之神的社稷壇。前面為皇帝治居的宮殿，後面為人們交易的市場。

初建的北京城分為宮城、皇城、京城三重，後嘉靖年間增築外城，而為四重城（外城因財力不足，只包南城，未能全包）。外城建成之後，京城又稱內城。

北京城池宮殿告成後，明朝官方評論說：

初，營建北京，凡廟社、郊祀、壇場、宮殿、門闕，規制悉如南京，而高敞壯麗過之。

（《明太宗實錄》卷二百三十二）

明北京城的宮殿壇廟之輝煌壯麗，超過了南京，具有天子之都的雄偉氣概。北京城分為宮城、皇城、內城和外城四重城：

北京第一重城為宮城。宮城就是皇宮，也稱大內，又稱紫禁城，是皇帝理政和居住的地方，也是北京城的心臟，所謂的天下之中。按照中國古代對天象的認識，紫微星垣（北極星）高居中天，永恆不移，眾星環繞，是天帝之所居，所以叫作紫宮。皇帝是天帝之子，便用紫宮來象徵世間皇帝的居所，而皇帝居住的宮城，宮禁森嚴，如規定：擅入宮城者「杖六十、徒一年」，「持寸刃入宮殿門內者，絞」（萬曆《大明會典》卷一百六十六）。因此明清宮城就有了「紫禁城」之名。這個名稱，給皇宮抹上了神祕的色彩。

北京第二重城為皇城。宮

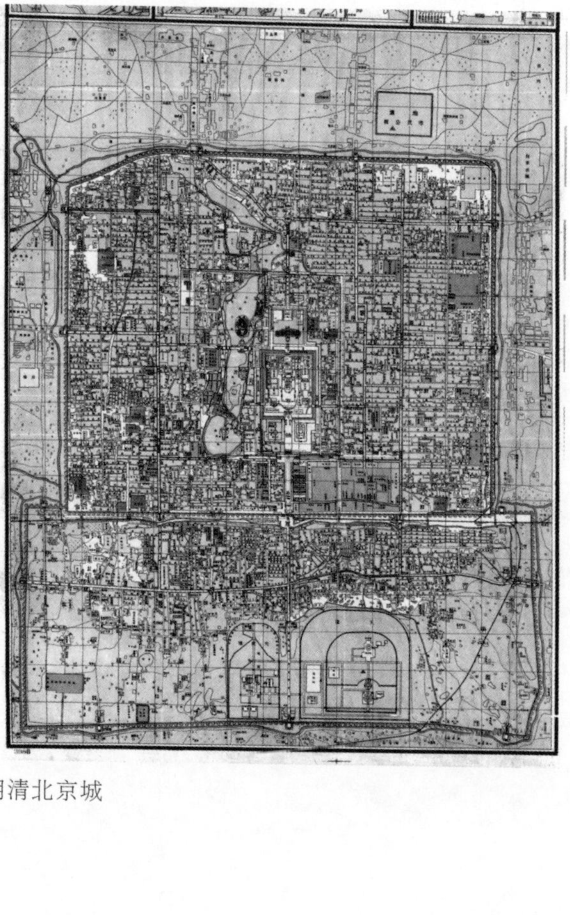

明清北京城

城之外套着皇城，分佈着朝廷辦事機構——監、局、司、庫等，是為皇家服務的地方。皇城周圍約十八里，四面開七座城門：正南為大明門（清改稱大清門），其東轉為長安左門，西轉為長安右門，中為承天門（天安門），東為東安門，西為西安門，北為北安門（清改稱地安門）。皇城的城牆用磚包砌，塗以紅色，上面着黃色琉璃瓦。我們今天看到的天安門兩側的紅牆就是皇城的南城牆。皇城同樣被列為禁地，民間百姓，擅自闖入，杖責一百。（萬曆《大明會典》卷一百六十四）

北京第三重城為內城。皇城之外又套着內城。內城，初稱京城，也稱大城，嘉靖修外城後便叫內城。在清朝，內城是旗人居住的地方。城周圍長約四十五里，城牆高十二米，牆內外用磚包砌。城牆四隅，建有角樓。城牆的外面，環繞護城河。今北京二號線地鐵是在原內城城牆和護城河的位置修建的。內城共有九座城門：南面，中為正陽門（初稱麗正門，習稱前門），東為崇文門，西為宣武門；東面，南為朝陽門，北為東直門；西面，南為阜成門，北為西直門；北面，東為安定門，西為德勝門。正統年間，九門之外，各立牌樓；內城九門樓建成之後，崇樓峻閣，固若金湯，崔嵬宏麗，煥然一新。

北京第四重城為外城。內城之外，罩着外城。明嘉靖三十二年（一五五三年），為防禦塞外騎兵騷擾，按「城必有郭，城以衛君，郭以衛民」的規制，始築外城。原議修一百二十里，因財力不足，只在南面修了二十八里，開七座城門：南面中為永定門、東為左安門、西為右安門；東面南為廣渠門、北為東便門；西面南為廣寧門（清避道光帝旻寧名諱改為廣安門）、北為西便門。城牆用磚包砌，也挖了護城河。

這樣，在明清時期，北京四重城——宮城、皇城、內城、外城，宮城為中，層層環衛，界域清晰，等級分明。歷史傳統，影響至今。

總之，以紫禁城為中心的北京城的建成，反映出十五世紀初的中國，國家強大統一，財力豐實雄厚，人民聰明勤勞，建築水準高超。這是中國古代都城史上最輝煌的傑作，也是世界都城史上最宏麗的篇章。

我想在這裏介紹一個有趣的歷史現象。

元大都宮殿佈局是以太液池（今中南海、北海）為中心，大內、隆福、興聖三組宮殿呈「品」字形，夾太液池，形成「太液為主，宮殿為客」的佈局。而明北京則將宮城集中在太液池東岸，形成「宮殿為主，太液為客」的佈局。為甚麼會有如此主客佈局的轉換呢？這有文化上的原因。遊牧民「逐水草而居」，以牛羊為衣食之源，而牛羊食草而生，草又依水而生，所以水是草原文化的生命。而武力篡奪侄子皇位後遷都北京的朱棣，在北京最缺乏的是安全感，所以把高築紫禁城的城牆放在首位，太液池則是消閒遊憩之地。因此，元大都「太液為主、宮殿為客」與明北京「宮殿為主、太液為客」的佈局，是草原文化與農耕文化在城市規劃和宮殿佈局上的映現。

北京城不僅有皇宮成為全城的心臟，城池重重環繞皇宮，層層拱衛皇宮，而且還有一條中軸線作為全城的脊樑和靈魂。

三 中軸脊樑

北京作為「天下之中」，另一個關節點是「脊樑」，就是有一條城市中軸線穿過皇宮，貫穿南北，好比北京的脊樑。北京建城，先有中軸線，後有北京城，而皇宮在這條中軸線上，前有出後有靠，形成中軸線上的一個個高潮。

中軸線即子午線[1]，明北京城借鑑了元大都城的中軸線，是規劃設計中最先確定下來的核心要素。也就是先定中軸線，後建北京城。正如著名建築學家梁思成先生所言：北京獨有的壯美秩序就由這條中軸線的建立而產生。在明清時期，這條中軸線上，從南到北排列着永定門、正陽門、大明門（大清門）、天安門（承天門）、端門、午門、太和門（奉天門、皇極門）、乾清門、神武門（玄武門）、地安門（北安門）等十座最重要的城門，縱貫宮城、皇城、內城、外城；這條中軸線上，矗立着太和殿（奉天殿，皇極殿）、中和殿（華蓋殿，中極殿）、保和殿（謹身殿，建極殿）、乾清宮、交泰殿、坤寧宮，

1 《辭海．子午線》條：「地球上一切通過地軸的平面同地面相割而成的圓，即所有經度圈都是地球大圓。它們在南北兩極相交，並被等分成的兩個半圓，這裡的半圓稱經線，經線的方向表示當地的南北方向，故又稱『子午線』」。子，為地支第一位，夜十一——一時，也指北；午，為地支第七位，午十一——十三時，也指南。

即前三殿、後三宮，共六座雄偉的宮殿。全城建築都以中軸線為基線而對稱展開，皇帝的寶座，就安設在中軸線上。這些偉大的建築，形制體量，平衡對稱，結構疏密，壯美諧和，高低錯落，井然有序，陰陽之間，不激不隨，構成了一幅世間獨具的雋美畫卷，同時也形成北京中軸線的高潮。

打開明清北京地圖，可以清晰地看到這樣一個現象：在皇宮之南，有三個坐北朝南、平面呈「凸」字形的建築佈局，層層遞進，在中軸線上形成三個高潮，顯示出向前發展的磅礴氣勢。

第一個「凸」字形的佈局，依託宮城向南凸出。北依午門五鳳樓，經端門，南望雄偉壯麗的承天門（天安門），東西兩側，各有一道紅牆或廡廊圍合。兩翼分別佈置一組對稱的建築群：左祖——祭祀祖先的太廟（今北京市勞動人民文化宮），右社——祭祀社（土地）和稷（五穀）的社稷壇（今中山公園）。前者，是生命的延續，感恩祖先，因為沒有祖先，就沒有子孫；後者，是生活的維繫，感恩土地及其生長的糧食，因為沒有土地和糧食，就沒有兆民生命。「左祖右社」按照明清規制，都在宮城之內。從社會倫理看，這個佈局，體現了對生命的敬畏、對自然的敬畏；從建築格局看，這個佈局，既突出了宮城的雄偉氣勢和帝王的至尊至上，又表現出天之驕子的社會責任。

第二個「凸」字形的佈局，依託皇城向南凸出。北依承天門（天安門），中經大明門（大清門），南望正陽門（前門），東有長安左門，西有長安右門，中間為寬闊的御道，兩旁有東西向的千步廊，各一百一十間，折而北向，廊房各三十四間，共二百八十八間，連簷通脊，組成巨大的宮前場院，以紅牆封圍。兩側紅牆外面（約今正義路以西、石碑胡同以東、長安街以南、前門大街以北），對稱地佈列着中央政府主要官署：左文——吏部、戶部、禮部、兵部、刑部、工部和翰林院等，右武——中軍、左軍、右軍、前軍、後軍的五軍都督府和錦衣衛等。都在千步廊東西兩側和皇城附近。這個佈局，進一步突出了宮城的雄偉氣勢和帝王的至尊至上，又表現出中央政務區集中辦公的特點。

這裏就是現在的天安門廣場[2]。記得新中國開國大典前，天安門廣場雜草叢生，垃圾遍地。學生、軍人、幹部等到廣場拔草。到「十一」舉行新中國成立大典時，廣場上的黃土地乾淨平整。後來城市發展，拆除宮前廣場紅色圍牆，又加以拓展，成為現今的天安門廣場。宮前廣場西拓，建了人民大會堂；東拓，建了國家博物館；南拓，臨近正陽門（前門），更增加天安門前的恢宏氣勢。

第三個「凸」字形的佈局，依託內城向南凸出。從正陽門（前門）往南，到永定門，兩側最重要的建築群是「左天右地」——東面是天壇（圜丘、天地壇、大祀殿），西面是先農壇（山川壇、耕耤壇、太歲殿）。這兩組建築群，天與地、乾與坤，相互對應，彼此對稱。這個佈局，進一步突出了宮城的雄偉氣勢和帝王的至尊至上，又表現出天地對應、天人感應的神祕色彩。

以上這三個「凸」字形空間，在皇宮以南，沿着中

2 天安門廣場南北長八百八十米，東西寬五百米，面積達四十四萬平方米，可容納一百萬人集會。

軸線恢宏展開，高潮迭起，既烘托出皇宮的宏偉氣勢，更延展了城市軸線的開闊氣魄。

故宮前有「三凸」，前面已說，後有「三靠」，下面介紹：

第一「靠」是景山。在皇宮北側堆土，形成高四十九米的萬歲山（又稱煤山，清改稱景山），收住宮氣，形成皇宮的第一靠。清乾隆十六年（一七五一年），又在景山五峰上建起五亭——中為萬春，左為觀妙、周賞，右為輯芳、富覽，增添了秀麗的景色，也為我們今天欣賞故宮提供了登高望遠之處。

第二「靠」是鐘鼓樓。中軸線上的通道，從南到北綿延近八公里，到此打住，收攏城氣，形成皇宮的第二靠。

第三「靠」是北城牆。內城北城

北京城中軸線（林京　攝）

牆正中不開城門，形成東有安定門、西有得勝門的格局，再守城氣，形成皇宮的第三靠。

故宮以北的這「三靠」，還是沿着中軸線恢宏展開，高潮迭起。既收住皇宮的宏偉氣勢，更挺起城市軸線的空間高度。

中軸線不僅是北京城的脊樑，而且是北京城的靈魂。這條中軸線，從永定門到正陽門三千一百米，正陽門到鐘樓四千六百四十八米，全長七千七百四十八米，過去稱十五里，現在稱約七點八公里。在中軸線上，正陽門，突出「正」——中即是正，正即是中；天安門，突出「安」；太和門，突出「和」。所以，中軸線的主旋律是「中正安和」。「中正安和」是中國傳統文化之魂，體現着中華文化的精髓，展現着中華民族的精神。

中與正——北京在全國居中，宮城在北京居中，三大殿在宮城又居中。北京城又是按照都城方正型理論建造的。居中與對稱相呼應，北京的宮殿、壇廟等也多是對稱的。在中軸線兩側，從南到北——天壇與先農壇，太廟與社稷壇、文華殿與武英殿、東六宮與西六宮、東安門與西安門、東華門與西華門等都東西對稱，南北對稱的如前三殿與後三宮、中和殿與交泰殿、天安門與地安門等，都對稱佈局，以求建築平衡、理念和諧。

安與和——居中對稱，講求安和。

就「安」來說：皇城南門，明為承天門，清改為天安門；皇城的北門，明為北安門，清改為地安門。天和地都突出一個「安」字。皇城六門的天安、地安、東安、西安、長安左、長安右，都突出「安」。這六個「安」，反映人們的願望和期待：個人安康，家庭安福，人我安和，自然安順，社會安泰，世界安寧。社稷江山，講求諧和。

就「和」來說：宮城外朝的三大殿，明初分別為奉天殿、華蓋殿、謹身殿，突出「天」；

明嘉靖重修三大殿後，依次改名為皇極殿、中極殿、建極殿，突出「極」。清初重修三大殿後，依次改名為太和殿、中和殿、保和殿，突出「和」。這個由神權的「天」，到君權的「極」，再到社會的「和」，反映出帝制社會雖然發展緩慢，思想理念卻在不斷進步。還有太和殿前庭院通向東華、西華的兩門，東面左順門（後改會極門，清改名協和門）、西面右順門（後改歸極門，清改名熙和門）——總之，太和、中和、保和三殿與太和、協和、熙和三門，都突出「和」。這六個「和」，反映人們的願望和期待：個人和悅，家庭和睦，人我和敬，自然和順，社會和諧，世界和平。

但是，「中正安和」在帝制時代只能是一種理念，實際上是不可能實現的。

總上，明永樂十八年間，興建宮城、皇城、大城，以中軸線貫穿其南北，展現「中正安和」理念。在中軸線上：南有「三凸」，意境深邃，是起興之筆；中有宮城，宏偉壯麗，是高潮之筆；北有「三靠」，平實厚重，是收束之筆。坐落在這條中軸線上的明清皇宮，既是北京的中心，也是天下的中心。

第三講　宮前氣象

明清皇宮之前，通過承天門（天安門）、大明門（大清門）和正陽門（前門），可以看出宮城的大氣象、大格局。三座大門中間門低，兩邊門高——緩和節奏，錯落有致，南北平衡，總體和諧。在幾百年前，國門是皇朝和國家地位和榮耀的象徵，是天朝正統所繫，不僅為萬民仰望，而且引發過激烈的鬥爭。

⌂ 從宮城正門午門，向南望去，北京中軸線上排列着五座大門——端門、承天門（天安門）、大明門（大清門）、正陽門（前門）和永定門，南北距離四千五百多米，約合九華里。宮前五門不僅雄偉壯觀、輝煌燦爛，而且高低錯落、疏密有致，如同交響樂章的音節，沉穩博大，綿延跌宕，鋪排出皇宮前「三凸」的開闊氣象。本講「宮前氣象」，重點講述宮前的三座大門：承天門（天安門）、大明門（大清門）和正陽門。

一 承天之門

宮城南向有三道大門，就是午門、端門、承天門（天安門）。其中，端門規制與承天門（天安門）相同。端門名稱源自傳說中天宮南向的大門，門樓主要用來收存皇帝所用旗仗等器物。

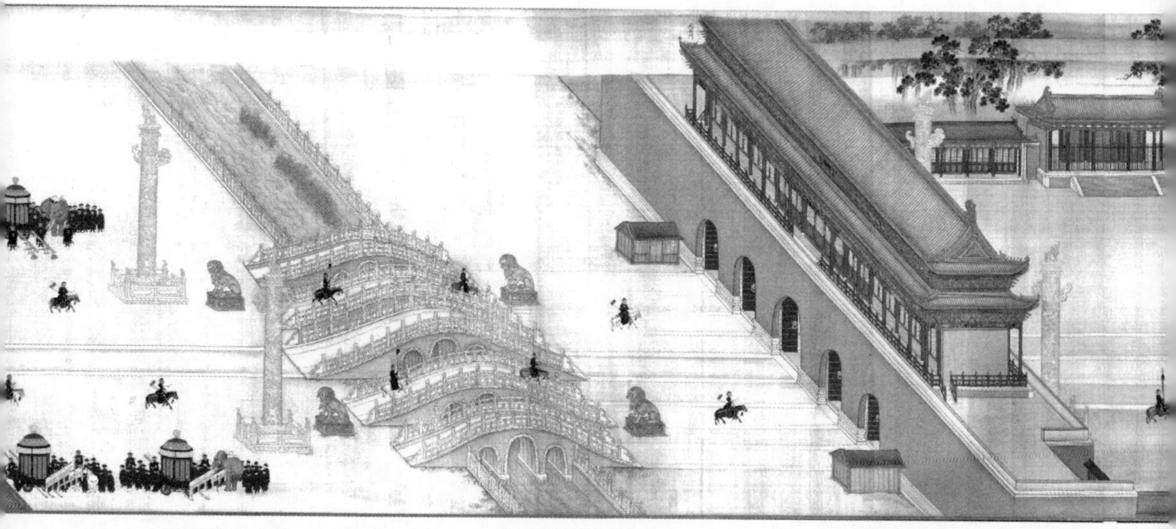

《康熙南巡圖》中的天安門

端門往南就是承天門（天安門）。承天門，初稱承天之門，後稱天安門，既是宮城南向的第一重門，又是皇城的正門。承天門（天安門）始建於明永樂十八年（一千四百二十年），門的名稱是「奉天承運」的意思。承天門初建時是木門，天順年間改建。清順治八年（一千六百五十一年）重建後，改稱天安門。康熙二十七年（一千六百八十八年）再次重修。現在看到的天安門，基本上是康熙朝大修後的面貌。

承天門（天安門）雄偉壯麗，金碧輝煌。從建築上看，承天門（天安門）的高大壯麗，源自六重措施：一是，最下部為一點六米高的漢白玉石須彌座；二是，城樓建在高大城台之上，城台高達十三米；三是，城樓用六十根朱色巨柱支撐，東西面闊九間，南北進深五間，取《周易》「九五，飛龍在天」之意，象徵皇權的「九五之尊」；四是，裝飾鮮麗彩畫；五是，屋頂重簷歇山式、黃琉璃瓦；六是，最上又有龍吻。這樣，承天門（天安門）的基座、城台、巨柱、高樓、殿屋頂、龍吻，層層加高，疊疊聳起，通高達到三十三點七米，相當於十二層樓那麼高。還有，樓前的外金水河水，在橋下緩緩流動，低頭看綠水，仰首望樓頂，在古時人看來，彷彿與天承接。作為既是皇城正門，又是宮城第一道門的承天門（天安門），綠水白橋，紅牆朱柱，彩畫黃瓦，藍天白雲，層層顏色，節節變化，亦動亦靜，燦爛輝煌——當下人們，無論站在天安門城樓下仰望，還是站在天安門城樓上俯視，都會有無盡的遐思，也都會有說不完的感慨！經過近六百年的歷史滄桑，天安門仍是中華文化的一顆明珠。

承天門（天安門）等級森嚴，戒備嚴密。承天門（天安門）前的金水河上，架起漢白玉石虹橋七座，稱外金水橋（內金水橋在太和門前）。中間一座橋稍寬，欄杆的柱頭雕蟠龍，橋面只許皇帝通過，俗稱「御路橋」；左右兩座橋，欄杆的柱頭雕荷花，橋面只許王公通過，俗稱「王公橋」；再兩邊的橋只許三品以上的文武大臣通過，俗稱「品級橋」；最靠邊的兩座普通浮雕石橋，才許四品以下官員等行走，俗稱「公生橋」。

承天門（天安門）外金水橋前，裝飾着石獅和華表。華表在承天門（天安門）的前後各有一對。在高九點五七米、直徑九十八釐米、重約二十噸的華表上，滿刻着雲朵和蟠龍，頂端各雕刻有一隻石獸，名叫犼，俗稱「望天犼」。門北側的華表，石犼面向皇宮，俗稱「望君出」；門南側的華表，石犼背向皇宮，俗稱「望君歸」。這裏有一個古老的傳說：當皇帝深居簡出日夜淫樂時，門後的兩隻石犼就說：「國君呀，你不要長期待在宮廷裏，快出來察看百姓的苦難吧！」所以人們給它取名叫「望君出」。當皇帝外出遊幸日久不歸時，門前的兩隻石犼就說：「國君呀，你不要長期在外面遊逛了，快回來親理國政吧！」所以人們給它取名叫「望君歸」。「望君出」與「望君歸」兩對華表的古老傳說，反映了朝廷和百姓期待明君理政的善良願望。

承天門（天安門）是明清皇帝舉行金鳳頒詔禮儀的場所。皇帝頒詔時，將詔書放入龍亭內，由御仗導引，從奉天殿（皇極殿，太和殿）起，抬到承天門（天安門）城樓上。禮部官員在承天門（天安門）城樓上宣讀詔書，因高高在上，又很「神聖」，聽起來彷彿天音一般。文武百官在外金水橋南站立聆聽，行三跪九叩大禮。然後禮官將詔書用木製金漆的「金鳳」銜住，從城樓上徐徐降下，落在禮官跪接的雲盤上，再把詔書放入龍亭內，送到禮部，謄錄印刷，佈告天下。這就叫作「金鳳頒詔」，顯示了皇權至尊、君權至上。

到了光緒年間，大清氣數將盡，天安門前亂象迭生。御史端良參奏說：在天安門舉行金鳳頒詔典禮的時候，有的官員不穿官服，還同身穿短褐之人等任意喧嘩；在西側值房前面，甚至有官員盤腿而坐，無視頒詔大典，簡直不成事體！（《清德宗實錄》卷二百六十六）光緒帝雖下詔查處值班官員，卻提振不了日益鬆懈的朝綱。經過一代人之後，大清朝灰飛煙滅，天安門的金鳳頒詔，從此成為前朝舊事。

承天門（天安門）前發生過很多往事，我講兩個故事。

第一個故事。清朝咸豐年間，外困內憂，國勢日衰。一天，給事中吳廷溥驚訝地發現，天安門堂皇重地，竟然只有兩個人值班，而且這倆人還「袒衣倒臥」（敞着衣服，躺在地上）。他趕緊上奏，皇帝隨即下令嚴查值班官兵。（《清文宗實錄》卷九十五）然而，歷史留給咸豐帝整頓秩序、振作圖強的時間不多了。三年後，又發生了看似雄壯，實是悲哀的事件。

第二個故事。英法聯軍入侵北京，咸豐帝北逃熱河，留下大臣賈楨等人固守。賈楨，山東黃縣（今龍口市）人，時任體仁閣大學士、翰林院掌院學士，同時管理兵部，擔當京城團防大臣，可謂集京內文武大權於一身。他「日危坐天安門，阻外軍不令入」（每天在天安門正襟危坐，阻止侵略軍經天安門進入皇宮）（《清史稿·賈楨傳》卷三百九十）。後來他和侵略軍會談，慷慨不屈，氣節感人。可惜賈楨的抵抗，改變不了皇都淪陷的事實；天安門的輝煌，也遮掩不了聯軍侵略刺刀的白光。

承天門（天安門）既見證了明清的兩度輝煌，也見證了明清的兩曲悲歌。它南面的大明門（大清門）有些甚麼史事呢？

二 大明國門

承天門（天安門）作為皇城正門的時間並不長。乾隆中期以前的大約三個世紀裏，皇城的正門，是承天門以南的大明門（清代稱大清門，民國稱中華門）。遼闊的明帝國中，大明門是唯一用國號命名的門，可謂「國門」，是皇朝正統所繫。所以，清朝入關以後，立即將大明門的牌匾摘下，翻過來刻上「大清門」。相比之下，承天門改名天安門就毫不急切，直到順治八年（一六五一年）才下詔。據說民國初年改大清門為中華門時，把門匾摘下，本想翻過來接着用，一看卻被清朝搶了先。於是只好另找一塊門額，刻上「中華門」三個大字。

大明門（大清門）的重要，還可以從其門聯看出。這副門聯是明代著名學者解縉寫的。解縉（一三六九～一四一五年），江西吉水人，洪武進士，是個大才子、大學問家。永樂帝登極，他受到重用，參與機務，任翰林學士、大學士，主持修纂《明太祖實錄》、《永樂大典》。他的故事後面還要講，這裏特別介紹他為大明門作的一副門聯——

上聯是：日月光天德；

下聯是：山河壯帝居。

這副對聯自然是歌頌皇帝、皇宮、皇朝和皇權的，但就文學層面來說，的確是一副氣勢磅礴、石破天驚的對聯。因為：

其一，大氣磅礴。仰望乾天的太陽與月亮，俯視坤地的山巒與江河，立地頂天，氣貫寰宇，宏偉博大，無以復加。

其二，語言通俗。蒼天對大地，日月對江河，天德對帝居，自然對社會，上下聯，五雙字，語言樸實，沒用典故，簡明曉暢，婦孺都懂。

其三，意境高遠。日月之明光，山河之壯美，都為襯托大明而存在，將「天德」與「帝居」，擴充到天日之崇高，川流之長遠。

然而，《孟子·盡心下》說：「民為貴，社稷次之，君為輕。」這副對聯卻將皇帝、皇宮、皇朝、皇權推高到極致。

大明門雖然重要，但規制不高：和承天門（天安門）相比，沒有城台，沒有重簷，只開三門，平時閉而不開。之所以如此，大概是考慮到大明門居於承天門與正陽門之間，相鄰兩門，十分高大，中間門低，兩邊門高——緩和節奏，錯落有致，南北平衡，總體和諧。一九五九年，中華門被拆除，「國門」記憶，日漸塵封。

在幾百年前，國門是地位和榮耀的象徵，是天朝正統所繫，不僅為萬民仰望，而且引發過激烈的鬥爭。下面我講三個同大明門（大清門）有關的故事。

第一個故事。明嘉靖帝即位時，圍繞通行大明門的禮儀，發生了震動朝野的「大禮議」。明正德帝死後無子，按「兄終弟及」的皇位繼承制，由他的堂弟朱厚熜繼位。朱厚熜是興獻王的兒子，要從湖北安陸（今鍾祥）來北京即位，年方十五。禮部按太子即位禮儀，請朱厚熜從東安門進皇城。他說：「皇兄遺詔裏是說讓我即位當皇帝的，禮部這麼說算怎麼回事！」他的車駕到城外，就是不進城。禮部沒有辦法，最後他由大明門中門進入，到皇宮登極，年號為嘉靖，就是嘉靖皇帝。

第二個故事。當時，嘉靖帝的父親已經去世，母親蔣氏還健在。朱厚熜年紀小，又孝順，對群臣說：「至親莫若父母。」他的母親也來京到了通州。禮部奏請「聖母至京，宜由東安門入」。走東安門入皇城？嘉靖帝不准；再議由大明門左側門入，又不從；最後嘉靖皇帝斷然下旨：走大明門正中的門！正僵持着，嘉靖帝的母親很生氣，鬧起脾氣，拒不入京。嘉靖帝聽到生母這般境遇，痛哭不止，提出不想當皇帝了，要「奉母歸」——母子都回湖北老家去！大臣們嚇壞了，最後決定妥協一步：按照嘉靖皇帝的意思辦。嘉靖帝的母親這才從通州起程，由大明門中門進入皇城，再進入宮城，同當了皇帝的兒子團聚。（《明史記事本末．大禮議》）

第三個故事。清朝在大清門也有故事。清朝后妃和明朝一樣，只有皇后大婚時允許走大清門，其他妃嬪只許走紫禁城的後門——玄武門（康熙時改神武門）。相傳同治帝的皇后阿魯特氏和婆母慈禧太后鬥氣，曾脫口而出說：「媳婦是從大清門抬進來的！」言外之意——您不配！這句話如果屬實，一定會深深刺痛慈禧太后的心。後來慈禧太后逼死兒媳阿魯特氏，或許這句話埋下了一個禍根。

1 正陽門城樓和箭樓，八國聯軍入侵時遭毀壞。有文記載：慈禧太后和光緒皇帝自西安返回北京時，在城臺上紮彩牌樓以壯觀瞻。爾後進行重建改建，帶有西洋建築色彩。

三　正陽之門

大明門以南，就是內城正門——正陽門（初稱麗正門，俗稱前門）。永樂建北京時，正陽門就是京城的南大門。為了強固京城防禦，正陽門修築了包括城樓、甕城和箭樓在內的完整防禦體系[1]。正陽門城樓居北，城台與承天門城台一樣高大，整座城樓高達四十二米，是北京城門高度之最，守城者因此佔有居高臨下的優勢。城台南北上沿各有十二米高的女牆，用來掩護守城士兵。城台正中只開一個門，門內還有千斤閘，從外部難以攻入。城樓高兩層，面寬七間，進深三間；樓頂為重簷歇山頂，灰瓦綠琉璃剪邊。正陽門箭樓居南，是明朝正統年間增建的。箭樓城台比城樓略矮，同樣只開一個門，而且門有兩重：前為千斤閘（今仍能看到閘板遺跡），上下開閉；後為鐵葉大門，左右對開。箭樓本身是一座磚砌的堡壘，上下共分四層，東、南、西三面開射窗，正面有五十二個，側面各有二十一個，射窗共有九十四個。城樓和箭樓之間由甕城連通。敵兵一旦攻破箭樓門洞，守軍就可以關閉箭樓和城樓的大門，使敵兵進退不能，如同掉入甕中；然後居高臨下，從四面八方合擊被圍之敵，是謂「甕中捉鼈」。

總之，正陽門的設計，處處從軍事防禦着眼。正陽門的命運，也總是與兵事息息相關。這裏主要講明朝崇禎年間，李建泰在正陽門出征的史事。

李建泰，山西曲沃人，官至東閣大學士。崇禎十七年（一六四四年）正月，李自成軍隊進逼山西。崇禎帝臨朝歎息說：「朕非亡國之君，事事皆亡國之象。祖宗櫛風沐雨之天下，一朝失之，何面目見於地下！朕願督師親決一戰，身死沙場無所恨，但死不瞑目耳！」（《明史·

李建泰傳》卷二百五十三）說完痛哭起來。李建泰見狀慨然說：「臣家曲沃，願意用家產充當軍餉，不用官家發錢，請求帶兵西征！」崇禎帝轉悲為喜，給李建泰升官，讓他兼督師，賜給尚方寶劍，准許便宜行事，還按照他的意願派去了下屬官員。

同月二十六日，在正陽門舉行遣將禮，就是出征餞行儀式。快到正午，崇禎帝登上正陽門城樓。衛士東西對列，從午門一直排到正陽門外，雖十分壯觀，但虛張聲勢。皇帝賜宴餞行，親貴和文武大臣都要侍坐，鴻臚寺派人贊禮，御史負責糾儀，大漢將軍侍衛，可謂隆重之至。崇禎帝親自用金酒壺給李建泰斟了三杯酒，還賜他手敕，上書「代朕親征」。太監為他披紅簪花。宴畢，出征，崇禎帝目送很久才返駕回宮。大明朝的國運，崇禎帝的希望，都寄託於李建泰之軍。

可是，李建泰出師不利，才走了幾里地，所坐的轎子忽然轎杆折斷，眾人都覺得這是不祥之兆。是日大風揚沙，占卜的卦辭說「不利行師」。這是怎樣一支「王師」呢？雖然李建泰調來了得意的下屬，甚至西洋人湯若望都隨軍出征，負責火攻水戰，但行軍到京南涿州，即逃散三千多人。不久「兵食並絀，所攜止五百人」。時李建泰軍驚聞老家曲沃陷落，家中資財散失一空，預期的糧餉打了水漂。他一急就病了，行動頓時慢下來，每天不過走三十里，手下士兵也紛紛逃散。走到廣宗，守城知縣一連三天不准李建泰入城，並有一番對話：

問：大軍不向敵，為何要進城？

答：軍隊沒糧食，進城要糧銀！

問：城裏沒有糧銀！

答：如不開門，我要攻城！

李建泰惱羞成怒，下令官兵攻城。城攻破後，殺死鄉紳，鞭笞知縣。堂堂宰輔重臣兼督師的李建泰，出京第一仗，竟然攻打自家縣城，竟然屠殺天朝庶民，竟然鞭笞自家知縣，竟然搶掠百姓糧米，完全違背出師初衷！

後來，李建泰率軍到了保定府，殘兵不過數百，請求入城。守城的同知邵宗元等不答應，李建泰就拿出頒賜的印信給他看。邵宗元說：「你獲得過天子的厚恩，皇上曾經親自登上正陽門，賜給你尚方寶劍，還給你斟酒，為你餞別。如今你不代皇上西征，卻要叩關避賊嗎？」一番話刺到了李建泰痛處，他大聲斥責邵宗元，還舉起尚方寶劍威脅他。堂堂尚方寶劍，拔出鞘頭一遭，竟指忠臣良將！幸好城上有人認識李建泰，這才放他進來，否則李建泰怕要重演攻打廣宗的鬧劇。

不久保定城破，有人說李建泰拔劍自刎未遂被俘，有人說他主動出降，總之明朝大學士兼督師，一轉眼成了李闖王的人。是為李建泰第一叛——叛大明。後來，李自成敗走，李建泰搖身一變，成了大清朝的內翰林弘文院大學士。是為李建泰第二叛——叛大順。三年後，李建泰因「受贓」罷官回家。後在故明大同總兵姜瓖降清又叛清時，李建泰在家鄉曲沃與他遙相呼應。是為李建泰第三叛——叛大清。順治七年（一六五〇年）李建泰兵敗被擒。這次清廷沒有寬容李建泰，而下令把李建泰殺掉。（《清世祖實錄》卷四十七）

崇禎帝生前未曾想到：他在正陽門城樓上為大學士李建泰的「三賜」——其一，賜書「代朕親征」，寄以重託，李建泰卻攻打自家城池、鞭撻自家臣民；其二，金壺賜酒，親為餞行，李建泰卻違背初衷，投降求生；其三，賜尚方寶劍，鼓勵殺敵，李建泰卻做了清朝的大學士！崇禎帝夢想的是，扶大廈之將傾，救江山於危殆；沒有想到的是，李建泰演出了一幕幕鬧劇，奏出了一曲曲哀歌。正陽門城樓上，歷史煙雲，已經消散。李建泰的「三叛」為後人所鑑戒。

總之，明清故宮之前，通過承天門（天安門）、大明門（大清門）和正陽門（前門），可以看出宮城的大氣象、大格局。北京確實是龍興之地、雄險之地、居中之地和帝王之都，確實有一條中軸線即子午線貫穿宮城、皇城、內城和外城。中軸線上宮城「前有三凸、後有三靠」，貫穿「中正安和」的理念，體現了中華優秀傳統文化之魂。

人們登上宮城正門——午門，向南瞻望，端門展端正，天安門尚安泰，大明門崇國統，正陽門揚正氣；向北瞻望，太和門開太平，乾清門守清正，玄武門重武備，北安門要安定——中軸線即子午線上這九座大門，功能重要，意義非凡，格局恢宏，氣貫乾坤，我稱之為「天子九門」。「天子九門」，午門居中——午門發生過哪些歷史故事呢？

第四講　午門雁翅

午門是歷史的見證：中國正直的士大夫有一股高尚精神，就是正氣，就是孟子所說的「浩然之氣」！這種浩然正氣，就是：堅持正心，敢於直諫，不怕廷杖；堅持正言，敢說真話，不怕羞辱；堅持正義，敢做實事，不怕邪惡；堅持正氣，敢犯天顏，不怕皇威——錚錚風骨，磊磊赤膽，三上奏疏，三遭廷杖，斯人雖死，正氣長存，正如文天祥所言：「人生自古誰無死，留取丹心照汗青！」

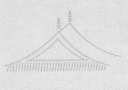

△進入午門，就進入紫禁城。紫禁城佔地七十萬餘平方米，城牆高十米，四隅有角樓，城外有五十二米寬的護城河（俗稱筒子河）。除午門外，紫禁城還有三座城門——東華門主要供二品以上（部級以上）官員出入，皇帝遺體出殯時也經由此門；西華門主要供帝后到西苑、西郊各園時出入；北面的玄武門（神武門）主要供帝后到景山、皇后祭先蠶出入，以及宮中其他人日常出入，清朝每三年一次挑選的秀女也進出此門。

一 午門雄姿

午門，坐北朝南，左右城牆向前伸出，平面呈「凹」字形。在高台之上，建有五座門樓——中為正樓，九間，重簷；東西各聳立闕閣兩座，相互對應。正樓如鳳身，闕閣如鳳翅，像鳳凰展翅，雄姿壯麗，所以又叫五鳳樓、雁翅樓。

午門的功能是多元的，譬如：

（一）出入　午門共有五個門，正面開有三個門、兩側各開一個掖門。正面當中的正門，只有皇帝才能出入。皇后在大婚入宮時可以走一次。殿試考中鼎甲的狀元、榜眼、探花三人，出來時也可以走一次。其他如親王、宰相，妃嬪、公主，皇子、皇孫，達官、顯宦，都沒有這種待遇，只能走兩個側門。其他文武官員，只能走兩掖門——兩掖門開於兩側的基座，從正面看不見，但從背面可以看見。就是說，故宮午門的門洞，正面看是三個，背面看是五個。大家參觀故宮時，可以從正面和背面注意觀察一下。午門兩側掖門，平時不開，只有在大朝的日子才開——文官走東掖門、武官走西掖門。

（二）政務　明朝參加御門聽政的官員，每日五更前在午門前集合，其他官員每月逢五日在午門前坐班；午門前、端門北的兩側廊廡（朝房），有六部、六科官員在裏面辦公或值班。明代皇帝處罰大臣的「廷杖」多在午門前東廡進行。

（三）禮儀　朝廷重大賀禮，官員們要在午門前望闕朝拜。遇皇帝舉行朝會或大祀，以及元旦（春節）、冬至、萬壽（皇帝生日）、大婚等重大節日，都要在午門前陳設鹵簿儀仗。清代規定每年十月朔日（初一），在午門舉行頒發曆書儀式，稱為「頒朔禮」；明清兩代重大戰爭告捷，在午門舉行「獻俘禮」。

（四）外事　朝鮮、安南（越南）、暹羅（泰國）、琉球等使臣進貢，禮品由禮部官員在午門前呈送給皇帝；皇帝給使臣的賞賜，也在午門前領受。事畢，使臣們還可以觀瞻午門，以領略皇朝的天威。

（五）防禦　門，本來就有防禦的功能。午門除一

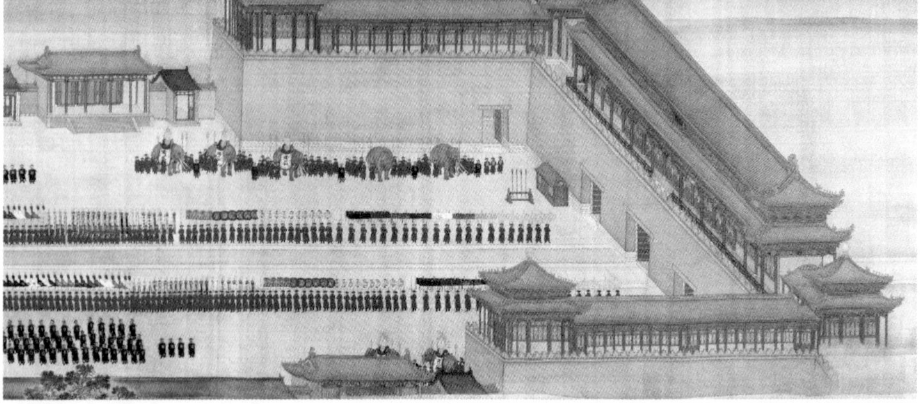

《康熙南巡圖》中的午門

般防禦功能之外，還有防禦水患的作用，如嘉靖三十三年（一五五四年）六月、萬曆三十五年（一六〇七年）閏六月，北京大雨，午門前水深一尺多，於是關上午門，防止積水漫入宮中。

（六）其他　午門城樓兼做倉庫，如清代用於儲藏《滿文大藏經》的木刻經板等。臨時活動，如清初湯若望與楊光先就天文曆法爭持不下，詔令二人在午門前進行日影觀測，由大學士、尚書等驗看。午門前有時還是重要的皇家和民間的節慶娛樂場所。這裏講兩個故事。

第一個是元宵節的故事。永樂年間，明成祖朱棣下令在午門外紮「鼇山萬歲燈」，與民同樂。鼇，是傳說中海裏的大龜，或大鱉。李白《猛虎行》詩曰：「巨鼇未斬海水動，魚龍奔走安得寧。」鼇山燈，是古代元宵節一種巨大的燈景，就是把彩燈堆疊成一座山，像傳說中巨鼇的形狀，所以叫鼇山燈。《水滸傳》第三十三回：「且說這清風寨鎮上，居民商量放燈一事，準備慶賞元宵。科斂錢物，去土地大王廟前紮縛起一座小鼇山，上面結彩懸花，張掛五七百碗花燈。」這就是施耐庵對鼇山燈的形象描繪。永樂時的「鼇山萬歲燈」，就是將成千上萬盞彩燈，堆疊成山形，高十餘層，形狀像鼇山，用紅、黃、藍、白、綠、紫、青等各種彩色，結紮成燈，五彩繽紛，萬眾觀看，眼花繚亂。

除鼇山燈之外，還有音樂歌舞。午門前，數百伶官奏樂，百藝群工演出，氣氛熱烈，喧鬧異常。到二更時，永樂帝乘坐小轎，由乾清宮出來，到午門觀鼇山燈，皇后、妃嬪、太監及大臣們隨後，這時笙歌高奏，伎舞翩躚，燈火通明，花炮齊放，觀燈活動，達到高潮。而後，皇帝回宮，市民百姓，猶如潮水，四面八方，湧向午門，觀看鼇山燈火，共度元宵佳節。

《皇明通紀》記載：「永樂十年（一四一二年）正月元宵，上賜百官宴，聽臣民赴午門外，觀鼇山三日。自是歲以為常。」就是說，從永樂十年開始，京城居民，元宵佳節，到午門前，觀看燈火，連續三天。當然，這裏説的午門，應當是明南京宮城的午門，但北京宮城建成啟用後，這一宮俗得到延續。然而到了清朝，老百姓是不能到午門觀燈的。燈節是北京城一年中的熱鬧節日，市民百姓，架松棚，綴彩縵，懸彩燈，放爆竹，放燈十晝夜。如今北京東城區「燈市口」，是市民買燈、觀燈的場所。燈市口的地名，就是由元宵節的燈市而來。

第二個是端午節的故事。端午節在午門也有活動。明朝人陸容記載：端午日，皇帝在午門外宴請百官，御賜食物粽子等糕點，還象徵性地賜兩杯酒。吃完粽子、喝完酒之後，品級低的官員退出，級別較高的文武大臣要陪駕去萬歲山（即景山，俗稱煤山），觀看武臣射柳。觀完射柳，皇帝還要陪母后到西苑（今中南海、北海），遊覽內湖，觀看龍船，燃放爆竹。（《菽園雜記》卷一）後來皇帝下令禁放花炮。正德帝開始罷百官端午宴會。從嘉靖後期起，端午節的午門賜宴，就被取消了。

上面講了午門前的歡樂故事，下面講午門前的廷杖悲劇。

二 午門廷杖

在戲曲小説裏，經常看到「推出午門斬首」的故事。而北京故宮，沒有在午門斬首的記載，也沒有在午門斬首的事實，卻有朝廷官員在午門被「杖斃」，就是遭廷杖打死的記載。

甚麼是廷杖呢？廷，就是朝廷；杖，指用於責打朝臣的木杖；杖斃，就是用木杖打死官員。廷杖的地點，在午門前御路的東側東廡。怎麼廷杖呢？行刑時，受杖者穿囚服，捆住兩個手腕，被牽到午門外的杖所。一聲令下，行杖者用麻布兜將受杖者套住，捆住兩腳，受杖者被四面牽曳，只露臀部，頭面觸地，塵土滿嘴。行刑官大喝一聲——「打！」騎校揮起木棍，打受杖官員臀部，每五杖，換一人。被打官員，痛苦慘叫，皮開肉綻，聲不忍聞，狀不忍睹，有的當場被打死，有的傷重回家後死去，也有的能撿條命。廷杖是一種殘酷的侮辱性的刑罰。

中國甚麼時候開始有廷杖呢？有人查史料，說此舉從隋文帝「殿廷撻人」開始。《明史·刑法志》說：廷杖之刑，始於太祖。也就是說，古來沒有廷杖，從朱元璋開始才有廷杖。在明朝，廷杖是個別現象嗎？不是。有的書記載：明代先後廷杖大臣五百多人次，死者甚眾。最嚴重的是正德和嘉靖兩朝。下面我講兩個真實的廷杖悲劇故事。

第一個故事　發生在正德朝。明朝第十任皇帝、正德帝朱厚照，兩歲就做皇太子，十五歲繼承皇位，在位十六年，三十一歲死。正德帝行為怪異，很不安分，喜歡遊獵，離宮索居，堪稱皇帝中的一「怪」。當時，西北有戰事，他要御駕親征，大臣們鑑於「土木之變」明英宗被俘的慘痛教訓，堅決反對。他一意孤行，親自出征，得勝回朝，下詔加封自己為「威武大將軍」。他曾微服出巡，到居庸關，守關官員「閉關拒命」，他掃興而回。於是，他又派親信去守居庸關，然後深夜微服出關，終於得手。他往西北到過大同、榆林、綏德等地，往江南到過南京、鎮江一帶。時間少則幾個月，最長達一年之久。朝廷沒有了皇帝，皇帝的車駕也沒有 GPS 定位，連內閣大學士都不知道皇帝到哪裏去了。

正德帝的出巡與荒唐，受到官員的諫阻。皇帝動怒，就對諫阻官員實行廷杖。正德二年（一五〇七年）閏正月，廷杖言官艾洪等二十一人於闕下。二月，又廷杖御史王良臣等於午門。（《明史·武宗本紀》卷十六）

南京御史陸崑，浙江歸安（今湖州市）人，進士，帶領十三道御史薄彥徽、葛浩、貢安甫、王蕃、史良佐、李熙、任諾（訥）、姚學禮、張鳴鳳、蔣欽、曹閔、黃昭道、王弘、蕭乾元等，上疏抨擊正德帝寵倖太監，日事宴遊，説：「廣殿細旃，豈知小民窮簷蔀（意為覆蓋在棚架上以遮蔽陽光的草席）屋風雨之不庇；錦衣玉食，豈知小民祁寒暑雨凍餒之弗堪；馳騁宴樂，豈知小民疾首蹙頞（鼻樑）赴訴之無路。」意思是：居住寬廣宮殿，怎能知道百姓棲身茅屋不避風雨的疾苦；穿綾羅吃美食，怎能知道百姓身處冬寒暑熱饑餒的困苦；騎馬打獵享樂，怎能知道百姓困頓苦難而伸冤控訴無門。疏上，觸怒，諭旨：「悉逮下詔獄，各杖三十，除名。」陸崑等被捕入獄，各杖三十，免除官職。其中黃昭道、王弘、蕭乾元三人在南京，命即在南京闕下杖之。（《明史·陸崑傳》卷一百八十八）

還有一位御史叫蔣欽，江蘇常熟人，進士，也是南京御史，接連三次被廷杖：第一次是同陸崑等一起「逮下詔獄，廷杖為民」。第二次是三天之後，他單獨上疏，痛斥奸臣。疏入，結果再杖三十，下獄。第三次是又過三天，他再上疏，斥奸臣——「臣昨再疏受杖，血肉淋漓，伏枕獄中」，疏中望正德皇帝，將大太監劉瑾的頭割下，懸掛在午門！又説：如果我被殺，那就使我同古代忠賢之人龍逄、比干一起在地下遊玩！史書記載：蔣欽在夜間起草第三封奏疏時，燈下聽到鬼聲。蔣欽説：我疏上之後，會身罹大禍，這是先祖顯靈要我不寫這個奏疏嗎！於是，整理衣冠，站起來説：如果是我的先祖，就大聲告訴我！剛説完，聲音從牆壁裏發出，益加淒慘。蔣欽歎道：既已做御史，就得義而忘私，如果我緘默不語，辜負了國家，也為先人羞！於是奮筆疾書，曰：「死即死，此稿不可易也！」鬼聲停止。天亮，疏入，再杖三十。杖後三日，死於獄中，年四十九。（《明史·蔣欽傳》卷一百八十八）

正德十四年（一五一九年）三月，正德帝又要出外巡遊，大臣們集體阻諫，導致了一場君臣之間的激烈衝突。為了勸阻皇帝南巡，舒芬等諫議，遭到廷杖。

舒芬，江西進賢（今屬南昌市）人，《明史》記載：舒芬年十二，獻《馴雁賦》，是個神童；正德十二年（一五一七年）考中狀元，為翰林院修撰。他有骨氣，敢說話，「神玉立，負氣峻厲，端居竟日無倦容」。舒芬等一百〇七人，上疏諫止正德帝外出巡遊。正德皇帝震怒，命舒芬等「跪闕下五日，期滿復杖之三十」（《明史·舒芬傳》卷一百七十九）。舒芬等列隊跪在午門外，一天，兩天，三天，四天，五天，連續五天跪在午門之前。堂堂大明狀元，罰跪在午門前，連續五日，成何體統！皇帝對大臣們的諫言置之不理。有一名官員名叫張英，見皇帝不理不睬，便「自刃以諫」，就是以自殺的方式，使皇帝接受大臣們的建議。幸虧在場的衛士眼疾手快，上前奪下了他手中的刀，張英才得以不死。正德皇帝仍然我行我素，對大臣們的諫阻視而不見、充耳不聞。於是內閣大學士集體辭職。正德帝克制忍耐，對他們「溫旨慰留」；他們也給皇帝一個面子，勉強答應繼續留任。後來事情鬧大，正德皇帝大發淫威，他下令對罰跪的舒芬等一百〇七名官員，在午門前實行廷杖。後來又增加了錦衣衛監獄的黃鞏等三十九人，這樣共有一百四十六人受廷杖，闕下杖死者十一人。那位張英雖自殺未遂，最後卻被正德帝「杖殺」了。舒芬受杖後，傷勢很重，被抬到翰林院的院裏。翰林院掌院學士（一把手）怕得罪上司，「命摽出之」，就是要把他架出去。舒芬說：「吾官此，即死此耳！」隨之，他被貶官福建，裹着創傷，離京上路。

舒芬在廷杖中撿了一條命，熬到了嘉靖皇帝即位。「世宗即位，召復故官。」回了北京的舒芬不改諍臣氣節，他會同楊慎等，為「大禮議」諫言，跪伏左順門哭諫，又遭到嘉靖帝的廷杖，還被罰俸三月。不久因母喪歸里，病死於家，年四十四。世稱「忠孝狀元」。

第二個故事　發生在嘉靖朝。嘉靖三年（一五二四年），群臣爭「大禮議」，又發生午門前大廷杖的悲劇。「大禮議」是怎麼回事？前面講過，明正德帝死後，他沒有兒子，「兄終弟及」，堂弟朱厚熜由藩王府入繼帝位。朱厚熜家在湖北安陸（今鍾祥），父親是興獻王朱祐杬（已故）。他千里迢迢來京繼位，登極時十五歲，年號嘉靖。

嘉靖帝還沒進城，就發生了通行大明門的禮儀之爭，而一登皇位，又發生了爭議新皇帝生父尊號的事件，史書上叫作「大禮議」之爭。爭議的焦點是：明孝宗朱祐樘是厚熜的過繼父親，朱祐杬則是他的生身父親，如何上尊號？大臣張璁等迎合帝意，議尊祐杬為皇考，孝宗朱祐樘為皇伯父。楊廷和等認為不合禮法，主張稱孝宗為皇考，興獻王為皇叔父。這場爭論，長達三年。嘉靖帝於嘉靖三年（一五二四年）追尊興獻王為皇考恭穆獻皇帝。豐熙等反對的大臣二百餘人，在左順門外跪伏高呼。皇帝派太監宣諭退下，從早到午，硬是不退。皇帝下令抓八人震懾一下。其他大臣，非但不退，反而大哭，聲震闕庭。嘉靖帝大怒，命廷杖豐熙等五品以下官員一百三十四人，致死十七人[1]。受杖者裹瘡吮血，痛苦號叫，填滿牢獄，淒苦萬狀。

朝廷官員因諫言遭到廷杖，《明史・刑法志》說：「公卿之辱，前此未有。」後到清朝，取消了對大臣的廷杖。

本節正德朝和嘉靖朝兩個廷杖的故事，表面看來，直接勝利者是正德帝和嘉靖帝，但其最後失敗者也是正德帝和嘉靖帝——正德帝拒諫巡遊而在遊幸時舟覆落水；嘉靖帝由勝而驕，祈求長生，悲劇而終。所以，最後的勝利者，不是昏君，不是荒淫，而是歷史，更是正義。

午門是歷史的見證：中國正直的士大夫有一股高尚精神，就是正氣，就是孟子所說的「浩然之氣」！這種浩然正氣，就是：

堅持正心，敢於直諫，不怕廷杖；
堅持正言，敢說真話，不怕羞辱；
堅持正義，敢做實事，不怕邪惡；
堅持正氣，敢犯天顏，不怕皇威——錚錚風骨，磊磊赤膽，三上奏疏，三遭廷杖，斯人雖死，正氣長存，正如文天祥所言：「人生自古誰無死，留取丹心照汗青！」
再講「午門獻俘」。

三 午門獻俘

獻俘禮儀，遠古就有。戰勝者舉行儀式，將俘虜殺死後祭神祀祖，載歌載舞，進行慶祝。後來經演變，到明清兩代，在較大規模戰爭取得勝利後，於午門舉行獻俘儀式。皇帝親御午門城樓，舉行大典，接受獻俘。清朝《國朝宮史》記載：「國家有所征討，凱旋獻俘，皇帝御午門受獻俘禮。」午門獻俘禮是隆重的國禮。

有明一代，皇帝親御午門參加獻俘禮，《明史》記載有四次，都是在萬曆年間。其中萬曆二十七年

1 嘉靖「大禮議」廷杖死的人數，《明史．刑法志》記載為十六人，《明世宗實錄》、《明史．郭楠傳》、《明史紀事本末．大禮議》都記載為十七人，《明史．何孟春傳》記載為十八人。本文取十七人說。

（一五九九年）的受倭俘，親臨現場的朱國楨在《湧幢小品·獻俘》裏做了記錄。「倭俘」，就是在「抗倭援朝」戰爭中的日本俘虜。事情原委是這樣的：日本關白（首腦）豐臣秀吉謀佔朝鮮，圖入侵中國，發動侵朝戰爭。萬曆二十年（一五九二年），明朝應朝鮮求援發兵。第二年朝、明軍收復平壤，逼近漢城（今首爾）。日軍退據朝鮮南部，偽稱議和。一五九七年日本再集重兵，分水、陸兩路侵入朝鮮。次年朝、明軍反擊，連續奏捷。後豐臣秀吉死，日軍被迫撤出朝鮮。明軍俘獲倭兵，在午門前獻俘。萬曆二十七年（一五九九年）四月二十四日，明朝萬曆皇帝御午門城樓，舉行獻俘典禮。刑部尚書奏事完畢，最後說：「合赴市曹行刑，請旨。」皇帝親傳：「拿去！」午門前，空間大，人又多，城樓下的官員聽不清皇帝說甚麼，怎麼辦？有一個很有意思且行之有效的辦法，就是皇帝左右的大臣二人，重複高喊：「拿去！」再左右四人高喊：「拿去！」這樣，一增為二，

《平定西域戰圖》中表現的午門獻俘

二增為四，四增為八，八增為十六，最後三百六十人齊聲高喊：「拿去！」聲音之大，如轟雷矣。（見朱國楨《湧幢小品．獻俘》）

有清一代，頻繁用兵西北和西南，康、雍、乾三朝以至道光時期曾多次在午門舉行獻俘禮。午門獻俘禮前一天，俘虜脖子拴上白色繩子，先祭廟、社，就是祭太廟和社稷。在獻俘禮上，午門正樓正中設御座，簷下張黃蓋，鹵簿設於午門城樓下，兩邊排列，直到端門。其他的儀仗，排到天安門。在午門前，王公大臣、文武百官，隆重嚴肅，分班侍立。皇帝穿龍袍袞服，乘輿出內宮。起駕時，午門鳴鐘；到太和門時，鳴金鼓、奏鐃歌。皇帝到午門前，沿着馬道，御樓升座。在午門樓下，兵部官員率領將校，引戰俘下跪。兵部尚書報告：獻俘！鼓樂大作，禮炮轟鳴。諸官肅立，慶賀勝利。典禮官道：行禮！於是把俘虜牽過來，讓他跪伏在地。兵部官員上奏：「奉旨平定某地，所獲俘囚，謹獻闕下，請旨。」這時皇帝降旨，或將戰俘交給刑部，或將戰俘恩赦釋放。獻俘也不是都殺。如新疆準噶爾首領達瓦齊叛亂，乾隆二十年（一七五五年），清廷派軍征討，將達瓦齊擒獲。同年十月十八日，乾隆帝御午門城樓受俘。乾隆帝命將達瓦齊交理藩院，而不交刑部，理藩院官員叩跪領旨，沒殺達瓦齊，卻加以赦免。達瓦齊從長安右門出。（《清高宗實錄》卷四百九十九）獻俘大典禮畢，皇帝乘輿回宮。乾隆帝為平準告捷在國子監刻石紀念。後封達瓦齊為親王，賜第在西四寶禪寺街，還選郡王孫女給他為妻。達瓦齊身體極胖，面大如盤，腰腹十圍，命為御前侍衛。乾隆帝赦免達瓦齊，是為爭取支持力量，瓦解分裂勢力。他採取征撫並用政策，先後底定準噶爾和南疆，出現了統一新疆的大局面。

午門是歷史的見證：偉大統一的中華民族，是不會被征服的，也是不會被分裂的——中華民族會更加統一、更加強大、更加繁榮、更加昌盛。

第五講　太和之門

在太和門庭院這個歷史舞台上，于謙和李東陽，王振和劉瑾，從正面和反面說明：做人做官，重在四正——養正心，勤正學，親正人，行正道。

⌂ 北進入午門，就正式進入故宮。

⌂ 從故宮平面圖上，可以清晰地看出宮城功能的區域劃分——沿着中軸線從南向北，縱向分為四個區：前導區，從午門到太和門，主要是對外朝「三殿」、內廷「三宮」起鋪墊和烘托的作用；外朝區，以三大殿為主，是國家大典和皇帝政務區；內廷區，以後三宮為主，是皇帝家庭生活區；後苑區，以御花園為主，是帝后休憩遊覽區。當然，事情也不是絕對的。譬如，外朝的保和殿，曾名位育宮，順治皇帝一度住在這裏。又如內廷的乾清宮，既是康熙皇帝的寢宮，又是他的辦公室。再如養心殿，清朝雍正帝等八位皇帝都在這裏辦公和生活。所以說，所謂外朝和內廷，只是一個大概的區分。

⌂ 皇帝的外朝政務區，在中軸線上從南到北依次排列着太和殿、中和殿、保和殿，俗稱「三大殿」，矗立在一個「土」字形高台基座上，紅牆四面環繞，四角各有崇樓，佔地面積約八萬平方米。三大殿是宮城的核心，是皇帝、皇宮、皇權的象徵。太和門左右，佈設「左文右武」——東翼的文華殿和西翼的武英殿。

⌂ 太和門是皇帝外朝政務區的正門。本講重點介紹太和門和太和門庭院。

一　常朝御門

進了午門，就進入了雄偉壯麗的太和門大庭院。這處庭院，南為午門，北為太和門，東為左順門（後改會極門，清改名協和門），西為右順門（後改歸極門，清改名熙和門），既嚴密封閉，又四通八達——向南，是出入深宮的必經之路；向北，即進入宮廷核心區；向東，連通文華殿和東華門；向西，連通武英殿和西華門。太和門大庭院的這四門是溝通三大殿與左文右武共五座大殿的交通樞紐，也是通往皇帝政務區的交通樞紐。現在的協和門，仍保持着明代建築的風格，已有四百餘年的歷史；熙和門，是清代乾隆年間重建的，距今已有二百餘年。

一次，我坐火車，同旁邊幾位素不相識的法國朋友一起聊天。我問：你們說北京哪裏最好？他們異口同聲地說：故宮。我又問：故宮的哪裏給你們留下印象最深？他們又異口同聲地說：太和門和門

太和門廣場（林京　攝）

前的廣場。

我細一想，確有道理。從太和門到午門的廣場式庭院，可能是世界上最寬敞、最美麗的庭院。庭院中間，從西向東蜿蜒流淌着一條美麗的小河，這條河叫內金水河。和天安門前的外金水河一樣，內金水河水是從什刹海剎經西苑（今中南海、北海），流入環繞故宮圍牆的筒子河，再進入故宮裏的。這條小河在空曠平整的大庭院裏劃出一條弧線，宛如寶玉做成的帶子，因此也叫玉帶河。河上架起五座漢白玉石拱橋，中間那座橋最寬最長，是皇帝獨享的御橋。從大明門（大清門）開始的御道，穿過天安門、端門、午門，直達這座美麗的虹橋。過了橋，就來到太和門了。

我們站在這個面積約二萬六千平方米的廣場式庭院中央，仰天俯地，環視四周，看到的是：紅牆，黃瓦，藍天，白雲，朱柱，綠水，灰地，七彩斑斕，宏闊博大。恢宏的太和門，巍峨的太和殿……簡直就是一幅美輪美奐的油畫！展開這幅油畫，映現在眼前的就是太和門。

太和門，明永樂建皇宮時稱為奉天門，嘉靖時先稱大朝門，後改稱為皇極門，清順治時改稱太和門[1]。它

1 太和門初稱「奉天門」，嘉靖三十六年（一五五七年）被焚，翌年重建，改名「大朝門」。後改稱「皇極門」。清順治二年（一六四五年）改稱「太和門」。太和門面闊七間，進深三間，橫五十八點八二米，縱三十點四三米，建築面積近一千八百平方米。上覆重簷歇山黃琉璃瓦頂，下為漢白玉基座。門前設銅獅一對、銅鼎四尊，為明代遺物。門南有一廣場式的庭院，南北一百三十米，東西二百米，面積約二萬六千平方米，內金水河自西向東流過，河上橫跨石橋五座，名「內金水橋」。

矗立在三米多高的漢白玉台基之上。拾級而上，平台當中擺放着四座銅爐，當年舉行慶典時，香煙嫋嫋，靜中有動，增添了莊嚴氣勢，神祕氣氛。門前台階下兩側有一對明代的銅獅，踞坐在漢白玉台座上，拱衛大門。門左邊有一座小石亭，叫詔書亭，在頒發詔書時先將詔書放在亭內。門右邊有一個石匣子，據記載裏面裝有五穀、元寶之類。有的書說它屬於「厭勝」，就是鎮宅之物，這應有國家五穀豐登、財富滿盈的寓意。今天看來，這兩座石雕反映出皇帝對臣民做了兩件事：一是「予」，給予百姓的是號令旨意；一是「取」，取自百姓的則是錢糧布帛。

上了台階，走進大門，就進入太和門的門樓。說是門樓，其實更像是一座南北通透的大殿，面積約一千八百平方米。五十根朱紅色的大木柱整齊排列在大殿裏，每根柱子的直徑都在七十釐米以上。

明朝的「常朝御門」，也就是皇帝舉行日常辦公會議的會議室，地點就在奉天門（皇極門、太和門）。永樂帝啟用三大殿不久，遭遇雷火，三大殿被焚毀，但奉天門倖存，於是永樂帝就在奉天門御政。據萬曆《大明會典》記載：凡早朝，先擊鼓，文武百官分別在午門的左右掖門排隊等候；而後開門，由鴻臚寺（管禮賓）官員引入午門，過內金水橋，到奉天門丹墀前，分六部、五府等官員，東西相向，依序而立，等候皇帝來到。皇帝御寶座，鳴鞭奏樂，百官入班，面北行一跪三叩首禮。朝拜後，鴻臚寺官宣念，然後各衙門輪班奏事。奏事完畢，鳴鞭，皇帝還宮，百官退朝。

這裏發生了一個故事：建文帝時的副都御使茅大方，在永樂帝奪取皇位後，不為新朝當官而被棄市。他的妻子張氏年已五十六歲，受丈夫牽連，被發到教坊司（官伎院）遭蹂躪，病故後，官員在奉天門上奏。奉聖旨：「抬出門去，着狗吃了，欽此！」（《國朝典故》）人都死了，還不放過，還要把屍體拉去喂狗。這個故事無論發生在北京或南京的奉天門，都說明皇權的殘酷性。

清初，順治帝遷都北京，舉行大典，詔告天下，也是在皇極門（奉天門、太和門）。為甚麼不在皇極殿（奉天殿、太和殿）呢？一些學者認為：李自成臨撤出皇宮時，放火焚燒宮殿，皇極殿遭火焚毀，所以順治帝登極大典不在皇極殿，而在皇極門。

太和假門故事，也是很有意思。光緒十四年（一八八八年）十二月十五日，太和門大火，黑煙彌天，火焰四射，太和之門，化為灰燼。轉年正月二十七日，將是光緒皇帝大婚的吉日佳期。太和門竟然被火燒毀，內廷不安，朝野震驚。清制規定：大婚皇后必須經由太和門進宮。只有四十二天的時間，來不及重修太和門，怎麼辦呢？清廷下令由北京棚匠紮彩工，夜以繼日，加緊搭建，竟然搭成一座逼真的彩棚太和門，以假亂真，在大婚時使用。震鈞《天咫偶聞》記載：「……大婚，不及修建，乃以劄彩為之。高卑廣狹無少差。至榱桷（指房上椽子）之花紋，鴟吻之雕鏤，瓦溝之廣狹，無不克肖。雖久執事內廷者，不能辨其真偽。而且高逾十丈，栗冽之風，不少動搖，技至此神也！」我們看到的《光緒皇帝大婚圖》上的太和門，原來是彩紮的。這項工藝已被列入北京非物質文化遺產。今天矗立在紫禁城的太和門，是光緒大婚後第二年重建而成的。

皇極門（奉天門、太和門）前的庭院，發生過許多故事，既有歷史正劇，也有歷史鬧劇。先說歷史正劇，就是于謙在奉天門（太和門）前定亂安邦的故事。

二 于謙定亂

明正統十四年（一四四九年）是多災多難的一年。一是火災，南京謹身殿等火災；二是水災，黃河改道，淹沒田地，運道梗阻；三是人禍，明英宗皇帝被俘。我們單説發生在奉天門（皇極門、太和門）到午門間庭院的一起重大歷史事件。

這年八月，北方蒙古瓦剌部首領也先，率軍進到今河北宣化地區。軍情緊急，事態嚴重。大太監王振慫恿英宗皇帝朱祁鎮親征。這位英宗正統皇帝，自幼不愛詩書，喜歡騎馬遊獵。當時，正統帝才二十三歲，既不懂軍事，又年輕好勝，過於自信，愛好騎馬，於是決定親征。大臣叩諫，不聽；勸做準備，也不聽。正統帝沒有充分準備，沒有周密計劃，沒有作戰方略，沒有前敵偵察，沒有後勤保障，卻親率五十萬大軍，懵懵懂懂地行進到土木堡（今河北省懷來縣境）。連日風雨，人情洶洶，官兵斷糧，秩序混亂。大太監王振沒有文化，不懂軍事，驕橫跋扈，訓斥大臣。戶部尚書王佐被罰整天跪在草地上，兵部尚書鄺埜乘馬墜地差點兒摔死。這場軍事大遊戲的結局是：明軍騾馬損失二十餘萬頭（匹），官兵「死者數十萬」（《明史·英宗前紀》卷十）。明軍大敗，皇帝被俘。敗報在半夜三更傳到皇宮，後宮大哭，朝野大驚。

明廷在社稷危殆之際，皇太后立正統帝兩歲的兒子見深為皇太子，皇弟郕王朱祁鈺輔政，召集百官聚會。郕王在午門臨朝視事，大臣們彈劾王振，認為皇帝被俘，是太監王振誤國。郕王沒有主意，讓大臣們出去待命。結果大臣們都伏地痛哭，時王振已在亂軍中被殺，就請求族誅王振。有個叫馬順的太監，為王振黨羽，擔任錦衣衛指揮。他不斷地大聲呵斥眾臣退下，惹惱了朝廷眾官。官員王竑振臂而起，揪住馬順的頭髮喝道：「若曹奸黨，罪當誅，今尚敢爾！」邊罵邊追，上前「齧其面」——咬他，群臣也一擁而上。有的官員脫下馬順的靴子，捶擊毆打，追到奉天門庭院東側的左順門（協和門）一帶，將馬順打死。朝班大亂，群臣聚哭，號啕之聲，震動殿堂。郕王被這陣勢嚇住，起身想走。王竑率領群臣緊跟着郕王不放，說：「太監毛貴、王長也是王振一黨，請求將他們法辦！」郕王命交出二人，結果大臣們又把這兩個人揍死了，並將其屍體拖到東安門。史書記載說「血漬廷陛」。朝班大亂之時，兵部侍郎于謙力挽狂瀾。

于謙（一三九八～一四五七年），浙江錢塘（今杭州）人，永樂進士。他在眾官混亂之際，挺身而出，排開眾人，上前拉住郕王衣服，並曉之以利害。於是郕王宣諭：「馬順等人論罪該死，打人之事不再追究！」這才把群臣情緒安定下來。在這場亂局中，「謙袍袖為之盡裂」，就是朝袍和衣袖都被撕破。于謙還曾力斥侍講徐珵（字有貞）遷都南京的主張，說：「言南遷者，可斬也。京師天下根本，一動則大事去矣，獨不見宋南渡事乎！」（《明史·于謙傳》卷一百七十）這場鬥爭，王竑率先發難，于謙處置得當，都立下不朽功勳。當天退朝後，吏部尚書王直拉住于謙的手，感慨地說：「朝廷正藉公耳！今日雖百王直，何能為！」就是說，國家真是全仰仗您了！今天就算有一百個王直，又能有甚麼作為啊！這代表了朝廷上下的共識，而于謙也毅然肩負起江山社稷安危的重擔。此後，郕王在奉天門（太和門）東側的左順門（協和門）御朝辦事，並即皇帝位。朝廷抄王振的家，得金銀六十餘庫，玉上百盤，高六七尺的大珊瑚二十餘株，其他珍玩，無以計數。

這裏插敍于謙的故事。在正統年間，于謙任山西、河南巡撫。他在任上興利除弊，賑貧濟困，心繫百姓，為民求福。但當時官場賄賂成風，特別是大太監王振公然索賄。于謙作《入京詩》道：

「手帕蔴姑及線香，本資民用反為殃。清風兩袖朝天去，免得閭閻話短長。」拒不與貪官同流合污。他剛正不屈，被王振捏造罪名，定為論死（死緩）。山西、河南民眾上千人請願，頌揚于謙的功德。王振被迫釋放于謙。後來于謙調到北京，任兵部侍郎，升為兵部尚書。于謙在奉天門前定亂安邦，並統率軍民取得了北京保衛戰的勝利，成為臨危定亂安邦的棟樑之臣，也成為馳名四方的中華英傑。

在奉天門庭院歷史鬧劇中，臭名昭著的大太監，王振是一個，劉瑾又是一個。

三　劉瑾鬧劇

明代弊政之一是宦官專權。明武宗正德帝時太監劉瑾專權亂政，就是一個突出例證。聽政之地的奉天門（太和門）庭院，不幸也成了劉瑾演出專擅鬧劇的舞台。

劉瑾（?～一五一〇年），陝西興平人。此人原是鐘鼓司太監，正德帝即位後頗會乖巧討好，於是得寵，備受信用，掌司禮監，成為太監大頭目。明正德三年（一五〇八年）六月二十五日，正德皇帝御奉天門（太和門）早朝聽政。早朝罷，群臣叩頭拜起，將要退朝的時候，忽然在御道上發現一封匿名文書，就是匿名信。信的內容是揭露司禮監太監劉瑾的不法罪行。御史將這封匿名文書上呈給正德皇帝閱覽。劉瑾當場發洩淫威，他宣佈文武百官不許退朝，都要跪在奉天門前。劉瑾站在奉天門台基上，氣勢驕橫，態度惡劣，斥責臣僚，辱罵官員，威逼群臣舉報寫這封匿名信的人。時值伏天，烈日當空，地面烘烤，熱氣襲人，沒有蔭涼，也沒水喝。官員們長時間跪在庭院磚地上，口乾舌燥，汗流浹背，饑腸轆轆，痛苦難言。由下朝跪到午後，昏倒十多人，中暑死了三人。（《明武宗實錄》卷三十九）劉瑾無動於衷，命內監將昏倒者拽出去。百官在將近一天的罰跪後，並沒有供出寫匿名書的人來。劉瑾氣怒之下，命錦衣衛將跪伏在奉天門的文武官員三百餘人全部逮捕下獄，造成了正德帝即位以來的大冤獄。

日暮，三百多位朝廷官員被逮入獄，消息傳出，震動京城，激起官民，萬分憤怒。這時，大學士李東陽挺身而出，直言諍諫。

李東陽（一四四七～一五一六年），湖南茶陵人。東陽早慧，四歲時就能寫一尺見方的大字。明景泰帝聽說後，心裏很喜歡，把他抱在膝蓋上，還給他糖果吃。李東陽十八歲中進士，入翰林院，後授編修。他做過侍講學士，是東宮太子的老師，官一直做到禮部尚書、文淵閣大學士。他在朝五十年，入閣十五年，歷景泰、天順、成化、弘治、正德五朝，享年七十歲。相傳府右街李閣老胡同因李東陽在此居住過而得名。李東陽是明朝著名的文學家、書法家。罷政回家，賓客盈門，許多人慕名來請寫字、求文章。堂堂當年宰相，並未積下甚麼產業，還要仰賴文字酬金來補貼家用。一天，夫人拿着紙墨進來，李東陽表示身體疲倦不想寫，夫人道：「今日設客，可使案無魚菜耶？」（《明史．李東陽傳》卷一百八十一）就是說今天請客，能讓餐桌上沒有蔬菜和魚肉嗎？要以字換錢，去買魚肉啊！東陽無奈，提筆寫字。還有一個故事，大學士李東陽過生日，他的兩個門生魯鐸和趙永，都先後官國子監祭酒，二人相約以「二帕為壽」，一翻櫃子，裏面沒有。怎麼辦呢？想起廚房裏有鄉親帶來的乾魚，就帶乾魚去看老師吧！但到廚房一看，「食過半矣」，只剩下半條乾魚，於是就提着它去給老師祝壽。李東陽見後大喜，留下二人，讓夫人烹魚上酒，吃飯飲酒，極歡乃去。（《明史．魯鐸傳》卷一百六十三）東陽廉潔風操，由上可見一斑。其保全善類，正人名士，蔭受其庇，而氣節之士，語多非之，也需諒解。

話説回來。大學士李東陽為三百多位官員被關在監獄事，緊急上疏正德皇帝。他說：匿名文字，出於一人，各官朝拜，倉猝而起，豈能知見？一人之外，都成罪人。他們戴枷，互相猜疑，而且天氣炎熱，獄氣薰蒸，若再拘禁，數日之後，人將不自保矣！特望皇上降下綸音，先行釋放，而後密訪，查出匿名者，再置之典刑。李東陽上了奏章，劉瑾也微聞這封匿名信是他的同類內臣太監寫的，於是，正德帝下令將三百餘官員從獄中放出，對匿名信事件也就不再追究。

劉瑾「權擅天下，威福任情」，演出如此鬧劇已不是第一次。在上年的三月，他就召集群臣到內金水橋前，命全都跪着，聽他宣示所謂的「奸黨」，包括大學士劉健、謝遷二人，尚書韓文等五人，還有侍郎、御史，以及王守仁（陽明）等，《明史·劉瑾傳》列出五十三人的名單。還有一次，他將尚書王佐等一百三十七人一起貶官。《明史》説劉瑾「屢起大獄，冤號遍道路」。劉瑾惡貫滿盈，罪大惡極，最後得到「磔於市，梟其首」的下場。

上面説到的王守仁也有故事。王守仁（陽明），浙江餘姚人，父王華為成化十七年（一四八一年）辛丑科狀元。他當時任兵部主事，上疏諫言，得罪劉瑾。劉瑾大怒，矯詔杖守仁四十，但他死而復蘇，被貶官貴州。劉瑾派人在路上欲加害於他。王守仁預料途中被暗算，行到杭州，深夜佯為投江，將衣冠鞋子浮在水上，遺詩云：「百年臣子悲何極，夜夜江濤泣子胥。」地方官員，信以為真，進行江祭。他隱名埋姓，入武夷山中。後劉瑾伏誅，王守仁再起。

這些歷史事件，過去常把罪責都算在宦官劉瑾頭上。不錯，劉瑾是有重要責任，但主要責任人應是正德皇帝。「上樑不正下樑歪」——有正德皇帝的荒唐，才有太監劉瑾的胡鬧。劉瑾只是一條惡犬而已，在堂堂奉天門前，責辱大學士、尚書等高官，罰跪朝廷三百多位官員，無非狗仗人勢，皇帝怎麼會不知道呢？劉瑾又怎麼可以「矯詔」？所以，人們在痛恨太監劉瑾的同時，也要批判正德皇帝的荒唐！

上面講的王振和劉瑾兩個大太監做盡壞事，自己也得了個身敗名裂的下場。于謙和李東陽，王振和劉瑾，從正面和反面說明：做人做官，重在四正——養正心，勤正學，親正人，行正道。

第六講　太和大殿

太和殿四經火焚，四次重建，鳳凰涅槃，浴火重生。近六百年，巋然猶存，成為中國文化驕傲、蔚為世界文化遺產。

△ 進入太和門，就正式進入了紫禁城前朝的核心區——三大殿。從本講開始，逐一介紹三大殿中的太和殿、中和殿、保和殿，以及它兩翼的文華殿和武英殿這五組宏偉壯麗的宮殿。先從故宮最大的一座宮殿——太和殿即金鑾殿說起。

一 四大特點

太和殿是皇帝至高、皇宮至尊、皇權至上的宮殿建築象徵。太和殿是以建築的高度、體量、威嚴、藝術的視覺美感，進而轉化為皇威、崇高、尊嚴和禮制，達到「非壯麗無以重尊威」的效果。具體之特點，有四個「最」字。

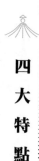

第一，建築最高。太和殿是我國現存最高的宮殿建築，從地面到殿脊龍吻最高處達三十五點〇五米（約相當於十二層樓高），其整體及部件都是最高，以顯示皇權至高無上。為此採取的主要措施有：

一是台基最高。中國磚木結構的宮殿，因木料高度有限，需要借助高台來增加建築高度。太和殿及其後面的中和殿、保和殿，共同坐落在漢白玉砌成的「土」字形須彌座高台上。所謂「須彌座」，須彌就是須彌山，為印度古代傳說中的世界中心，最初用於安放佛像和菩薩像。用三層共八點一三米高的須彌底座，顯示建築的宏偉與壯麗，襯托皇權的偉大與神聖。

二是明柱最高。整座大殿，共有七十二根巨柱支撐龐大的殿頂。其中殿內寶座附近的六根金柱最高最粗——高為十二點七〇米（約相當於四層樓高），直徑為一點〇六米。所謂「金柱」，其實就是木柱貼上金箔。明代做柱子時用的是楠木，采自川、廣、雲、貴等地；清代重建時，主要用的是松木，采自東北深山老林。如此粗大、挺直的木頭，極難尋覓，極難砍伐，運輸繁難，價值昂貴。康熙時重建太和殿，已經有了節約意識，木料不夠長就拼接加高，不夠粗就包鑲加粗。

三是殿頂最高。殿頂為重簷，從殿簷到殿脊，坡度大，垂直高，加大並抬高了殿頂的自然高度，從而促進殿的高度。

四是龍吻最高。殿頂正脊兩端，屹立着一對龍吻。每件高三點四〇米、寬二點六八米、厚〇點五二米，重約四點三噸，由十三塊琉璃構件組成。龍吻背插寶劍，四爪騰空，口呑正脊，怒目威嚴。這對龍吻是現存中國古代建築中體量最高大的構件。

這裏說一下太和殿簷角裝飾的小獸。排在最前面的一個是騎鳳仙人（俗稱「仙人騎雞」），而後排列了十個小獸，前九個依次為龍、鳳、獅子、天馬、海馬、狻猊、押魚、獬豸、鬥牛。本來九個已是最高規格了，這裏偏偏又加了一個猴子，名叫「行什」，這在中國古代建築中是孤例。在古代神話中，龍、鳳、天馬、海馬，都是吉祥的化身。獅子是百獸之王，勇猛威嚴。狻猊也是猛獸，《爾雅·釋獸》中說它能「食虎豹」。押魚是海中異獸，鬥牛是一種虬龍，傳說它們都能興雲作雨、滅火防災。獬豸也是傳說中的猛獸，據《異物志》說，它生有一角，專門頂不正直的人，所以是公正的化身。明、清兩代，御史的補服上，就繡獬豸。行什因在十隻小獸中排行最後，所以叫作「行什」。它是一隻有翅膀的猴子，手持傳說能降魔的金剛寶杵；

又有人說行什長得像傳說中的雷公，大概是防雷的象徵。可見，太和殿簷角的十隻小獸寓意豐富，既有保佑大殿防雷防火的含義，又象徵着吉祥、權威與公正。

總之，因台基最高、明柱最高、殿頂最高、龍吻最高，太和殿就成為中國現存最高的宮殿建築。

第二，體量最大。太和殿是我國現存體量最大的宮殿建築，「一大百大」，其整體及各個部件都大。為此採取的主要措施有：

一是開間最大。沒有採用通常最高等級的東西九個開間，進深五間，就是所謂「九五」的「吉祥」數，而是東西十一開間。

二是面積最大。東西六十三點九六米，南北三十七點一七米，建築面積約二千三百七十七平方米。這是現存中國古代單體建築面積最大的。

三是體量最大。因太和殿的長、寬、高等都是極大的數量，因之，其總的體量是單體宮殿建築中最大的宮殿建築。

太和殿（任超　攝）

四是氣魄最大。殿前東側和西側分別陳設銅龜、銅鶴，象徵龜齡鶴壽、江山萬代。左前角設漢白玉日晷，右前角設銅鎏金嘉量。日晷是我國古代的計時器，根據日影的長短和方向來確定時辰；嘉量是我國古代的標準量器——成為皇權的象徵。殿前庭院式廣場面積約三萬平方米，多麼開闊，多麼氣魄！

第三，裝飾最美。太和殿是我國現存最美的宮殿建築，「一美百美」，其整體及部件都最美。有詩云：「雖襲故而寡增，已窮妍而極態。」（《直廬集．太和殿賦》）

一是藻井最美。殿頂中為藻井，井口直徑六米，高十八米，上圓下方，中間雕刻盤臥巨龍，龍頭下探，正中懸掛一軒轅鏡，裝飾在御座之上，凝重典雅，金碧輝煌。

二是彩畫最美。在太和殿室內外梁枋上，繪着金龍和璽彩畫，圖案以各種姿態的龍為主，如二龍戲珠、升降龍、行龍等，周圍襯雲紋、火焰圖案。這種彩畫是明清建築油漆彩畫中的

太和殿內（任超　攝）

最高等級。

三是構件最美。大殿的木結構，樑、柁、檁、栱，特別是斗栱，也都體現太和殿的建築美、藝術美。

四是金磚最美。太和殿內地面共鋪二尺見方的大金磚四千七百一十八塊。金磚並不是用黃金製成，而是在蘇州一帶特製的御用磚。金磚表面色澤淡黑、油潤、光亮、清雅，不澀不滑，經久耐用，土質好，燒工精，「敲之有聲，斷之無孔」。現金磚製作工藝已被列入國家級非物質文化遺產。

第四，等級最尊。太和殿是我國現存等級最尊的宮殿建築，「一尊百尊」，其位置、整體及部件都顯示尊貴。譬如：

一是位置最尊。太和殿坐落在中軸線上的核心位置，是皇權的象徵。它南與太和門、午門、端門、承天門（天安門）、大明門（大清門）、正陽門、永定門相呼應，北與乾清門、後三宮、神武門、地安門、鐘鼓樓，對稱呼應。

二是殿頂最尊。採用古代建築屋頂最高等級的重簷廡殿頂[1]。「重簷」就是兩層屋簷；「廡殿頂」就是用一條正脊和四條斜脊組成的四面坡形的殿頂。這既體現封

1 重簷廡殿頂——「重簷」就是兩層屋簷；「廡殿頂」形制特點是「五脊四坡」（四面流水）：前後兩坡在最高處相交為最長的正脊，正脊兩端各放射出兩條垂脊，每側兩條垂脊夾出一個側坡，這樣一共是前後左右四個坡。人們常見的屋頂多是硬山頂、歇山頂、懸山頂等。硬山頂是「五脊二坡」，民間房子常用；歇山頂則是在硬山頂的基礎上，四角各放射出一條斜下的短屋脊，所以一共有九條屋脊。懸山頂其單簷歇山頂如東西六宮，重簷歇山頂如太和門、大安門，單簷廡殿頂如體仁閣、弘義閣，重簷廡殿頂如太和殿、乾清宮等。

建等級，又增加建築高度。在清故宮僅有太和殿、乾清宮、坤寧宮、奉先殿、皇極殿和宮城四門——午門、東華門、西華門、神武門是重簷廡殿頂建築。

三是寶座最尊。這主要體現在大殿中的座台和龍椅上，俗稱「金鑾寶座」——有須彌座式木基座，明代稱為金台，故宮博物院為它命名為「楠木髹金漆雲龍紋寶座」。基座正面和左右兩側各有丹陛三道，外有圍欄。殿上滿鋪黃絨地毯，下襯棕薦篾席。（《青瑣雜記》）基座上安設鏤雕金漆寶座。

四是陳設最尊。寶座後設雕龍髹金屏風，寶座前設寶象、用端、仙鶴、香亭各一對。寶座兩側，六根金柱矗立，六條巨龍盤旋而上，龍頭伸向寶座。所有這些都烘托皇帝和皇權的至尊。

寶座的故事

一九一五年，袁世凱復辟帝制，要在太和殿舉行登極大典，特地趕製高背大椅，替換原來寶座。後來故宮博物院決定，撤下袁世凱的「龍椅」，換回原來的寶座，但原來那張寶座竟不知去向。一九五九年，朱家溍先生對照一張清末太和殿內景老照片，在庫房裏發現了這張寶座。寶座髹金漆歷經數百年，仍然金光燦燦，現已恢復原位。

可以設想，跪在太和殿院中的大臣，要想一睹龍顏，目光要穿過約一百八十米長的庭院，再越過八米多高的漢白玉台基，穿過寬闊的丹墀（月台），再進入太和殿，恐怕連高高坐在寶座上的皇帝的影子都看不清。即使是跪在太和殿裏的大臣，也不能抬起眼睛看高高在上的皇帝。而這正好營造出皇帝的尊嚴和權威。

這樣雄偉壯麗的太和殿，卻四次毀於大火。

二 四遭火焚

太和殿這座雄偉的大殿，屢遭火災，慘被焚毀，舉其大端，主要有四。

第一次：明永樂十九年（一四二一年）正月初一日，在奉天殿（太和殿）舉行盛大朝會，慶祝北京宮殿正式啟用。「福兮，禍之所伏」——老子這句哲理名言，百試百應。正當永樂皇帝興高采烈、躊躇滿志的時候，一位高人講了一句令他半信半疑的話。

事情是這樣的：永樂皇帝召見欽天監管時間的漏刻博士胡𤅢，讓他占卜三大殿吉祥。胡𤅢受命占卜後，跪奏道：「某年某月某日午時，三大殿當毀！」就是說，永樂十九年（一四二一年）四月初八日午時，奉天殿、華蓋殿、謹身殿會遭火焚毀。這裏說的午時，是指十一點到十三點，午正是十二點。永樂帝聽後勃然大怒，下令把這位胡博士下獄。為甚麼沒有立刻殺他呢？永樂帝的意思是：到時候三大殿安然無恙，再殺也不遲。過了正月、二月、三月，三大殿都平安無事！到四月初八這一天，永樂帝靜心地等待正午的時刻。報時官員奏報：現在是午正時刻！永樂帝既高興又憤怒——高興的是三大殿太平無事，憤怒的是胡𤅢胡言亂語，擾亂官心、軍心、民心，也擾亂朕心。這時，獄卒報：以正午無火，胡𤅢在獄中服毒而死！但正午剛過三刻，突然接到奏報：奉天殿雷擊着火了！三大殿都着火了！胡博士獄中自殺，永樂帝深為惋惜。（朱國楨《湧幢小品》）

第二次：三大殿重建後，明嘉靖三十六年（一五五七年）四月十三日，驚雷引火，三殿盡焚。這是三大殿第二次被雷火焚毀。為甚麼三大殿連續兩次遭雷火焚毀呢？那時候古人不懂避雷針的科學知識，北京夏秋時節多雷雨，宮殿又是高大木結構，於是宮殿發生多次被雷火焚毀的悲劇。

第三次：明萬曆二十五年（一五九七年）六月十九日，歸極門（熙和門）起火，火勢蔓延，三殿再毀。這次三大殿僅在嘉靖、隆慶、萬曆三朝，使用了四十年。

第四次：康熙十八年（一六七九年）十二月初三日，太和殿火災。（《清聖祖實錄》卷八十一）這次大火是由御膳房起火，火乘風勢，金鑾大殿，化為焦土。六名宮監責任人，被處以絞刑。這一年，吳三桂叛亂、北京大地震、太和殿大火。但這次太和殿大火，有個意外收穫，後面再做解釋。

明清北京皇宮太和殿被焚毀過四次。這是因為：其一，木結構建築易燃起火；其二，建築高大易引發雷火；其三，沒有避雷針的科學知識；其四，人為因素，不慎起火，延及大殿；其五，消防設備，不能配套。所以，一旦失火，延燒無遺。高大雄偉的太和殿，興建起來費時費工、開支浩大。因為太花錢，每次燒毀之後都是過了很多年才重修，結果明代起碼有三個皇帝——洪熙帝、宣德帝、泰昌帝，一輩子也沒見過奉天殿（皇極殿）完好的樣子。

當時怎樣防火救火呢？朝廷採用改殿名、祭火神、祀水神和安水缸等措施。

第一，改殿名。當時人們認為，既然雷火是從天上來，便從「天」字上找究竟——大臣們從「奉天殿」的匾額上找了原因。重修三大殿後的匾額，是懸掛豎匾還是懸掛橫匾呢？這本來不是大問題，但在當時朝廷上卻成為大難題。為甚麼呢？因為有兩種意見：一種意見主張懸掛橫匾，理由是——原來是豎匾，匾上「奉天殿」三個字，「奉」字在上，「天」字被「奉」字蓋住，「天」不出頭，得罪了天，上天示警，因此兩次天火，燒毀三大殿；而懸掛橫匾，則「天」字居中，中為大。另一種意見認為，雖然「天」字居中，但還是「奉」字在前，提出：「『天』字居中、上出，『奉』、『殿』二字，兩旁稍下、相對。」嘉靖帝聽了之後，認為橫匾固然突出了「天」字，但「奉」與「殿」兩字靠下寫，這樣很不雅觀。那麼，怎樣辦呢？有人提出高見：取《尚書·洪范》篇「皇極，皇建其有極」、「惟皇作極」中的「皇極」二字，改奉天殿名為皇極殿，匾上「皇極殿」三個字豎匾直書。這樣一來，「皇」字在上，皇帝為天子，則順理成章。最後，嘉靖皇帝拍板，改「奉天殿」名為「皇極殿」，殿的匾額，「直匾順書如故」（《明世宗實錄》卷五百十三）。就是仍用豎匾，自上而下，豎直書寫「皇極殿」。這場殿名和匾額之爭雖一錘定音，但火災依舊。

第二，祭火神。位於什剎海東岸的火神廟，全稱「火德真君廟」，歷史悠久。明萬曆年間，為表達對「火德真君」的崇敬，將殿頂的灰瓦改成綠琉璃瓦。據說火神生日是六月二十三日，於是明天啟元年（一六二一年）就定每年六月二十二日為祀火神的日子。每到這一天，宮裏就要派人來祭祀火神。每逢皇宮失了火，也要委派大臣來這裏告災，並求火神保佑平安。清乾隆時重修火神廟，又在山門及後閣頂上鋪了黃琉璃瓦。慈禧太后在光緒十四年（一八八八年）太和門那場大火之後，驚魂甫定，就去這座火神廟進香，乞求火神保佑。慈禧太后親自來燒香，算是給了這座小廟最高的禮遇。這座火神廟完好保存至今。

第三，祭水神。太和殿遭火災，既拜火神，又拜水神。宮裏供奉水神——玄武神，地點在御花園欽安殿。玄武神相傳為北方太極之神，在五行之中，北方屬水，所以玄武神就是水神。其實太和殿簷角裝飾的虬龍和行什，也有保佑大殿防雷防火的含義。

第四，安水缸。在故宮的各個地方放置了大小水缸三百〇八口，現存二百三十一口，叫作「太平缸」，用來儲水防火。大缸有鐵的，有銅的，也有銅質鎏金的。一般來講，鐵缸是明代鑄造的，銅缸有明代的，也有清代的，鎏金銅缸都是清代的。冬天缸下加溫，防缸水凍冰。大缸雕飾華美，造價不菲。據乾隆年間《奏銷檔》記載，鎏金銅缸每口約重一千六百九十六公斤，僅銅缸製造費就要白銀五百多兩，再加上缸外覆蓋的一百兩黃金，共需費至少白銀一千五百兩。故宮鎏金銅缸共二十二口，現存十八口，其中太和殿前有四口。八國聯軍侵華時，竄入紫禁城，侵略者竟然用刀刮去缸上的金子。累累刀痕，至今可見，提醒人們，勿忘歷史！

三　四次重建

三大殿被焚，自然要重建。重大重建，主要有四：

第一次：三大殿重建工程是極為浩大的。明永樂朝三大殿被焚毀後，到明正統六年（一四四一年）九月，才重修告成。歷經永樂、洪熙、宣德、正統四朝，整二十年。

第二次：嘉靖時三大殿再遭雷火後，到嘉靖四十一年（一五六二年）九月，重修三大殿告成。嘉靖年間，「南倭北虜」，修築外城，又「營建三殿，歲無虛日」。

第三次：萬曆二十五年（一五九七年）三大殿又遭雷火焚毀，到天啟六年（一六二六年）九月，皇極殿重修告成；天啟七年（一六二七年）八月，中極殿和建極殿重修告成。三大殿從萬曆被火焚毀，到天啟重修告成，這中間隔了三十年。

明末李自成佔領北京，撤退前在紫禁城放火。這一燒，害得順治帝只能在皇極門（太和門）舉行登極大典。太和殿最後一次徹底修好，就要到康熙朝了。

第四次：清康熙十八年（一六七九年）太和殿又遭火災。康熙三十四年（一六九五年）二月，重修太和殿告成。今人看到的太和殿大體上是康熙朝重修的面貌。

太和殿是中國古代建築技術和藝術的集大成者，也凝聚了無數能工巧匠的心血。我以前曾介紹過「樣式雷」，就是負責設計宮廷建築的雷氏家族，他們是康熙朝重修太和殿的總工程師。這裏再介紹一位工程師——梁九。明朝末年，京城宮殿由一位叫馮巧的負責監造。他到崇禎時已經老了，梁九就想在他門下拜師學藝。一晃幾年，馮巧就是不傳藝，而梁九服侍左右，不懈怠，更恭敬。有一天，梁九單獨一人在服侍師傅，馮巧歎口氣說：「你真是可教之才啊！」便把所有的本領都傳授給梁九。馮巧死後，梁九到工部註冊，代替了馮巧管營造工程之事。康熙三十四年（一六九五年）重建太和殿時，梁九親手用木頭做了宮殿模型，「以寸准尺，以尺准丈」（《清史稿．梁九傳》卷五百五），模型雖小，但很精確，匠人們以這個模型為根據來施工，從不會出錯。

梁九的故事，只是當年興修三大殿工程技術人員的縮影。據《明英宗實錄》記載，正統五年（一四四〇年）建奉天、華蓋、謹身三殿，乾清、坤寧二宮，徵發現役工匠、操練官軍七萬人之多。嘉靖三十六年（一五五七年）三殿火災，僅清理火場就用了三萬名軍工。不但費工，而且費錢。全國鬧得「山林空竭，所在災傷」。修好之後，又燒毀了。萬曆帝想要再修，結果花錢更多：「三殿工興，采楠杉諸木於湖廣、四川、貴州，費銀九百三十餘萬兩，徵諸民間，較嘉靖年費更倍。」（《明史．食貨志》卷八十二）天啟年間修成三大殿時卻說「共用銀五百九十五萬七千五百十九兩餘」，這點錢連買木頭都不夠，顯然大大縮水了；或者只記工程等費用，而未記木材等長期備料的費用。不管如何計算，這於國、於民都是特別巨大的開銷。

皇家興建宮殿，全國百姓遭殃。一些諍臣，冒死諫阻。嘉靖時的工部員外郎劉魁，江西泰和人，先叫家裏買好棺材，然後上奏疏：「一役之費，動至億萬。土木衣文繡，匠作班朱紫，道流所居擬於宮禁。國用已耗，民力已竭，而復為此不經無益之事，非所以示天下後世！」（《明史·劉魁傳》卷二百〇九）結果觸怒了嘉靖帝，劉魁遭廷杖，又被下詔獄。同獄三位難友，不許家中送飯，「三人屢瀕死，講誦不輟」。相比之下，清朝的江皋，當官做事就有技巧得多。

江皋，安徽桐城人，康熙時在廣西柳州當知府。恰逢太和殿興工，朝廷派使者來柳州採辦大木，老百姓都很驚恐。老者們說：明朝修宮殿時就來這兒找大木，為此死者不勝其數，屍體橫臥山谷。江皋同情，想出計策。使者到了，他讓百姓帶路，自己騎馬和使者一起去找大木。只見一棵大樹挺立在絕壁上，下面就是深谷。江皋下馬，拉着使者爬山，越走山崖越陡，連側身都沒法下腳。使者咋舌：「這可采不了！」回去奏明皇帝，把採辦的事免了。

王騭，山東福山（今煙台市福山區）人，是我的煙台老鄉。官至閩浙總督、戶部尚書。康熙平三藩時，王騭為四川松威道，負責督運軍糧。「蜀道之難難於上青天」，《清史稿》說王騭一行「覆舟墜馬，屢經險阻，師賴以濟」。康熙重修太和殿時，命令到四川找楠木。在四川當過父母官的王騭，覲見皇帝，懇切陳詞。大意是說：四川大多地方是崇山峻嶺，只有成都一帶有些平地。大木生長的地方，是高山深谷、人跡罕至，砍伐很不方便，這才能留下來。民夫進山采木，要攀着藤條、貼着山崖才能走，這就夠難的了，而採完了的大木還要從山裏運到江邊，路途有百八十里，其間深澗急灘，溪流紆折，要花上幾個月時間才能運達。運木頭要掌握節令，水運必須等到夏秋水大時進行，陸運則要到春冬水小時進行，不是說沿着一條路走幾天就到了，難着呢！這就把采木的艱險講得很實在了。王騭接着說：「四川連遭戰禍，幾百里地都荒無人煙。臣當年運糧行間，滿目瘡痍。好不容易平定了，可以休養生息，可是全省到現在也不過有一萬八千多丁而已，還比不上其他省一個縣的丁多。從這麼點人裏抽調五千人入山采木，需要的衣服、糧食、器具成百上千，民夫要從千百里外趕來，耕作之事都荒廢了，國家上哪兒徵稅去？」一番話情真意切，康熙皇帝被說服了，下旨說：「四川屢經兵火，困苦已極，采木累民。塞外松木，取充殿材，足支數百年，何必楠木？令免采運。」（《清史稿・王騭傳》卷二百七十四）

康熙帝年輕時比較開明，他不僅諭准了王騭的奏請，而且批准了湖北巡撫石琳的奏議，放寬了在湖北採木的期限。前面說過，萬曆時為了重修三大殿，採木的地方有湖廣、四川、雲貴。康熙一朝，石琳任職湖北，江皋任職廣西，王騭任職四川，都能為本地老百姓說話，減輕百姓負擔。《清史稿》一個沒忘，把他們體恤民間疾苦的德政記載下來，至今值得稱道。

據《明史》記載，奉天（太和）殿與建極（保和）殿的龍吻都遭過雷擊，反倒是中和殿體量小，沒裝龍吻，也沒被雷擊中過。不光如此，宮裏供奉祖先的奉先殿、宮外天壇的大祀（祈年）殿，都裝了龍吻，在明代也都被雷擊過。於是有人問：同樣是三大殿，同樣是木結構，為甚麼在清朝很少遭雷火焚毀呢？

有學者認為，清朝給三大殿頂的龍吻安裝鐵鍊，實際上起到了避雷針的作用。這是智者為避雷想出的妙招，還是為加固龍吻而得到的「意外所獲」？這是一個歷史之謎，留待建築和避雷專家去解開吧！

太和殿四經火焚，四次重建，鳳凰涅槃，浴火重生。近六百年，巋然猶存，成為中國文化驕傲、蔚為世界文化遺產。中華象徵，太和大殿，四海友朋，莫不仰讚！

第七講　太和大典

「治天下在得民心，士為秀民，士心得則民心得矣！」康熙帝明白這句話的分量。他開博學鴻儒科，旨在爭取士心。康熙帝之所以成為千年一帝，是因為他比較重視民心，更為重視士心，尤為爭取名士之心，

△ 本講主要介紹太和殿的典儀功能和在太和殿發生的歷史故事。

一 皇家大典

太和殿（奉天殿、皇極殿）是政治性、標誌性、禮儀性、經典性的宮殿建築。中國被譽為「禮儀之邦」。《左傳》說：「禮，王之大經也。」太和殿是皇帝舉行大典禮儀的殿堂，如「三大節」——正旦（春節）、萬壽（皇帝生日）、冬至，其他如登極、大婚、立儲、親征等典禮，在此舉行。「三大節」純屬禮儀性的國家典禮，整個禮儀程式，既莊嚴又煩瑣，既隆重又枯燥，我就不說了。太和殿舉行大典，有多項內容，生動故事，實在太多，我舉三項，分開來說。

清帝大婚太和殿

先說登極典禮。就是皇帝登極的即位大典。奉天殿（皇極殿、太和殿）自永樂十九年（一四二一年）正月初一啟用，有明一代先後三次遭到焚毀。因為重修工程過於浩大，明朝在北京的十四位皇帝中，有七位皇帝（永樂、洪熙、宣德、正統、景泰、泰昌、天啟）沒有在這裏登極。清朝在太和殿舉行登極大典的皇帝有康熙帝及其以後的諸帝。

次說大婚典禮。在奉天殿（皇極殿、太和殿）舉行大婚，應是少年天子，因為成年天子已經在登上皇位之前結過婚了，只有少年天子才能在皇帝位上冊立皇后並舉行大婚禮儀。這樣，明朝只有九歲繼位的正統帝和十歲繼位的萬曆帝兩位少年天子，在皇帝任上完成大婚。正統帝朱祁鎮在剛修完的奉天殿舉行大婚禮儀時，油漆味還沒有完全散去。萬曆帝任上雖然發生了明代最後一次皇極殿大火，但他總算趕在這之前大婚。所以，明朝只有兩位皇帝的大婚之禮用上了奉天殿。清朝有六歲的順治帝、八歲的康熙帝、六歲的同治帝、四歲的光緒帝四位少年天子在太和殿舉行大婚典禮（三歲登極的溥儀帝其結婚時已經退位）。

在太和殿冊立並舉行大婚典禮的皇后，她們的結局如何呢？明英宗皇后錢氏，在夫君被俘之後，史書記載：「夜哀泣籲天，倦即臥地，損一股；以哭泣，復損一目。」（《明史．后妃傳》卷一百十三）錢皇后既瘸一條腿，又瞎一隻眼，還沒有生兒子，真是令人憐憫。萬曆帝皇后王氏，因夫君專寵鄭貴妃，殘燭長夜，孤身悲涼。清順治帝皇后博爾濟吉特氏後來被廢，康熙帝皇后赫舍里氏因生廢太子胤礽難產，二十二歲便死去。同治帝皇后阿魯特氏，在夫君死後七十餘天，一說絕食而死，一說「為慈禧皇太后所扼吞金死也」（《清皇室四譜》卷二）。至於光緒帝的隆裕皇后葉赫那拉氏，不僅夫君不愛，而且簽署「遜國詔書」後，四十六歲就死了。明清在太和殿（奉天殿、皇極殿）舉行大婚的六位皇后的結局——氣死的，病死的，吞金死的，熬淘得病死的，被廢在冷宮死的，都是不幸的。

再說親征典禮。永樂定都北京後親征，奉天殿已經被焚。正統帝親征蒙古瓦剌時，匆忙無序，一片慌亂，哪裏顧得上舉行親征大典！正德帝親征時，怕大臣阻諫，施展小計，秘密進行，也沒有舉行大典。清朝只有康熙帝親征過，倒是在太和殿舉行過大典。可見，明清兩代二十四帝的五百年間，皇帝在太和殿舉行親征大典的，只有清康熙帝舉行親征噶爾丹大典的一個孤例。

明清在奉天殿（皇極殿、太和殿）舉行的盛大典禮，應是既隆重又莊嚴，但有時卻是既縱情任性又形同兒戲，留下不少荒誕不經的故事。

先說正德皇帝故事。前面講過，正德帝從小不愛念書，喜歡打獵；堂堂帝君，想當「大將軍」。正德十二年（一五一七年）正月十三日，天未亮，正德帝到天壇祭祀，而後去南苑（南海子）打獵。黎明，文武大臣們先追到天壇，這時皇帝去了南苑；大臣們又追到南苑，但苑門緊閉，不得而入。下午，傳旨：讓大臣們回到承天門（天安門）等候。半夜，皇帝車駕始到皇宮，御奉天殿（皇極殿、太和殿）受朝賀，不點蠟燭，漆黑一片，讓群臣跪在奉天殿前。後半夜，又在奉天殿大宴文武群臣、朝覲官員及四夷朝貢使臣。（《明武宗實錄》卷一百四十五）天寒地凍，三更半夜，把朝臣們召到大殿前，又是下跪、又是磕頭。朝賀本是皇家大典禮儀，規矩森然，讓正德皇帝這麼一鬧騰，竟成兒戲，頓失威嚴。

再說嘉靖皇帝故事。嘉靖二十九年（一五五〇年），蒙古俺答汗的軍隊從古北口破塞入關，沖到密雲，搶懷柔，圍順義，又到通州堵了白河的渡口，然後蹂躪昌平，甚至跑到明帝的陵寢（明十三陵在昌平界內），相當於把今京北郊區縣橫掃一遍，百姓損失無算，「殺掠不可勝紀」（《明史·丁汝夔傳》）。於是「京師戒嚴，召各鎮勤王」。朝臣們都很着急，嘉靖帝卻很久不上朝，重大軍政機務，沒法當面啟奏。大臣們輪番請皇帝出來議事，嘉靖帝卻總也不肯。多虧禮部尚書徐階堅持，皇帝才終於答應。一天，大臣們在天剛破曉時，就魚貫入朝，恭恭敬敬地候着皇帝。嘉靖帝甚麼時候才出來呢？《明史》說是「日晡」的時候。「晡」是指申時，也就是午後三點到五點。嘉靖帝到了奉天殿，望着乾等了一天的滿朝文武大臣，一句話也不說，就給了徐階一道敕諭，讓他把大夥引到午門，「切責之」！可憐的大明臣子們，一門心思想保朱姓江山，結果先是吃了閉門羹，繼是被變相罰了站、罰了跪，最後還挨了罵，事情又沒辦成，心裏有多沮喪！

後說宣統皇帝故事。更讓清朝大臣喪氣的是宣統皇帝。慈禧皇太后臨終前傳懿旨，由她夫家侄孫、年僅三歲的溥儀繼承光緒皇帝的遺位，並讓溥儀的生父即醇親王載灃監國。光緒三十四年（一九〇八年）十一月初九日，宣統皇帝登極大典在太和殿舉行。溥儀在《我的前半生》中回憶道：

> 我被他們折騰了半天，加上那天天氣奇冷，因此當他們把我抬到太和殿，放到又高又大的寶座上的時候，早超過了我的耐性限度。我父親單膝側身跪在寶座下面，雙手扶我，不叫我亂動，我卻掙扎着哭喊：「我不挨這兒，我要回家！我不挨這兒，我要回家！」父親急得滿頭是汗。文武百官的三跪九叩沒完沒了，我的哭叫也愈來愈響。我父親只好哄我說：「別哭，別哭，快完了，快完了！」
>
> 典禮結束後，文武百官竊竊私議起來了：「怎麼可以說『快完了』呢？」「說『要回家』可是甚麼意思呵？」一切的議論，都是垂頭喪氣的，好像都發現了不祥之兆。

《禮記．樂記》說：「禮者，天地之序也。」宣統登極，禮儀失序，變成鬧劇，大清覆亡，失去江山，成為必然。辛亥革命，民國建立，宣統退位，結束帝制。馮帥相逼，溥儀出宮，回到醇親王北府（今宋慶齡故居）——真的是大清朝完了，真的是溥儀回家了！

二 舉薦賢能

太和殿（奉天殿、皇極殿）是明清皇家重要大典的殿堂，皇帝來的次數不多，低品秩官員更難得進殿。至於布衣百姓，整個皇城都被劃作禁地——萬曆《大明會典》規定：違禁入皇城，杖一百，流三千里；入宮城，絞。所以，以平民之身榮登大殿、得見皇帝真容的實例，五百多年間屈指可數。《清史稿》就記下了這樣一次「平民典禮」——康熙朝在太和殿進行博學鴻儒科的舉薦與考試。下面先說舉薦。

康熙十七年（一六七八年）正月二十三日，康熙帝頒詔：

> 自古一代之興，必有博學鴻儒，備顧問著作之選。我朝定鼎以來，崇儒重道，培養人才。四海之廣，豈無奇才碩彥，學問淵通，文藻瑰麗，可以追蹤前哲者？凡有學行兼優、文詞卓越之人，不論已仕未仕，在京三品以上及科、道官，在外督、撫、布、按，各舉所知，朕親試錄用。（《清聖祖實錄》卷七十一）

為選拔人才，康熙帝決定在三年一屆的科舉考試之外，加設博學鴻儒科，親自考選高官、要官們推薦的人才。

康熙帝為甚麼要在正常科舉考試之外特開博學鴻儒科呢？因為：

其一，清朝入主中原已有三十五年，南明幾個小王朝都被撲滅，農民軍餘部也被逐一平息，明遺民有組織的抵抗趨於消弭，太平之世已露端倪。在以武打天下之後，應以文治天下。這就需要爭取士人之心。

其二，時三藩之亂未平，海內騷然，人心不穩。一些士人，心存動搖。安定人心，首要收服士心。所以康熙帝下詔令，做出求賢若渴的開明姿態，也有收攏士心人心的目的。

其三，明末清初的知識份子多有氣節，面對滿洲政權，雖然硬頂不成，但惹不起總躲得起吧！所以，一批才俊，不考功名，不走仕途，遊離於體制之外，成為隱逸之士，未能為清廷所用。

其四，當時在議修《明史》，需要大批人才，康熙帝想用「特招」的辦法，招攬賢能人才，充實修史隊伍。

所以，時人就認為，博學鴻儒科「意在搜羅遺逸」。《清史稿．選舉志》也說：「與其選者，山林隱逸之數，多於縉紳。」

康熙皇帝確是求賢若渴，制定了寬鬆的舉薦條件：「凡有學行兼優、文詞卓越之人，不論已仕、未仕」，都可以推薦。就是沒有功名，也沒當官的一介布衣，不通過鄉試、會試、殿試，都可被推薦，直接到天子腳下考試，如果被錄取，便一步登天。康熙帝説到做到，《清史稿．選舉志》記載：「時富平李因篤、長洲馮勖、秀水朱彝尊、吳江潘耒、無錫嚴繩孫皆以布衣入選，海內榮之。」才俊們紛紛揣上名片（古時叫「名刺」），騎馬造訪有權薦舉的官員，想憑藉官員的聲望獲得推薦（惠周惕《紅豆山莊集》）。本來是推薦，卻成了自薦。但是，仍有很多士人堅守節操，拒不接受推薦。至於拒絕的辦法，則是各顯神通：

一是隱居。比如九歲就能寫文章的賀貽孫，江西永新人，名聲很響，明亡之後，隱居不出。有官員想舉薦他應試博學鴻儒科，寫了信給他。賀貽孫見信臉色一變，說：「我逃避得了這個世道，卻沒逃得了功名啊，功名實在太牽累人了！我以後就消失了！」於是「剪髮衣緇，結茅深山」。就是剪了頭髮，換上僧人袈裟，逃到深山裏，用茅草搭了個房子住着，從此再沒有人能找到他的蹤跡。

二是稱病。思想家傅山（青主），山西陽曲人，明清易代後，就穿上了道士衣服，在地裏打個洞居住，贍養老母，直到天下大定，才出門和人來往。他被推薦應試的時候，已七十二歲了，執意不從。地方官強迫他從命，讓人抬着他的床上路進京。到了距京城二十里的地方，他誓死不進城。大學士馮溥看不下去，率先來勸告，朝中大官們也來看望，可是傅山不迎不送，就躺在從家裏抬來的床上。左都御使魏象樞一看，上奏說：傅山歲數大了，身體不好。這算給了康熙帝一個台階下。於是康熙帝下詔，不讓他參加考試，封給他一個內閣中書（正七品）的職務以示榮寵。馮溥要傅山謝恩，不從就讓人抬着他去。結果傅山還沒進宮，剛望見大清門，就觸景生情，想起了亡明，「大明門」改名「大清門」的傷心往事，他就止不住地流淚，整個身子都撲倒在地。魏象樞大概怕他亂說話，趕緊上前說：「止，止，是即謝矣！」（行了，行了，這就算謝過恩了！）等他總算踏上歸程的時候，馮溥以下大臣都來送他。只見傅山舒口氣，說：從今往後就逃脫出來，沒甚麼牽累了！傅山雖名義上當了內閣中書，但他實際上並沒有做官，無論冬夏都只穿布衣，自稱為「民」，從不說自己是官，死的時候也穿着道士服入殮。傅山工書畫，他曾說：「書寧拙毋巧，寧醜毋媚，寧支離毋輕滑，寧真率毋安排。」《清史稿．傅山傳》

說：「人謂此言，非止言書也！」人如其字，字如其人，這值得深思。

三是抗拒。比如著名思想家顧炎武，江蘇昆山人，明亡之後，誓不降清，「一年之中，半宿旅店」，先後「四謁孝陵，六謁思陵」，心向故明。他「自少至老，無一刻離書」，以二騾二馬，馱着書籍，邊走邊讀，學問高深，影響也大。當時大臣們爭相舉薦他應試，他不領情，而且「以死自誓」，寧死不從，眾人只得作罷。他有位好友，本來關係很緊密，就因為人家應徵赴試，便從此絕交。

四是妥協。大思想家黃宗羲，浙江餘姚人，當時獲得了葉方藹的推薦。葉方藹時任翰林院掌院學士、修《明史》總裁官，後來擔任博學鴻儒科的閱卷官。有這樣的人推薦，當然備極榮耀。可是黃宗羲多次辭謝，總算推掉了。博學鴻儒科試後，選出的才俊投入《明史》的編撰工作，葉方藹受命監修。他不死心，想請黃宗羲出任顧問。當地最高級官員——總督和巡撫——備了禮物來聘任黃宗羲，又被推辭掉了。朝廷商議，黃宗羲恐怕來不了了，就請皇帝下令，讓浙江巡撫抄錄黃宗羲著作中有關明史的部分，送到京城，並讓黃宗羲的兒子黃百家參與修史。一天，大學士徐乾學在南書房值班，康熙帝問起遺民中有何賢達，徐乾學又推薦了黃宗羲，並解釋說他已經老了。康熙帝說：「可以請先生到京城來，朕不交辦他任何具體事情。等先生要回鄉，一定派官員護送他。」徐乾學回說黃宗羲真的很老了，沒有來京的意思，引得康熙帝連連歎息人才之難得。康熙帝確有虛懷若谷的求才之心，黃宗羲也就沒有一味硬抗。雖然黃宗羲屢辭不就，但《明史》的纂修者每有大事，常會向他諮詢，或請他審稿，或請他提出建議。他還把自己積累的資料給明史館用。

三 殿試賜宴

前面說舉薦，現在說考試。

從康熙十七年（一六七八年）正月下詔舉薦起，一年之間，北京「群賢畢至，少長咸集」。對於來京的名士，康熙帝想得很周到。他下令戶部每月發放太倉大米，把這些人才供養起來，度過天寒日短的冬季再說。等到康熙十八年（一六七九年）三月初一，正是北京陽春三月的和暖季節，清代第一次，也是最為盛大的一次博學鴻儒科考試，在太和殿和體仁閣隆重舉行。

康熙朝的博學鴻儒科考試，究竟在哪裏舉行？有說在太和殿，也有說在體仁閣。《清史稿．彭孫遹傳》記載：召試太和殿，賜宴體仁閣。當時參加考試的尤侗也記作：「太和殿御試，賜飯體仁閣下。」這是一手材料，應當較為可信。清末的掌故書《暝庵二識》裏則說是先到太和殿行禮，然後去體仁閣答卷和賜宴，可資佐證。所以《清史稿》的兩個說法都對：太和殿是舉行禮儀的地方，抬高考試地位；體仁閣則是答卷和賜宴的地方——太和殿和殿前左翼的體仁閣都是博學鴻儒科考試的場所。

康熙朝博學鴻儒科，參加考試者一百四十三。體仁閣華麗宏敞，高大寬闊，遮擋風沙，準備充分。考場條件，有桌子可憑寫，有椅子可坐着，還為考生提供筆墨等。考場氛圍，特地撤去護軍監場，消除考生緊張情緒，使其「吟詠自適」。考試題目有兩道：一道是賦——《璿璣玉衡賦》；一道是詩——《省耕詩》，五言二十韻。考試時限，也很靈活，答完即可出考場；答卷慢的發給蠟燭，最遲可以到夜裏交卷。（王應奎《柳南隨筆》）可想而知，各地士子考生經歷如此厚待，怕要終身感戴皇恩不盡。

考生飯食，考試時的伙食和宴會，都由康熙帝買單。

據考生施閏章回憶，到了中午，聽到宣示：「館選廷試，例不給饌。嘉爾等學行名儒，優以曠典。」（施閏章《愚山先生詩集》）就是皇帝要破格賜宴了。據另一位考生毛奇齡回憶，當時在體仁閣設宴，考生四人一桌，共五十桌，都賜座位。光祿寺負責準備飯食——先上兩道茶和四道時鮮果品；再上十二道菜，都用精緻的大碗盛放。主食有四種：饅首、卷子、紅綾餅、粉湯（麵條）。都是麵食。大概考慮到考生以南方人居多，又上「白米飯各一大盂」（毛奇齡《制科雜錄》）。這讓南方考生尤其受用，不僅浙江蕭山來的毛奇齡念念不忘，安徽宣城人施閏章也特地寫道：「治南饌，張椅坐，蓋前所未有也！」就是說給桌子椅子，吃南方口味的飯菜，這還是頭一回發生。據說這餐御賜宴會，價值四百兩銀子。飯吃完了，又賜茶，然後繼續答題。

博學鴻儒考試結果，考取一等第一名的是彭孫遹，一等二十人，二等三十人，共五十人。都授為翰林官，到史館纂修《明史》。按實際參加考試者計算，考取率約為百分之三十五點六。

尤侗有詩寫康熙博學鴻儒科云：

聖主垂衣雅好文，征書早染御爐熏。
九天龍鳳飛千尺，萬國鵷鸞集幾群。（鵷鸞，指朝臣）
彩筆擬從前席獻，銂羹先向大庖分。（銂，盛羹的器皿）
自憐風雨蓬茅下，白首重瞻五色雲。

蒙天子特招，見達官顯貴，着錦繡文章，吃珍饈御宴——就算白了頭髮，在風雨中蝸居茅草屋，還神往那紫禁城上的五色祥雲呢！康熙帝借開博學鴻儒科籠絡士心的目的，算是圓滿達到了。

清代博學鴻儒科，康熙舉辦過一次；博學鴻詞科，乾隆舉辦過一次。士子能趕上一回是很不容易的，但有位朱彝尊，浙江秀水（今嘉興）人，自己考上了康熙朝的博學鴻儒科，他的孫子朱稻孫又考上了乾隆朝的博學鴻詞科，祖孫入選，世所僅見，有清似只此一例，傳為文壇佳話。

康熙帝在太和殿及殿前庭院東側的體仁閣，親自舉辦考試、披覽試卷，選拔博學鴻儒，更為明清兩代六百年歷史所僅見，堪稱文壇盛事。

在太和殿舉行的博學鴻儒科，其「和」字理念，對於消弭滿漢文化衝突、協和滿漢民族關係，起到了積極的作用。

「治天下在得民心，士為秀民，士心得則民心得矣！」（《清史列傳．范文程傳》卷五）康熙帝明白這句話的分量。他開博學鴻儒，旨在爭取士心。康熙帝之所以成為千年一帝，是因為他比較重視民心，更加重視士心，尤為爭取名士之心，這是重要歷史經驗。

第八講　中和方殿

《中庸》說：「中也者，天下之大本也；和也者，天下之達道也。致中和，天地位焉，萬物育焉。」所以，「中」，是中國傳統思想的精華所在。「中」，就是說話、行動，做人、做事，要執中、要適當，不偏激、不極端，既無過之、也無不及。「和」，是中國傳統思想的又一個重要理念。《論語・學而》說「禮之用，和為貴」，也是強調「和」，但「和」而不同。

△在太和殿與保和殿之間，有一座風格獨特的殿堂，這就是中和殿。中和殿的建築藝術、多元功能、中和理念，分為三點，講述如下。

一 殿中奇葩

中和殿是建築藝術中的奇葩，其建築格局、建築藝術，同太和殿與保和殿相比，迥然不同，很有特色。它在建築藝術上，有甚麼特色呢？

中和殿與太和殿、保和殿形制不同，頗具特色——正方，單簷，四角攢尖，鎏金圓頂，「如穿堂之制」，像亭式建築。其特點是：

第一，方形圓頂。我們一看中和殿，最直觀的印象是：華蓋金頂，建築特殊。

中和殿（任超　攝）

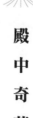

就是說中和殿的建築形式，平面呈正方形，殿頂金色圓形，寓意是「天圓地方」。殿身縱橫各三間，共九間，符合西漢戴德編纂成書的《大戴禮記》中「明堂九室」的規制。殿的屋頂，不是重簷，而是單簷，四角攢尖，屋頂覆蓋黃色琉璃瓦，中為銅胎鎏金寶頂。故宮大多殿堂，平面呈長方形，如太和殿、保和殿、文華殿、武英殿、養心殿、養性殿等，只有兩座殿堂例外——中和殿與交泰殿，這就避免了外朝、內廷三座大殿建築形式的雷同。

第二，四面門窗。中和殿四面出廊，都不砌牆，滿設門窗。各門之前，都有石階，東西陛（台級）各一齣（一道），南北陛（台級）各三出（三道），中間為浮雕雲龍花紋的御路。殿四面開門，南面滿裝槅扇門十二扇，東、北、西三面槅扇門各四扇，總共二十四扇。殿的正中，安設寶座。

第三，體小精美。中和殿雖體量較小，但小巧精美。據記載：「中和殿連廊共五間，寬六丈五尺七寸，四面俱同，高四丈八尺。」（《清世祖實錄》卷二八）殿的內飾，雕刻精美、金磚鋪地，富麗堂皇。中和殿的房簷，均飾金龍和璽彩畫。中和殿的建築面積為五百八十平方米，其建築高度、東西寬度、總的面積，相當於太和殿的近四分之一。

在這裏，講一個中和殿的光學奇異現象。紀曉嵐《閱微草堂筆記》記載：北京東城燈市口東面有座二郎廟，廟坐東朝西，早上日出的時候，有中和殿寶頂金光射到廟裏。有人解釋說：這可能是因為二郎廟的地基和座標與中和殿東西相值，中和殿鎏金寶頂上的火珠，映日反光，回射到廟的屋子裏。

為甚麼中和殿的建築形式特殊呢？我想原因，主要有三：

一是空間因素。太和殿到保和殿的距離約八十四米，太和殿北階到中和殿南階僅有二十九點三米，這中間蓋一座小巧方形殿宇還略顯擁擠，哪裏還有地方建一座巨大的中和殿呢！

二是美學因素。建築美學，講求變化，高低起伏，大小相間，避免雷同。在兩座長方形大殿中間，建一座方形小殿，既不雷同，也不呆板，還能同後三宮的交泰殿相呼應，最適合建成一座符合建築美學的方形圓頂殿堂。

三是哲理因素。在太和、保和兩座大殿之間，建一座方形小殿，不僅使中和殿在太和殿與保和殿之間保持和諧與平衡，而且在外朝三殿與內廷三宮之間也保持和諧與平衡，進而體現儒家「中和」的理念。

所以，中和殿建成「方形圓頂」小殿，既具備實際使用的功能，又體現建築藝術的優美，還展示建築大師的智慧，更表現儒家「中和」的理念。

二　多元功能

中和殿正中設地屏寶座，寶座也設在子午線即中軸線上。中和殿在不同時期，不同場合，有着多元的使用功能，相當於多功能廳。

第一，休息廳。就是皇帝的「休息室」。明清兩朝，太和殿舉行各種大典之前，皇帝先在中和殿小憩，並接受執事官員的朝拜。這裏也就是皇帝舉行大典前的「休息室」，如同大禮堂、大會堂旁的休息室、貴賓室。凡遇正旦（過年）、萬壽（皇帝生日）、冬至三大節日，皇帝先到中和殿升座，到了正點的時刻，皇帝由中和殿出來，到太和殿接受朝賀。

在「文革」期間，有一個方案，就是要把中和殿改為「人民休息室」，拆除殿中寶座，擺放長條桌子，安放十把椅子，桌上擺報紙、雜誌等。實際上人民不可能在中和殿休息。不久風向突變，「方案」隨之流產。（劉北汜《故宮滄桑》）

第二，宴會廳。據《愍書》記載：明崇禎十四年（一六四一年），崇禎帝御中極殿（中和殿），召對大臣，賜坐宴飲。這次宴會，太監佈席，與宴者十三人，每人一桌，飲酒用金蓮花杯。杯高大如瓶，口圓四寸，下有三小蒂承之，旁有荷柄。每桌三十餘件餐具。前各擺設兩個花瓶，瓶中插蓮花。光祿寺（負責宴會）官員八人行酒。又如順治四年（一六四七年）正月，順治帝御中和殿，賜蒙古杜棱郡王楮魯木宴。順治八年（一六五一年）八月，順治帝御中和殿，接見平西王吳三桂，並賜宴。（《清世祖實錄》卷五十九）順治帝常在此殿舉行宴會。

第三，議事廳。崇禎帝有時在中極殿（中和殿）舉行重要會議。崇禎十一年（一六三八年）三月初二日，召吏部尚書等議事，當議到兵餉、民食時，戶部尚書程國祥言：「京師賃房月租及天下會館租，歲可得五十萬。」還要搜刮民脂民膏。工部右侍郎蔡國用言：「崇文、宣武街石，除中道外，可培修外城。」（《明崇禎實錄》卷十一）把崇文門和宣武門馬路上的鋪路石，除當中一條外，全都挖出，修補外城。對於這個餿主意，有識之士，笑其無能。到崇禎十七年（一六四四年）三月初二日，崇禎帝在中極殿（中和殿）召集文武大臣會議時局應對的「方略」。這時，距明朝覆亡只有半個月，與會大臣三十餘人，他們的態度十分悲哀：「三十餘人皆漫應支吾，無他語。」（《明崇禎實錄》卷十七）明朝滅亡，已成定局。

第四，典儀廳。凡遇皇帝親祭，如祭天壇、地壇、先農壇、太廟等，皇帝於前一日在中和殿閱視祝文（祝禱的文稿）；祭先農壇、舉行親耕儀式前，要在此查驗種地的種子和農具；如皇太后上徽號、冊立皇太子、冊立皇后等，皇帝在此閱視冊文。《實錄》、《玉牒》告成禮，

恭進中和殿，呈皇上御覽，同時要舉行隆重的存放儀式。（《宸垣識略》）

在這裏我特別講一下《玉牒》。《玉牒》就是皇帝的家譜。明朝《玉牒》，沒有存下。清朝《玉牒》，保存完整。

《玉牒》的纂修，清朝定制：皇族出生人口，按滿洲八旗的組織，每年按戶口登記，造黃冊、紅冊，匯總編入《玉牒》。每隔十年，修一次《玉牒》。「存者朱書，歿者墨書」，就是活着的用紅筆書寫，死了的用黑筆書寫，以帝系為統，以長幼為序，由宗人府（管理清皇室的機構，在今東華門大街智德前巷十一號）的宗令、宗正任總裁（總主編），匯總纂修《玉牒》。

《玉牒》分黃冊和紅冊，就是分宗室和覺羅：宗室是清太祖努爾哈赤父親塔克世以下直系，覺羅是努爾哈赤祖父覺昌安以下直系。二者是有區別的——宗室佩黃帶子，覺羅佩紅帶子，就是腰上系黃色或紅色帶子，以示區別。宗室、覺羅的私生子女怎麼辦？《欽定宗人府則例》規定：也分別給帶子，但要降格——宗室之子給以紅帶子，覺羅之子給以紫帶子，他們犯罪，也要降格——犯案照旗人治罪，但不銷旗籍。

新修《玉牒》呈送皇帝御覽後，於皇史宬、宗人府、盛京崇謨閣各存一份。

《玉牒》為手寫本，黃綾封面，裝訂成冊。然後裝箱，再存入櫃。修成的《玉牒》，送到中和殿，呈皇上御覽。如康熙十九年（一六八〇年）三月十三日，康熙帝御中和殿，宗人府、內閣、禮部等官，恭進《玉牒》，總裁纂修官員行禮。

《玉牒》告成的進呈和御覽禮儀，非常隆重，等級分明。先由禮部、鴻臚寺官員，按《玉牒》卷數，在中和殿設案，工部官員在「玉牒館」設彩亭。舉行典禮這一天，天剛亮，王公聚集在太和門外，文武各官齊集在午門外，都穿朝服，文東武西，序立等候。總裁、王公、大學士、尚書暨纂修官等，會集在「玉牒館」，恭奉新《玉牒》的正本和副本，放在預設的彩亭裏，並行三跪九叩禮，然後由鑾儀衛官員抬着彩亭前行。前面擺列儀仗、黃蓋，吹奏樂器。總裁以下官員，騎馬在後面跟從。由大清門行進，到天安門外，各官下馬；至午門外，諸王公下馬。在午門外齊集的百官跪着迎接《玉牒》。到太和門外，齊集的王公們跪着迎接《玉牒》。彩亭過去，才站起來。到太和殿階下，彩亭止住。纂修官恭奉《玉牒》，由當中台階升入太和殿中門，總裁以下官由東階升入太和殿左門，進到中和殿，陳列《玉牒》於案上。總裁率領提調、纂修官等，在丹陛東側，行三跪九叩禮。然後，總裁到案前，恭敬地展開《玉牒》。這時，禮部堂官奏請皇帝穿禮服，乘輿出寢宮，到保和殿後降輿，到中和殿，在案左，面西站立。禮部尚書奏請皇上閱覽《玉牒》，皇帝由左案到中案，面向北，翻閱《玉牒》。看後，禮成，還宮。總裁率提調、纂修官恭奉《玉牒》，交給內監，放在彩亭裏。鑾儀衛官校，抬着彩亭，前列御仗、黃蓋、鼓樂，由太和門、協和門、東華門中門出紫禁城，恭送《玉牒》到皇史宬尊藏。齊集的王公在太和門外，文武各官在協和門外，跪送《玉牒》，敬送的禮儀和初迎的禮儀一樣。

《玉牒》在皇史宬、宗人府、盛京（瀋陽）崇謨閣各珍藏一部。《玉牒》的開本，有大小之分。大《玉牒》，藏在皇史宬，有一年我在中國第一歷史檔案館閱覽過。大《玉牒》長九十釐米，寬五十釐米，厚九十八釐米（近一米），重約一千斤，從皇史宬由八個大漢抬上大卡車，運送到第一歷史檔案館閱覽室。這是我看過最大、最重的一部書。現中國第一歷史檔案館保存《玉牒》從順治十七年（一六六〇年）到一九二一年（內署宣統十三年），共修二十八次，凡二千六百餘冊。

在這裏我順便介紹儲藏《玉牒》的皇史宬。皇史宬是明清皇家檔案館。位於南池子南口路東，明嘉靖十五年（一五三六年）建成，主殿坐北朝南，建築面積約三千四百平方米。整座大殿為拱券式無梁石建築，全部用石雕砌，沒有一根木料。南北牆各厚六點四米，東西牆各厚三點四五米。殿內大廳，無樑無柱，門窗、梁坊和斗拱等均為仿木石料，叫作「石室」；裏面排列一百五十二個外包銅皮雕龍的樟木櫃，叫作「金櫃」。具有「四防」——防火、防潮、防蟲、防黴的功能。四季晝夜，室內溫度，變化不大，相對恒定。建築精良，構思奇巧，石質建材，防火性好，是一座科學性、實用性、藝術性兼具的建築文物。存放「聖訓」、「實錄」和「玉牒」等文獻檔案。

此外，中和殿前東西兩廡和殿後東西兩廡，丹楹相接，成為倉庫。這些倉庫也有故事。雍正帝曾在此秉燭到深夜，朱批奏摺，已刊刻者僅佔其總數的十分之三四，其他沒批的奏摺堆積如山，收藏在保和殿東西廡中（昭槤《嘯亭雜錄》）。又如，鄂爾泰任雲貴總督時，備受雍正帝賞識，其奏摺有密諭商議軍機大事的，有密奏大臣人品優劣的，共六大冊，一百二十餘篇，牽涉二百二十三人之多，當時並未刊發，資料珍貴，足以資治，保存在保和殿內。雍正帝剛上台，就下令將所有的朱批奏摺收繳回宮，密封保存。乾隆帝經過閱查後，認為有些「絕不可示人者」，怎麼辦呢？乾隆帝的辦法是：或加以刪改，或「即焚其稿」。後經粗略統計，經雍正帝、乾隆帝已批或未批的奏摺保存下來的有八千餘件。

宮禁也有鬆懈之時，如雍正時，恭親王常寧之子對青額，在侍衛班中，飲酒沉醉，竟在中和殿石階上溲溺（撒尿）。光緒時，禮部筆帖式定昌和軍機處辦事員錢朝選，違制在保和殿後右門行走，都分別受到議處。

中和殿留給後人的，不僅是建築藝術，更重要的是中和智慧。

三 中和理念

中和殿建成於明永樂十八年（一四二〇年）。初始的殿名，依照南京宮殿的名稱，叫華蓋殿。這裏，我介紹一下故宮三大殿名稱的變化。故宮三大殿，初始名為奉天殿、華蓋殿、謹身殿。前面講到明永樂十九年（一四二一年）四月初八日，一場大雷火，三大殿被焚。明正統六年（一四四一年）三大殿重修告成，從焚毀到建成，歷時二十年。明嘉靖三十六年（一五五七年）又被焚毀。新建三大殿的殿名該叫甚麼？兩種意見：一是照舊，因舊殿名是明太祖定的，明成祖沿襲的；二是改名，因「上天垂示至今已兩矣」（《明世宗實錄》卷五百十二）。三大殿先後兩次被雷火焚毀，這是嘉靖帝堅持更改殿名的主要原因。因此，嘉靖四十一年（一五六二年）九月初一日，將重修後的三大殿依次改名為皇極殿、中極殿、建極殿。現中和殿天花板內構件上仍遺留有明代「中極殿」墨跡。

清順治元年（一六四四年），清皇室入主紫禁城。順治二年（一六四五年）五月再修三大殿，依次改殿名為太和殿、中和殿、保和殿（《清世祖實錄》卷二十八）。康熙二十九年（一六九〇年）再修，乾隆三十年（一七六五年）重修。直至清亡，沒再改名。

故宮三大殿的殿名，明初奉天殿突出「天」，嘉靖改名皇極殿突出「極」，清改名太和殿突出「和」。從突出天神，到突出皇威，再到突出國和，反映時代在發展，社會在前進，理念在出新進步。

這裏我特別說一下中和殿的殿名變化及其理念。它先為華蓋殿，又為中極殿，後為中和殿，三易其名，很有哲理。怎樣看待它名稱的衍變呢？從中又可以汲取哪些智慧呢？

先說華蓋殿。華蓋殿名稱，是有講究的。「華蓋」二字的含義：「華」就是華麗；「蓋」就是遮蓋——用大白話來說，就是華麗的傘蓋。當今用傘，或為避雨雪，或為遮陽光。老百姓家的傘，再好看也沒有特殊的名字，但皇家的傘，就要有一個高雅的名稱，就是華蓋。按照傘的形狀，或華蓋的形狀，建造的宮殿，就叫作華蓋殿。

「華蓋」二字，還有典故。崔豹《古今注．輿服》記載：「華蓋，黃帝所作也，與蚩尤戰於涿鹿之野，常有五色雲氣，金枝玉葉，止於帝上，有花葩之象，故因而作華蓋也。」本來為遮陽、擋雨的傘，到了黃帝那裏，就變成了「五色彩雲」的華蓋。

「華蓋」還被賦予星座的玄彩。《晉書．天文志上》記載：「大帝上九星曰華蓋，所以覆蔽大帝之坐也。」《宋史．天文志二》說：「華蓋七星，杠九星，如蓋有柄下垂，以覆大帝之坐也。」一把雨傘或陽傘，又同天上的星座聯繫到一起。皇帝出行時車上的傘，不僅是「五色彩雲」，而且是天上星座，叫作華蓋。因此，皇帝出巡，前導舉着圓形大傘，已經不是為遮陽，也不是為擋雨，而變成一種禮儀。

「華蓋」本是擋雨遮陽的人間傘，卻染上祥雲、星座的神祕色彩，所以用「華蓋」來命名皇宮的宮殿，既形狀相似，又莊重華貴，既上達天庭，又下接皇權，於是把皇宮外朝三大殿中間的一座殿堂，命名為「華蓋殿」。

次說中極殿。明嘉靖朝定中極殿名稱，也是有講究的。它位於皇極殿與建極殿之間，也就是居於「皇極」與「建極」的兩「極」之中，處於「中極」的地位，所以名叫「中極殿」。

再說中和殿。清順治朝定中和殿的名稱，更是有講究的。「中和」理念源自儒家經典《禮記．中庸》：「喜怒哀樂之未發，謂之中；發而皆中節，謂之和。中也者，天下之大本也；和也者，天下之達道也。致中和，天地位焉，萬物育焉。」意思是說：喜怒哀樂在沒有發洩時，叫作「中」；在發出來後都能恰到好處，叫作「和」。所以，「中」是天下重大的根本，「和」是天下通達的大道。能夠保持住中和，天地就能各安其位，萬物就能適時生長。中和殿在太和殿與保和殿的中間，借用這個典故，表示中和理念，體現中和智慧。

其實，「中」的理念，不僅在《禮記．中庸》中，而且在其他儒家經典中，也有這種理念。如《尚書．大禹謨》說：「人心惟微，道心惟微，惟精惟一，允執厥中。」這裏的「允執厥中」，我認為是突出「中」。孔子的《論語》，也貫穿「中」的理念。如《論語．堯曰》說：「允執其中。」我認為，孔子也強調「中」。《周易》的一個要點是「中」——求中，得中，言中，行中。

所以，「中」，是中國傳統思想的精華。「中」，就是說話、行動，做人、做事，要執中、要適當，不偏激、不極端，既無過之、也無不及。

「和」，是中國傳統思想的又一個重要理念。《論語．學而》說「禮之用，和為貴」，也是強調「和」。

清順治朝將皇宮三大殿的皇極殿、中極殿、建極殿，依次改名為太和殿、中和殿、保和殿，就連太和殿庭院的側門——左順門後改為會極門，清改為協和門，右順門後改為歸極門，清改為熙和門，這樣太和、中和、保和三殿的殿名，太和、協和、熙和三門的門名，都突出「和」字，體現中華優秀傳統文化的精髓。「和」字為重，「和」者為尚，具體說來，就是大賢大智者所概括的「六和」——自己和悅，人我和敬，家庭和睦，自然和順，社會和諧，世界和平。

總之，「中和」的理念，是中華優秀傳統文化的精粹。我們參觀故宮，透過中和殿，既能看到中華文化的外在風采，又能體悟中華文化的內在精髓。

第九講　保和宮殿

保和殿的後左門平台，見證了歷史的風雷。今人來到這裏，不妨品味《明史・袁崇煥傳》所載：「勇猛圖敵，敵必仇；奮迅立功，眾必忌。任勞則必召怨，蒙罪始可有功；怨不深則勞不著，罪不大則功不成。」企望這種歷史悲劇，永遠不再重演！

⌂ 本講和下一講，主要是介紹保和殿的規制、功能和在保和殿發生的歷史故事。

一 保和規制

三大殿庭院，起於太和門，興於太和殿，收於保和殿。保和殿位於三大殿庭院的北端，是這座壯麗庭院的收尾之筆，因而處處與太和門、太和殿相呼應，以達渾然天成之效。

如果我們繪製一幅三大殿庭院的略圖，可以分成五個板塊：

——先勾出長方形的輪廓，然後取南北兩邊中點，相連為中軸線。這是三大殿庭院的脊骨，太和殿、中和殿、保和殿是三大殿庭院的起筆、高潮和收束。

保和殿（任超　攝）

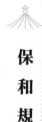

——在中軸線與南北兩邊的交點附近，分別畫出三組南北走向的門：太和門兩側的昭德門和貞度門，太和殿兩側的中左門和中右門，保和殿兩側的後左門和後右門，對應連接，南北通道。

——取庭院東西兩邊中點附近，分別畫出東西走向，太和門前的協和門和熙和門、太和殿前的左翼門和右翼門。這是三大殿庭院的東西通道。

——在太和殿前，東西對稱，聳立高閣，就是體仁閣和弘義閣，從而形成太和殿前廣場式庭院。這是三大殿庭院的高潮部分。

——在三大殿四周有圍牆和廊廡，四角崇樓，聳立相望，聲氣連通，分鎮四隅，成為紫禁城中的核心之城。

於是，一幅三大殿庭院的美麗建築圖畫就躍然紙上了。

在外朝三大殿中，保和殿面積，次於太和殿，大於中和殿。前面講過，太和殿為十一開間、進深五間，保和殿則面闊九間、進深五間，恰合「九五之尊」的吉祥數。保和殿通高二十九點五米，比太和殿矮五米多，建築面積一千二百四十平方米，略多於太和殿的一半。殿裏地面也鋪設金磚。金磚產自蘇州一帶。當年永樂建紫禁城時燒金磚的御窯之一，在今蘇州市相城區陸慕鎮御窯村，御窯遺址，至今猶存，其燒造技藝世代傳承，已被列為國家非物質文化遺產。

太和殿的屋頂為重簷廡殿頂，規制最高；保和殿則採用重簷歇山頂，規制僅次於重簷廡殿頂。在常見的廡殿頂、歇山頂、硬山頂等之中，廡殿頂前面講過，這裏介紹硬山頂和歇山頂。舊式瓦房多為硬山頂，就是兩側山牆是垂直的。歇山頂呢？歇山頂的特點是：分上下兩部分——上半部分類似硬山頂（是垂直的），下部分是斜面的。歇山頂的屋脊上半部分中有橫脊，橫脊兩端各輻射出兩條側脊；橫脊前後為斜面，同一邊的兩條側脊則夾出立面。四條側脊下端各輻射出一條斜下的短屋脊（學名叫作「戧脊」），形成前後左右四個斜面，構成歇山頂的下半部分。這樣，歇山頂一共有九條屋脊、四個斜面和兩個立面；如果增加一重屋簷，就又增加四條屋脊、四個斜面。屋簷、斜面、立面和屋脊的繁複組合，既有實用目的，也有藝術風采，更彰顯皇家建築的氣勢和華貴。天安門、端門等也是重簷歇山殿頂。保和殿的簷角同樣裝飾小獸，但只有九個，比太和殿少一個——「行什」，不過已經比其他宮殿都要多了。

保和殿的名稱，與太和殿、中和殿不一樣，先後有五次重大變化。

第一，謹身殿。明永樂十八年（一四二〇年）初建成時，仿照南京宮殿名稱，取名謹身殿。「謹身」二字，可能來源於《孝經．庶人》：「謹身節用。」意思是謹慎心身，節用愛民。

第二，建極殿。明嘉靖四十二年（一五六三年）重建三大殿後，改謹身殿名為建極殿。「建極」二字，來源於《尚書》。《尚書．洪范》：「皇極，皇建其有極。」取其「建」與「極」兩個字，意思是帝王建立治國的準則。

第三，保和殿。清順治二年（一六四五年），改建極殿為保和殿。「保和殿」源於《易．乾．彖辭》：「保合大和，乃利貞。」這裏的「保合」，「合」與「和」通，借用其意，又與「太和」、「中和」相應，就改名為「保和殿」。意思是保持和諧，長治久安。

保和殿第四個名稱是位育宮，第五個名稱是清寧宮，為甚麼？後面講。

保和殿幾經大修，殿後的大石雕，卻仍為明永樂建紫禁城宮殿時的原物，只是在乾隆年間鑿去大約〇點四米厚的舊有花紋，重新雕刻流雲立龍圖案。這件十分珍貴的文物，當中刻着九條蟠龍，四周為纏枝蓮花紋，下部為海水江崖，中間為流雲，氣勢磅礴。石長十六地七五米，寬三點〇七米，厚一點七米，重二百噸，為宮中石雕之最，俗稱「大石雕」。

經過測算，大石雕毛坯重量約為三百噸。石料采自今北京房山大石窩。這裏距紫禁城約一百多里，當時既沒有起重吊車，也沒有運輸機械，巨石是怎樣運到這裏的？有學者研究，這塊巨石，在紫禁城三大殿建成之前運到，就地雕刻，安裝到位。運輸方法：在寒冷冬季，於運道路旁，每隔一里，打一眼井，汲水潑路，結成冰道；工匠民夫們，利用冰船，驅使大批騾馬拉拽，使石料在冰道上滑移，緩慢行進，運到工地。《清聖祖實錄》記載，康熙帝聽故明太監講故事：保和殿初建時，採買搬運巨石到京，不能運入午門，運石太監參奏此石不肯入午門，便命太監將石捆綁，打六十御棍。當然打御棍巨石也不能進午門，還是靠智慧才運來的。

這塊大石雕為甚麼沒有用在太和殿的正面呢？有一種看法是：由於石坯在「三大殿」建成之前，已運至靠近保和殿後的位置，雕成後因難於運輸，特別是難以通過門闕，只得就近安裝在保和殿後正中的御路上。

這事可以討論。三大殿御路上的石雕，最重要的有兩塊：一塊在太和殿前，另一塊在保和殿後。按常理說，太和殿前石雕比保和殿後石雕更重要、更顯眼。但是，這塊最大的石雕，為甚麼沒有安放在太和殿前，而安放在保和殿後呢？

如果這塊大石雕，是為了給皇帝看的，安放在甚麼位置，其效果最佳呢？皇帝居住在乾清宮，御政在保和殿、中和殿、太和殿，大石雕恰在皇帝御政（上班）必經的御路之上。皇帝每次從乾清宮出來，出了乾清門，這塊大石雕立即映入眼簾。大石雕的寬度，恰是御轎的寬度，兩旁是抬轎太監行走的小台階。皇帝乘坐御轎，在大石雕上經過，何等氣勢，何等莊嚴！

而太和殿前石雕，雖然在御路上，但皇帝很少走，也很難看得見。因此，從乾清宮到乾清門，到保和殿，這段御路不長，卻是中軸線上最奢華的一段。乾隆帝格外重視這塊大石雕，並重新雕刻這塊大石雕，可從一個側面證明這一點[1]。

保和殿後大石雕，是紫禁城遊客必看的一個景觀。

保和殿的一大特點是「亦宮亦殿」。

二　亦宮亦殿

保和殿在外朝三大殿中，是唯一的既是殿，又曾是宮的宮殿。保和殿——作為「殿」，具有皇帝 行使權力的功能；作為「宮」，具有皇帝 居住生活的功能。

向來帝王寢居，居宮而不居殿。但清順治帝從盛京（瀋陽）進入北京後，故明宮殿或被焚，或破舊，皇帝居住的乾清宮也不例外。於是，孝莊皇太后和攝政王多爾袞決定先修保和殿，充當幼年順治帝的臨時住所，改其名為位育宮。

說是臨時，從順治三年（一六四六年）到順治十三年（一六五六年），順治帝在這裏住了整整十年。為甚

1 乾隆重刻大石雕工程，清宮檔案記載：保和殿後簷下層起墊御路石一塊，長五丈三尺七寸，寬一丈，厚六尺五寸。露明長五丈一尺八寸，寬九尺五寸。上面鑿去舊有花紋，厚一尺二寸，改做兩邊踏跺石二十八塊。重做陽紋立龍、番草、海水江崖。這項工程的花費，清宮檔案《奏銷檔》記載，這項工程共用石匠一萬四千四百八十工半，搭材匠一萬二千三百六十五工半，壯夫三萬五千六百十八名，總計至少用了六萬二千四百六十四工。如按六個月工期計算，該工程每日施工的工匠達三百餘人。（楊乃濟《保和殿後大石雕》）

麼住這麼久呢？清初天下未定，征戰不已，生靈塗炭，財政拮据。說好聽點，順治帝「思物力之艱難，罔敢過用；軫民生之疾苦，不忍重勞」（《清世祖實錄》卷一百二），暫停大興土木；說實際點，朝廷上下，忙於征戰，財政困難，無力修繕。

順治帝在位育宮（保和殿）居住十年，從九歲成長到十八歲。其間趕上大婚。順治八年（一六五一年）八月十三日，十四歲（虛歲）的順治皇帝，冊立孝莊皇太后的侄女、科爾沁卓禮克圖親王吳克善的女兒博爾濟吉特氏為皇后。大婚典禮是甚麼樣的呢？《清世祖實錄》留下了詳細的記載：

第一，冊立。就是冊立博爾濟吉特氏為皇后。順治帝穿朝服，御太和殿。大臣們奉上冊立皇后的冊文和皇后的玉璽，經順治帝看過，授予冊封使臣，置於兩彩亭，送往皇后家。那邊，卓禮克圖親王的府邸早已安放好了皇后儀仗，親王本人穿朝服恭候使臣，使臣一到，親王出邸迎接；皇后和母親姐妹等也穿朝服，在院內按順序站好。使臣讀完冊文，將冊寶授予兩名女官再由女官獻給皇后；皇后跪下接受，然後交給侍立女官放在院中黃案上。皇后起身，轉向宮闕的方向，行六肅三跪三叩頭禮，就可以上轎（升輦）了。

第二，進宮。皇后乘輦在儀仗簇擁下，經大清門、天安門、端門、午門，經太和門庭院，再由太和門入太和殿前廣場。到了太和殿階下，皇后下轎，穿過太和殿、中和殿到位育宮。順治皇帝在位育宮前迎接皇后，再步行到太和門迎接孝莊皇太后，然後進太和門，穿過太和殿、中和殿到位育宮。這時，固倫公主、和碩福晉以下，一品命婦以上也齊集在位育宮內[1]。

第三，行禮。就是向孝莊皇太后行禮。首先是皇太后的男性家屬，由皇帝率領行禮。順治帝御中和殿，率領諸王一起入位育宮，向皇太后行三跪九叩禮。禮畢，順治帝回到中和殿，諸王則回到太和殿外站立。然後是皇太后的女性家屬，由皇后帶領，向皇太后行六肅三跪三叩頭禮。行完禮，留下來侍候皇太后。

第四，喜宴。順治皇帝在太和殿，賜諸王、額駙、親家，以及貝勒和文武群臣喜宴。宴畢，順治帝回到位育宮，送皇太后回宮。與來時一樣，皇太后坐轎，皇帝步行送到太和門。新婚典禮結束。新婚皇帝和皇后的洞房就在位育宮，也就是保和殿。在北京故宮近六百年歷史中，明清二十四位皇帝在保和殿舉行大婚典禮並作為洞房的，僅此孤例。

順便交代一下，清朝順治皇帝和皇后博爾濟吉特氏的這場盛大婚禮，對於清朝具有重大意義。順治皇帝大婚，標誌他已成年，能親理朝政。

保和殿，不僅少年天子順治帝住過，而且少年天子康熙帝也住過。康熙帝八歲繼位以後，先住在乾清宮。因為乾清宮漏雨，便遵照孝莊太皇太后的懿旨，暫時搬到保和殿居住。這次給保和殿改個甚麼名字好呢？位育宮之名已被順治帝用過了，不便再用。還是太皇太后下旨，改名為清寧宮。清寧宮曾是當年皇太極在瀋陽皇宮

1 金固倫公主：皇后所生之女。「固倫」滿語意為尊貴、高雅；妃子所生之女及皇后的養女，稱「和碩公主」，「和碩」，滿語意為一方。兩種封號強調了嫡庶之別。「格格」主要指滿洲王公貴胄之女。和碩福晉：親王的正妻。親王是清朝宗室和蒙古外藩十二級爵位的第一等爵。宗室唯皇子、皇兄弟可以獲得此爵位。外藩中只有蒙古「汗」一級的首領才可以獲得此爵位。「一品命婦」泛稱受有封號的婦女，命婦享有各種儀節上的待遇，一般多指官員的母、妻而言，俗稱為「誥命夫人」。清制，凡命婦封號一品二品稱夫人。

的住處，這也勾起太皇太后當年在永福宮做莊妃的記憶。世間人事，真是多磨。這時，又在修太和殿，聲音嘈雜，非常鬧心。康熙帝怎麼辦呢？他奶奶太皇太后又想出主意，讓他暫搬到武英殿居住。太和殿完工後，他從武英殿搬回清寧宮。康熙八年（一六六九年），乾清宮竣工，康熙帝才從清寧宮搬回乾清宮。

《清聖祖實錄》記載，康熙帝親政後，立下決心，要解決三大問題，即三藩、河務、漕運，曾經把這三大問題「書而懸之宮中柱上」。不少學者認為，這座宮，就是清寧宮（保和殿）。保和殿的平台，演繹出許多歷史人物和歷史事件。這許多是在「平台召對」時發生的。

三 平台召對

平台即保和殿的後左門（有時也稱後右門）。後左門和後右門在恢宏壯麗的三大殿庭院中居於末端，在高大莊嚴的保和殿兩側居於陪襯，本不起眼，也不講究，但因其距乾清門很近，只有約三十米，明代皇帝常在此召對官員，地位反而重要。平台實際使用面積，東西長十五點六五米，南北寬八點五米，共約一百三十三平方米。獲得召見的臣工，僅《明史》記載就有十多位元。這裏選明崇禎帝在平台召對的三位，介紹給大家。

金光辰，安徽全椒人。崇禎元年（一六二八年）進士，後任御史。明末宦官專權，為非作歹，金光辰非常厭惡。他巡視京師西城，碰上太監周二殺了人，立即發令讓司禮監將其緝捕歸案。捉拿之令到，周二正在皇帝身前伺候，趕緊磕頭哀告，請皇帝開恩饒命。崇禎帝說：「此國家法，朕不得私。」有了皇帝支持，周二償命抵罪。後來邊務告警，各處發兵，需要朝廷派人監軍。本來崇禎帝早就不讓內監去監軍了，改派朝臣前去，可是事到臨頭，大臣們卻相互推諉，誰也不去。崇禎帝無奈，只好讓太監盧維寧等「總監通（州）、（天）津、臨（清）、德（州）等處兵馬糧餉」。如此出爾反爾，皇帝自然很忌諱臣下提起。金光辰偏偏哪壺不開提哪壺，上疏請皇帝將宦官監軍罷去。結果崇禎皇帝生氣了，下旨在平台召見金光辰。此時忽然颳風，下起大雨，侍臣不得不用袖子遮雨。崇禎帝在雨中責備金光辰，金光辰卻說：皇上以大臣們不踏實辦事為由，任用太監。臣卻覺得，越是任用太監，大臣們就越會推卸不幹。一句話，把責任又推到皇帝身上。崇禎帝這下氣壞了，聲色俱厲。正要重責金光辰，突然驚雷炸響，震動御座，風雨聲也驟然大起來。當時人們都說金光辰有天公相助，真是幸運！但崇禎帝還是將他降三級，調到外地做官。後崇禎帝在平台又召見金光辰等，諮詢御邊、救荒、安民之策。金光辰最後一個陳述，這時已經深夜，「光辰獨對燭影中，娓娓數百言，帝為聳然聽」（《明史．金光辰傳》卷二百五十四）。

曾在平台受到崇禎帝召對的，還有一名女性武將秦良玉。

秦良玉，四川忠州（今重慶市忠縣）人。她文武雙全，不僅足智多謀，善於騎射，而且知書達禮，儀度嫻雅。萬曆時，秦良玉嫁給石砫宣撫使馬千乘。趕上丈夫出征川南平亂，她就率領五百精兵，自帶糧食隨同出戰，平亂後卻不言功。丈夫死後，她代領夫職，所部號稱「白杆兵」，大概是武器或儀仗的木杆都為白色的緣故。崇禎二年（一六二九年），皇太極軍隊打到北京，永平等四城失守。秦良玉奉詔勤王，還出家財補充軍餉。崇禎皇帝對像秦良玉這樣的巾幗英雄——在朝廷危難之時，忠於社稷，能征善戰，公而忘私，挺身護國，非常欣賞，極為重視，在平台召見她，不僅下詔褒獎，而且賦詩四首，讚揚她的功勳。

還有一位就是明末鎮守遼東的名將袁崇煥，在短短兩年裏，曾三次在平台受崇禎帝召見。我在《明亡清興六十年》中已經詳細講過，不再重複。袁崇煥慘遭磔刑——被千刀萬剮的悲劇，至今震撼人心！

上面金光辰、秦良玉、袁崇煥等都在平台受到崇禎帝的召見。但是，崇禎帝雖能召見忠臣、能臣，卻不能信用忠臣、能臣，而最終信用太監、佞臣。

作為國君，寵信佞臣，疏遠忠臣，害己誤國。齊桓公是一例。齊桓公身邊有三個佞臣——豎刁自宮，自願伺候桓公；易牙殺三歲兒子給桓公做人肉吃；開方是衛國公子，拋棄可能在衛國繼承王位的機會，來侍奉齊桓公。齊桓公有他們三人侍候，心裏甜蜜，非常舒服。管仲臨終前建議齊桓公罷斥他們，但他做不到。齊桓公病老時，這三人作亂，使得一代霸主連水都喝不上，悲苦萬狀，死得很慘。

同樣，崇禎帝在歷史關鍵時刻，磔殺忠臣、能臣，寵信太監、奸臣，加速了明朝的滅亡。清朝皇帝一般不在平台召見臣下，順治帝在平台召見吳三桂算是特例。這裏的東牆和西牆腳下，後來分別砌起地炕，供執勤的官兵冬季取暖。

保和殿後左門平台，雖已成了歷史的陳跡，卻見證了歷史的風雷。今人來到這裏，品味《明史·袁崇煥傳》所記：「勇猛圖敵，敵必仇；奮迅立功，眾必忌。任勞則必召怨，蒙罪始可有功；怨不深則勞不著，罪不大則功不成。」人們企望：這種歷史悲劇，永遠不再重演！

第十講　保和殿試

《論語・子張》曰：「仕而優則學，學而優則仕。」人們往往記住「學而優則仕」，反倒常常忽略「仕而優則學」。終身學習，堅持不懈，毅力可嘉，精神可敬。

⌂ 保和殿除了曾作為清順治帝和康熙帝的寢宮，以及皇家宴會廳、會議廳、接見廳、儀禮廳之外，還有一個重要功能，就是舉行殿試的場所，也就是舉辦國家考試的場所。明清士人走完科舉考試全程，要過前三關——童試、鄉試、會試和後三關——殿試取進士、朝考取庶起士、散館取翰林。讀書人一路過關斬將，方能有資格在保和殿考進士、中金榜、點翰林，從而在朝為官，實現士人理想。這一講主要介紹在保和殿等處進行的三種大考：殿試、朝考和散館。

一 殿試進士

「學而優則仕」，科舉在明清時期是讀書人做官的正途。科考制度，設計嚴密，層級很多，攀登艱難。讀書人十年寒窗，拾級而上，成功者少，失敗者多——未必能求得半點功名。一旦打定主意走科舉之路，首先要參加縣、府、省三級的「童試」，也就是童生試，過關之後成為「秀才」（生員），分別為縣、州、府學等的生員。而後參加「鄉試」。「鄉試」為省級考試，三年一比（屆），由朝廷派官主持，秋天在省裏舉行，所以又叫「秋闈」。鄉試中榜，就稱「舉人」（第一名稱解元），獲得了參加國家級考試的資格。國家科考也是三年一比（屆），分兩試：首先由禮部舉辦「會試」，在春天舉行，所以又叫「春闈」。會試者不限年齡，「番禺王健寒九十九歲，尚能入試，握筆為文」（陳康祺《郎潛紀聞初筆》卷四）。更有廣東三水縣一百〇三歲老人陸雲從應會試（《郎潛紀聞二筆》卷三）。會試地點主要在貢院（北京貢院胡同），考取者稱「貢士」（第一名稱會元）。貢士才有機會參加朝廷舉辦的「殿試」。殿試明初在奉天殿（太和殿），後多在保和殿，乾隆後定制在保和殿。

殿試考進士，如何進行呢？

首先是出題。據參與命題的清末重臣翁同龢在《翁文恭公日記》裏記載，某年四月二十日寅時（寅正四時）三刻，他到西苑（中南海）聽旨，被任命為殿試讀卷官。然後與其他讀卷官一道，草擬「策問」題目八道，進呈光緒皇帝。皇帝看過，用朱筆圈出四道。讀卷官把這四道考題工整書寫，用封筒裝好，再呈皇帝。這時已到中午時間。飯後試卷發回到讀卷官處，經過密封，運到內閣大堂。監考的御史已在內閣大堂等候。除了主考官和讀卷官，其他人等一律摒退，由讀卷官書寫正式試題。酉正（十八時），刻字匠齊集大堂。護軍統領把大堂前後門都封閉，戌初（十九時許）發刻試卷。到子正一刻（〇時十五分）刻成，經過校對、印刷、裝訂，寅正（四時）完畢，共印三百七十份。從出題到印卷，整整一天一夜。安排如此緊湊，為着防止泄題。

其次是殿試。二十一日黎明，考生（貢士）們在太和門兩邊的昭德門、貞度門集合，由官員引領穿過太和門，經太和殿兩側中左、中右門，到保和殿丹陛下。一位大學士把考題授予禮部堂官。貢士們面北行三跪九叩禮。然後由禮部官員分發試卷，考生要跪着接受，行三叩禮。鴻臚寺官員引領考生到考桌前，答題正式開始。（《光緒丙戌科會試同年全錄》）隨卷下發的還有答題紙，答題紙長一尺四寸，白宣紙，凡八開，紅闌格，每開十二行，行二十二字，抬頭頂格加二字，共二十四字。這樣，每頁不算抬格，共可寫二百六十四字。書七開半為滿卷，寫滿為一千九百八十字。為防寫錯，要打草稿。正本要用端正楷書來寫，格式嚴謹，不得塗改。可見，殿試不僅比試思想和文采，也要比試書法和縝密，乃至韌性和體力。（《晚清會試廷試故事記》）考試以一天為期，實在熬人，但也有些人性化措施。比如，殿試給每個考生設有考桌（會試為矮几）可以伏案寫卷；考試當中進餐，由光祿寺負責預備紅綾餅，有時也給茶喝。交卷以日落為限。諸貢士答題完畢即可交卷。

再次是閱卷。殿試完畢，決定考生命運的閱卷立即開始。答卷密封後，放到箱子裏，送往午門內的朝房，交給收掌官。收掌官將答卷轉送給讀卷官閱讀。讀卷官閱畢，主考官等擬定前十名答卷，進呈皇帝。皇帝欽點一甲前三名，就是狀元、榜眼、探花，讀卷官將後七卷填寫二甲名次，交內閣列金榜。

最後是放榜。殿試一般在考試兩天後放榜，考中者分為三個等級：一甲三名，第一名狀元、第二名榜眼、第三名探花，為「賜進士及第」；二甲若干名，為「賜進士出身」；三甲若干名，為「賜同進士出身」。一甲為三名，固定不變；二甲和三甲的名額，每科不同。二甲名額較少，三甲名額較多。明朝殿試，洪武二十四年（一三九一年）最少取三十一人，洪武十八年（一三八五年）最多取四百七十二人；清朝殿試，乾隆五十八年

1 伊桑阿中進士的時間：《清史稿·伊桑阿傳》作順治九年壬辰科進士，誤；《明清進士題名碑錄》作順治十二年乙未科進士，是。

（一七九三年）最少取八十一人，順治十二年（一六五五年）最多取三百九十九人。清朝平均每科取進士二百三十六人。清代中進士年齡最小的十六歲（虛歲），一位是安徽合肥人李孚青，另一位是滿洲正黃旗人伊桑阿[1]。後者官禮、吏、戶、兵部尚書，文華殿大學士。

放榜前由禮部官員在保和殿傳臚（唱名），宣佈考中進士的甲第和名次，並將名單寫在黃色榜紙上，所以稱作「金榜題名」。新科狀元率領進士們走出太和門、午門、端門、天安門。走出午門中門的，只有一甲狀元、榜眼、探花才能享受如此尊榮。黃榜貼在長安左門（在今北京勞動人民文化宮前）附近。順天府尹設宴招待新科進士。新科進士，「一登龍門，身價百倍」，成為朝廷執政集團的官員。

二　金榜題名

在殿試中，由皇帝親自出題，提出有關時政和策略的論題，叫作「策論」。一般說來，殿試不會再有淘汰，只是根據皇帝親自甄試，重新安排一下名次而已。例如清末會試第一名（會元）譚延闓，殿試後卻成了二甲第三十五名（賜進士出身），而劉春霖卻中了狀元。那麼，金榜題名，是按照甚麼標準來決定呢？

這裏要澄清一個誤區，即殿試要以文才論高下。其實，會試、殿試，文章高下雖同考試結果有關，但並非決定性因素。真正要緊的是書法。比如乾隆五十四年（一七八九年）的探花劉鳳誥，殿試那天，太陽落山，他還沒有完卷。這自然是違反考場紀律的，惹得監考大臣要轟他出場。幸好禮部尚書常青見他書寫工整，書法秀勁，讓發給蠟燭，由他寫完！幾天後放榜，劉鳳誥名列一甲，高中探花。與其說是常青慧眼識才，不如說是一筆好字救了劉鳳誥（昭槤《嘯亭雜錄》）。但好事多磨，相傳乾隆皇帝見到劉鳳誥時，發現此人其貌不揚，一眼大一眼小，不大喜歡他，就當場出對子考他，劉鳳誥當即應對。

東啟明，西長庚，南箕北斗，朕乃摘星手。
春牡丹，夏芍藥，秋菊冬梅，臣為探花郎。

乾隆帝以四方星宿入題，「摘星手」一語盡展帝王氣象；而劉鳳誥以四時名花應對，「探花郎」更是一語雙關，堪稱妙對，傳誦至今。劉鳳誥後來官至兵部侍郎，參與纂修《清高宗實錄》，道光年間過世。

又如道光二十七年（一八四七年）的進士徐樹銘，考試時已經完卷，還沒有上交，卻急着上廁所。他見身旁站着一位少年，就求道：「勞駕代為關照！」隨即匆匆而去。少年翻閱他的卷子，見書法工整，非常欣賞，於是默默記下了「徐樹銘」這個名字。這位少年就是後來的咸豐皇帝。不久，道光帝去世，咸豐帝登極，隨即多次超擢徐樹銘。（《凌霄一士隨筆》）一筆好書法，天子知遇恩。徐樹銘後考取庶起士，又點了翰林，步入升官快車道，曾官拜工部尚書。

有清一代，科考以書法論高下，考卷多以楷體書寫，因此有「楷

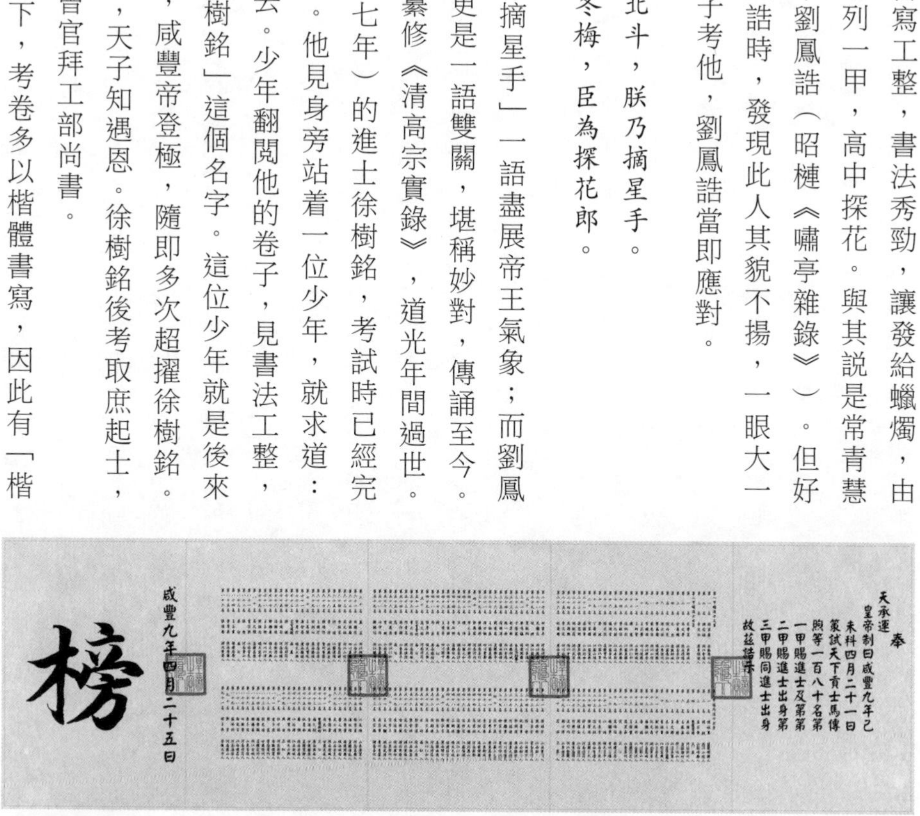

清代大金榜

法取士」的說法。這就帶來兩個後果：一方面，考生唯恐字體不合讀卷官喜好，於是一味求穩，泯滅個性。日久天長，形成所謂「館閣體」。這種字體看起來千篇一律，用在抄書的工作上（比如編修《四庫全書》）或許合適，對於有才華、有見地、有個性的考生則不啻災難。另一方面，考生為博得皇帝青睞，往往打探皇帝喜歡的字體，答卷時投其所好。如順治帝喜歡歐陽詢的字，當時的狀元就多有練歐體字的；康熙帝則喜歡趙孟頫、董其昌的字，於是寫趙、董體的字又成了中狀元的竅門。（王士禎《分甘餘話》）偶爾遇到一個字寫得不好卻中第的考生，就會記在歷史上。晚清學術大家俞樾，做過章太炎的老師，又是俞平伯（紅學家）的曾祖。他曾在《春在堂全集》裏回憶說，自己從小就不練小楷，科考卻中進士。後來才知道，時任禮部侍郎的曾國藩為讀卷官，欣賞俞樾的文章，寧可打破規矩幫助他。俞樾一直活到八十六歲，官運並不順遂，卻成了一代學問大家。龔自珍卻沒有那麼幸運。龔有才華，書法不合「楷法」，雖中進士，卻未取庶起士。有學者認為，龔自珍不滿之情，在過鎮江時溢於詩作：「九州生氣恃風雷，萬馬齊喑究可哀。我勸天公重抖擻，不拘一格降人才！」

其實，雖說是楷法取士，可讀卷官卻未必個個是書法家。極端的例子，比如乾隆朝的重臣兆惠，出身滿洲正黃旗，漢文並不好。他率軍平定了南疆大小和卓的叛亂，班師回朝。乾隆帝龍心大悅，命他參與殿試閱卷。兆惠照實說自己漢文不行，乾隆帝倒瀟灑，對他講：「諸臣各有圈點為記，但圈多者即佳卷也！」可憐一屆苦練楷書的貢生，做夢也想不到要比試「圈多圈少」！道光時，大學士托津漢文也不熟練，同樣奉命閱卷。他乾脆請同事代閱代評，而且把這告訴監考官，毫不避諱。（《十朝詩乘》）看來讀卷官首先是一種待遇，其次才是職務吧。

殿試點甲，讀卷官只有建議權，最後還是皇帝說了算，並不需要解釋理由。既然資訊不透明，各種傳説就多了起來。比如明嘉靖二十三年（一五四四年）殿試，秦鳴雷奪魁，吳情為探花。有人説，本來狀元是探花吳情的，可是此人運氣不佳，名字和「無情」諧音，俗話説「無情無義」，嘉靖帝聽了「無情」兩個字很不舒服。加上當時大旱，嘉靖帝正在祈雨，夜裏夢見打雷。於是「秦鳴雷」的名字成了吉兆，讓他撿了個便宜。當時流傳一句打油詩：「無情舉子無情帝，鳴雷只好撿便宜。」文章好，不如書法好；書法好，不如名字好。類似傳説還有，清末恩科狀元劉春霖，也是因那年大旱，慈禧皇太后盼天降甘霖，就點了劉春霖為狀元。清朝末科（不算恩科）狀元王壽彭，也有故事。

王壽彭，山東濰縣人，家在南關新巷子。兩歲時，鄰居曹鴻勳於光緒二年（一八七六年）中了狀元。曹家很窮，據説高中之時，報子到他家裏報喜，家裏沒有錢招待客人飯菜，更拿不出賞錢，還是鄰居們幫忙現湊的。也許是榜樣的力量無窮，二十七年後，王壽彭在保和殿試，欽點狀元，入翰林，授修撰。濰縣城裏一條長不過百米、寬不足三米的小胡同，二十多年間，連出兩狀元，曹王兩府，南北相對，無比榮耀。可是流言也就傳開，説王壽彭之所以中第，因名字有「壽齊彭祖」的吉祥之意。讀卷官為討好即將七十大壽的慈禧皇太后，就故意將他的試卷放在最上。慈禧一看果然高興，就點了王的狀元。王壽彭聽説，當然不服氣，寫首打油詩來回應：

有人説我是偶然，
我説偶然亦甚難。
世上縱有偶然事，
豈能偶然再偶然。

換句話說，就算點狀元有些偶然，此前科舉的一路高中，難道都是偶然嗎？平心而論，能呈送慈禧皇太后閱看的十份卷子，肯定是篇篇優秀，水準在伯仲之間。所謂靠名字取勝的說法不僅沒有根據，而且也不能否定王壽彭文才書法俱佳的事實。在毛澤東的遺物中，就有一方銅盒裝的硯，盒蓋上有王壽彭的題字，被有關部門定為國家二級文物。王壽彭中第後，被清政府派往日本學習，考察政治、教育和實業。日本之行影響了他的後半生。一九二五年，王壽彭出任山東教育廳廳長，兼山東大學校長。他在任上雖做了些尊孔復古之事，有些不合時宜，但也能聘任留學東西洋的知識份子執掌法、工、農、醫等學院，兼取科舉出身的經史學者，新舊結合，使山東大學頗有生機。

殿試還有故事。著名文學家袁枚（一七一六～一七九八年），浙江錢塘人，他少年異稟，聰明過人。乾隆元年（一七三六年），弱冠二十，被薦參加博學鴻詞科考試，以「年最小，試報罷」。四年（一七三九年）又參加殿試，中二甲第五名進士。他得意地說：「霓裳三百都輸我，此處曾來第二回！」（袁枚《隨園詩話》）就是說，四年之間，兩入殿試。袁枚雖為庶起士，但無意做官，「卜築江寧小倉山，號隨園，崇飾池館，自是優遊其中者五十年」（《清史稿．袁枚傳》卷四百八十五）。他出遊山水，為文辭歌賦，名流造訪，歲無虛日。著《隨園集》等三十餘種，盡享天年，壽八十二。這是讀書人的另途。但大多進士還是選擇——走仕途，入翰林。

三 欽點翰林

金榜題名，標誌着漫漫科考路走到盡頭，畫上了圓滿的句號。但是，考取進士之後，並不能直接出將入相，顯貴於世。相反，考中進士，只能獲得擔任縣令等七品小官的資格。從七品到一品，整整十四個台階，進士剛邁上第一個台階。無論在地方衙署或在中央部門，升遷的機會都並不多，速度也很慢。絕大多數人默默無聞，在低品秩位置上結束官場生涯。

哪裏升官機會多、速度快呢？在帝制時代，答案是「三近」：近皇帝、近皇權、近皇宮。愈近皇帝、皇權、皇宮就升遷得愈快。哪裏離皇帝、皇權、皇宮最近呢？明清時期，答案是內閣、南書房（康熙時設）、上書房、詹事府和軍機處（雍正時設）等。怎樣才能被皇帝選中，進入這些地方？答案是：進入翰林院，俗稱「點翰林」。翰林院的歷史，可以追溯到唐朝，而在明代獲得長足發展。翰林官掌制誥、史冊、文翰之事，考議制度，起草文書，備皇帝顧問，兼有學術和政治性質。翰林官品級很低，但在皇帝身邊當差，很容易被看中，坐上升遷的火箭。明代永樂初年，內閣中不是翰林出身的有一半；從天順二年（一四五八年）起，就確立了「非翰林不入內閣」的制度。「通計明一代宰輔一百七十餘人，由翰林者十九」，「翰林之盛，則前代所絕無也」（《明史·選舉志》卷七十）。清承明制，翰林院官員，多出自翰林，據統計：清代漢大學士共一百一十九人，其出身翰林者（含庶起士）一百〇一人，進士十七人，舉人僅左宗棠一人。翰林出身的佔其總數的百分之八十五（邸永君《清代翰林院制度》）。所以，《清史稿·選舉志》說：「有清一代宰輔多由此選。」因此，考中進士之後，士子下一個目標就是：考庶起士（類似讀研），進翰林院。

怎樣才能進翰林院？正途是通過兩次考試：朝考和散館。

朝考，是翰林院庶常館（類似研究生班）庶起士的入門考試。已經錄取的進士，除一甲三名免試外，其餘再舉行一次考試，叫作「朝考」，選拔庶起士，到翰林院學習。於是，《明史·選舉志》說：「庶起士始進之時，已群目為儲相。」學業三年以後，舉行畢業考試，稱為「散館」。據統計，朝考錄取人數，最少一次是順治十八年（一六六一年），為十人；最多一次是光緒十八年（一八九二年），為九十九人。清代二萬六千八百四十六名進士中，共考選庶起士五千七百四十二人（邸永君《清代翰林院制度》），平均每屆約四十六點七人，入選率不到四分之一。

散館，是翰林院庶常館庶起士的畢業考試。庶起士經過三年清貧學習生活，要舉行畢業考試。考試成績分為三等：一等者，留館，授予翰林官；二等者，或留館，或工作；三等者，或再讀三年，或退回進士候缺分配工作。只有上等和中等者，才算是翰林。在明清時代，作為四民之首的士，其最高層次是翰林。這樣一來，朝考——庶起士——散館——翰林官，構成了一條通向皇帝身邊的快速通道，作為漢族文人，幾乎是唯一的通道。當然，就算成為翰林官，也還要努力爭取，任侍講、侍讀、經筵講官等，這樣被皇帝注意的可能性才最大。

點翰林在仕途上如此重要，朝考和散館當然備受矚目。偏偏有的皇帝和權臣，拿點翰林不當回事。《明史·選舉志》記載：萬曆二年（一五七四年），當時權傾朝野的張居正遇到了一件不高興的事——他的兒子會試沒有通過。孩子不爭氣，干他人何事？然而大權在握的張居正偏要拿一班新科進士出氣，「遂不選庶起士」，斷了這些人點翰林的通路。有不讓入學的，就有不讓畢業的。萬曆後期，言官王元翰曾上書皇帝，痛陳讓他想要大哭一場的八件事，其中就有

「庶常散館亦越常期」——到期不舉行畢業考試，平白積壓人才，這可如何是好啊！奏章上去，皇帝怎麼說？《明史．王元翰傳》記了四個字：「帝皆不省。」任你如何寫，他不當回事——不說白不說，說了也白說。

清代的皇帝，比較重視朝考和散館。但是皇帝在乎，偏有考生不在乎。乾隆朝的一位狀元錢維城，授修撰，為「清書翰林」，就是學滿文的庶起士。錢維城天資聰慧，覺得滿文好學，不怎麼上心，結果散館考試時竟然落為三等。乾隆帝大怒道：錢維城難道覺得國語不值得學嗎？竟然敢違抗祖制，一定要法辦！軍機大臣傅恒求情，說錢某漢文好，可以寬待吧。乾隆帝給傅恒個面子，把錢維城召到保和殿階下站立，出題考他。錢維城背靠着礎石，揮毫疾書，不到一刻鐘就寫完了。乾隆帝驚異於他的才華，任命他為南書房供奉。錢維城後來官至戶部侍郎，很受寵倖（錢灃《錢南園遺集》）。這算「壞事變好事」的實例。當然，大部分考生對翰林官極其嚮往，甚至走個後門也要擠進翰林院。康熙年間，庶起士張逸少散館沒考好，被發出去做知縣，後來又升到知州。他的父親張玉書，時任大學士，專門上摺子，請皇帝把兒子調回來。於是康熙帝授予張逸少翰林院編修職務，算是做了個人情。

翰林也有送人情的。乾隆五十二年（一七八七年），乾隆帝給參加會試考完三場的九十九歲山東老舉人李宏道翰林院編修（正七品）銜、八十九歲以上彭以猷等四十人翰林院檢討（從七品）銜（《清高宗實錄》卷一千二百七十八）。當然，這些老人終生學習和執着頑強的精神，着實感人，令人敬佩！

《論語．子張》曰：「仕而優則學，學而優則仕。」人們往往記住「學而優則仕」，卻常常忽略「仕而優則學」。終身學習，堅持不懈，毅力可嘉，精神可敬。

第十一講　文華經筵

蘇洵《管仲論》說：「夫功之成，非成於成之日，蓋必有所由起；禍之作，不作於作之日，亦必有所由兆。」明清廟堂經筵的盛衰，明清經筵講官的進退，是皇朝盛衰的一個先兆。

⌂ 紫禁城外朝，除前面所講的核心區三大殿外，還有文華殿和武英殿，如同鳥的兩翼，左文右武，東西對稱，形制略同。先介紹三大殿的東翼——文華殿。

一 殿區格局

文華殿建築群坐落在紫禁城東南部，是一座紅牆環繞的院落。向東，從東華門進出皇宮；向西，從協和門（左順門、會極門）進出太和門前廣場及三大殿庭院。在皇宮建築佈局上，文華殿和武英殿同屬外朝，是三大殿的左輔右弼，又是宮廷東路與西路的前衛。在建築體制上，太和、中和、保和三大殿為主，文華與武英二殿為客，所以文華殿的規制比較低：殿頂形式是單簷歇山；只有配殿，沒有廡廊；三大殿台基高八點一三米、三層，而文華殿台基僅高一點六米、一層。

文華殿的主要建築，前為文華門，門內是文華殿庭院。院內主體建築平面呈「工」字形——文華殿居中，坐北朝南，面闊五間，進深三間；文華殿後為主敬殿，也面闊五間，進深三間；文華殿與主敬殿之間的走廊（穿廊），封閉起來，既像廊又像屋，所以叫廊屋。文華殿前的兩廂為配殿，東為本仁殿，西為集義殿，各五間。院外東面是康熙時建的祭祀殿堂——傳心殿。

雖然從建築上看，文華殿只是三大殿的陪襯，但因為三大殿多次遭到焚毀，重修過程又極其漫長，所以從功能上講，文華殿反而比三大殿實用得多。永樂帝正式啟用三大殿後才三個月多，三大殿就被雷火燒毀，文華殿便成為皇帝日常理政的便殿。之後，文華殿主要供太子使用，殿頂也鋪設太子用的建築顏色規制——綠色琉璃瓦。太子起初在東宮讀書，年紀大點之後，就出閣到文華殿，由專門的講官教育。所以，「文華殿大學士」這個職務，最早其實是授予太子老師的，後來才逐步演變為內閣重臣。明代天順、成化兩朝，太子踐祚之前，先攝事於文華殿，也就是以文華殿當辦公室。天順朝的太子朱見深（成化帝）、成化朝的太子朱佑樘（弘治帝），即位時都十八歲了。他們在即位前先實習政務，不僅必要，而且可行。可是此後，弘治朝的太子朱厚照（正德帝），即位時僅十五歲，年齡太小，沒法提前攝事，文華殿也就有些閒置了。嘉靖

文华殿建筑群

帝把文華殿改回皇帝的便殿，殿頂也改鋪皇帝用的黃琉璃瓦。

清初諸帝吸取明代帝王怠惰棄學的教訓，對經筵比較重視。明末李自成佔北京時，把文華殿焚毀。順治帝曾下詔，讓工部儘快重建文華殿，當時財政困難，工程只能暫緩，直到康熙二十二年（一六八三年）才開工，三年後修成。這就是今天看到的文華殿。

文華殿東側，有一個院落，就是傳心殿。前有景行門，東西牆有角門，西角門與文華殿相通。傳心殿裏供奉皇師（伏羲、神農、軒轅），帝師（堯、舜），王師（禹、湯、文、武），還有周公、孔子等。院內有大庖井，水味獨甘，做祭祀用。康熙二十四年（一六八五年）建。

明清兩代，文華殿最重要的功能，是充當皇帝經筵的殿堂。

二 明清經筵

甚麼是「經筵」？「經」指經典，主要是儒家的「五經」，即《易經》、《書經》、《詩經》、《周禮》、《春秋》等。「筵」的本意為竹席，引申指座位，此處是「講席」的意思。合起來，「經筵」就是儒臣給皇帝上課，講授儒家經典或治國之道等，也就是皇帝學習的制度。給皇帝講課的官員叫作「經筵講官」。通過經筵，君臣之間，學習經典，相互研討，結合朝政實際，闡發儒家思想。經筵有大小之分：通常所指的是「大經筵」，舉行的次數不多，禮儀隆重，儀式性多於實用性；「小經筵」則是指「日講」，也就是日常給皇帝上課，次數頻繁，禮儀從簡，實用性多於儀式性。明清時期，大經筵多在文華殿舉行。

經筵制度漢代就已出現，宋代成形。明朝初期，洪（武）、建（文）、永（樂）、洪（熙）、宣（德）五帝，皇帝都是成年即位，大多勤政好學，經筵雖未定制，但並不很緊迫。而宣宗之後的英宗朱祁鎮，九歲即位。他的祖母張太皇太后督教很嚴。主掌朝政的名臣「三楊」（楊士奇、楊榮、楊溥），深感教育幼主責任重大，上疏請開經筵，定下明代經筵制度——每月二日、十二日、廿二日舉行經筵。

明清經筵，怎樣進行？明清經筵，禮制相同，略有差異，以清為例，綜合敍述。先由禮部動議舉行，翰林院選任講官，翰林院掌院學士和講官共同擬定篇目、撰寫講義，奏請欽定。經筵當天黎明，由大學士等，到傳心殿祭祀。經筵舉行時，文華殿寶座前擺放南北三張桌子，北面是皇帝用的御案，南面分別是講官用的講案，三案相對，呈「品」字形。案上各置講章（講稿），鎮以金尺（鎮尺）。旁邊站立展書（翻書）官兩員。講官在兩張桌子上安放好講義：左邊是「書」，即「四書」；右邊是「經」，即「五經」。講官一共四位，滿漢各二，兩人一組，分講書、經。參加經筵的官員很多，規格也很高：丹墀左側站立着滿人講官，以及當班的大學士，吏、戶、禮部的尚書和侍郎等；丹墀右側站立着漢人講官，以及兵、刑、工部的尚書和侍郎等。如果孔子的後人——衍聖公入京朝拜，也可能獲准參加經筵。此外還有負責禮儀的鴻臚寺官員、負責糾正儀錶的給事中等也參加。明朝御座前有金鶴一對，東西佇立，口含熏香，噴吐青煙，氣氛神祕，為外國貢品。經筵開始，皇帝御殿升座，眾臣行禮，然後開講。展書官膝行（跪着前行）御案前展開講章，然後退回原處。先由滿人講官出列，用滿語講「四書」，然後由漢人講官用漢語講。講完之後，皇帝就講解內容發些議論，叫作「書義」，大臣們跪着聆聽。再由滿、漢講官依次再講「五經」，皇帝闡發些「經義」，而後下課。皇帝給參加者賜座，或在廊屋賜茶，然後起駕回宮。講官等人隨後到太和門東廊吃飯，有時在文華殿配殿本仁殿設席。賜宴的酒食自然不錯，剩下的飯菜還允許打包帶走。（《水南翰記》）這在當時是皇帝的恩典，在今天看是節約、不浪費。

朝廷經筵，貴在有常。乾隆七年（一七四二年），經筵之日下雨，大臣依例請求改期。乾隆帝不聽，講起了戰國時魏文侯的故事：有一次，魏文侯和管理山林的人約好去打獵，恰好趕上下雨，為了不失信，魏文侯不顧大臣勸阻，決定冒雨前往。乾隆帝以魏文侯自比，拒絕經筵改期，但允許大臣穿雨衣，免去了一些禮節。他定下規矩，以後遇雨照此辦理。（《清史稿·禮志》卷八十九）當然，大經筵在清朝也經常被取消。乾隆帝在位六十年間，大經筵也不過四十九次而已。

清代經筵，還有特例。這就是為慈安和慈禧兩宮皇太后舉行的經筵。其經筵地點，改在養心殿；其御經筵者，從在位皇帝改為兩宮皇太后。自同治元年（一八六二年）起，慈安皇太后與慈禧皇太后，垂簾聽政，母儀天下。課本不是「四書」「五經」，而是《治平寶鑑》。這是由南書房張之萬、潘祖蔭、許彭壽等編纂的。進講仿照經筵儀式：正面坐着的是慈安和慈禧兩宮皇太后，師傅坐在一張事先擺好的椅子上，旁邊坐着恭親王奕訢、醇親王奕譞、鐘郡王奕詥（道光帝第八子），另一邊站着軍機大臣、大學士、六部尚書等。講官每半個月輪一次。講的內容除《治平寶鑑》的歷史經驗外，還列出宋、元、明、清四朝帝王政治事跡，共十五個專題，講解歷史，結合現實。

經筵日講，經常進行。明朝有兩位少年天子：一位是九歲的即位正統帝，另一位是十歲即位的萬曆帝。我重點介紹一下萬曆帝。經筵內容都是儒家經典，教化內容多，道理也深奧，小皇帝理解起來很困難。首輔張居正對萬曆帝是盡心盡力。《明史·張居正傳》記載，神宗剛剛即位時，張居正考慮到皇帝年紀小，挑選了先代治亂的經驗，編成《帝鑑圖說》一書，選取歷史中正面八十一個、反面三十六個，共一百一十七個故事，每個故事，配上圖畫，圖文並茂，生動活潑，用通俗語言，給皇帝講解。如「諫鼓謗木」，說的是帝堯在位，虛己求言，門前設敢建言的鼓，敢批評的木，招引賢人，擊鼓書木，批評自己的過錯。「解網施仁」，說的是商湯出巡，見有人設網捕鳥，他讓人把網解開三面，讓鳥飛翔，百姓稱讚說，湯的仁德，惠及鳥獸，何況人乎！於是，三十六國，四方歸商。「脯林肉圃」，說的是夏桀無道，酒池肉林，荒淫無度，終於亡國。「遊幸江都」，說的是隋煬帝巡遊江都，船隻數千艘，長二百餘里，背拉縴者，錦彩為袍，靡費奢侈，不久隋亡。這些生動有趣的歷史故事，涵蓋修身治國諸多內容，便於少年天子學習接受。

但是，「三楊」對正統帝和張居正對萬曆帝兩位少年天子的教育都不成功，甚至都是失敗的。究其原因，於教學——讀書過程是：一讀，二講，三寫，四行，經筵日講，有讀，有講，有寫，但缺乏行，重知輕行。於教育——教師（講官）、家長（太皇太后或皇太后）、社會（宮廷氛圍）難以協調一致。於體制——「立嫡以長」、皇帝終身的君主制度。總之，明代君主常用各種理由取消經筵日講，一會兒說身體不好，一會兒說天氣太冷或者太熱。雖然大臣經常上書諍諫，但是皇帝往往無動於衷。

清帝學習，每況愈下。清朝皇帝讀書，早期好學，晚期稀鬆。康熙帝五歲便知讀書，十七八歲時曾因學習過勞而咯血。他重視日講。日講先是隔日舉行，後詔改為每日舉行，在瀛台避暑時也不間斷。三藩之亂時，翰林院以皇帝軍務繁忙，建議改為隔日進講，被康熙帝駁回。

康熙帝學識過人，在很大程度上應歸功於經筵日講制度。皇帝聽課，主要靠日講。但乾隆十四年（一七四九年）以後，日講也被取消（《清史稿．禮志》卷八十九）。看來和乃祖相比，乾隆帝的好學精神差多了。

清代四位幼帝中，以光緒為例。光緒二年（一八七六年）三月十六日，六歲的光緒帝開始在毓慶宮上學。老師有翁同龢等。光緒帝坐北面南，前面擺着課桌，上面有典籍和筆墨紙硯。翁師傅寫了「天下太平」、「正大光明」八個端莊的顏體大字，後握着皇帝小手在紅格紙上描紅模子。而後，用張居正的《帝鑑圖説》做課本，講修身治國故事。頭兩年，主要是認字、寫字、聽課、背書。規定：每日生書讀二十遍，熟書讀五十遍。光緒帝常讀到一半就不想讀了，老師催促，則不開口。老師對皇帝不能打罵，也不能體罰，偶爾申斥幾句，小皇帝就號啕大哭，聲震宮外。光緒帝性格倔強，有時十天半月不開口，翁同龢只好奏報慈禧皇太后，請醇親王奕譞來陪讀。另一位師傅孫家鼐想出「靜坐法」，就是罰「不許動」。光緒帝發火，大罵起來，摔碎杯子，太監們「一」字排開，跪地求情，小皇帝根本不聽，衝出書房，逃回宮裏。皇帝罷課，慈禧出面，訓誡皇帝，支援師傅。但另一位師傅李鴻藻教育靈活：「一日，穆宗（同治帝）學書，故為戲筆。鴻藻立前捧上手曰：『皇上心不靜，請少息。』穆宗改容謝之。」（《清史稿．李鴻藻傳》卷四百三十六）光緒帝膽子小，怕雷電，一次雷雨，嚇得直哭，翁師傅抱起皇帝，哄在懷裏。有時光緒帝因肚子痛，未吃早飯就到書房，上一半課説餓了，翁同龢就讓太監送來點心。光緒帝十一歲時，上課心神不定，催師傅提前下課，前後半月，經常如此。怎麼回事呢？原來宮裏有鐘錶，怕他分心，就撤了去。光緒帝藉口怕誤時，要了八音鐘。他經常玩弄，給玩壞了，所以上課不專心，老惦記回宮修鐘。後來翁讓太監給他換了鐘，才安下心來。光緒帝逐漸懂得感恩，九歲時新春賜「福」字，特意將「福」字從翁師傅頭上身上反覆來回拖了兩遍，意思是「全身福」、「全家福」（《翁文恭公日記》）。光緒二十三年（一八九七年），慈禧皇太后命裁撤書房，翁同龢為光緒帝師傅長達二十二年之久。

三 經筵之爭

明清兩代，圍繞經筵，宮廷鬥爭，非常激烈。

經筵是給皇帝上課，講官不但有「帝師」的榮耀，而且能當面向皇帝展示自己，獲得皇帝垂青，受提拔機會大增。皇帝對優秀的講官往往很好。比如明朝成化年間的講官劉珝，進講時反覆開導，「詞氣侃侃，聞者為悚」，被贊為講官第一。成化帝稱他為「東劉先生」，賜給他一枚印章，上書「嘉猷贊翊」四字。劉先生原來只是吏部左侍郎，很快就兼任了翰林學士，入內閣，與機務，後官至謹身殿大學士、吏部尚書（《明史·劉珝傳》卷一百六十八）。又如弘治年間的講官張元禎，身材清瘦，個子也比常人矮，成化帝就特意下令給他準備了矮桌子（《明史·張元禎傳》卷一百八十四）。嘉靖間講官顧鼎臣，進講《心箴》，「敷陳剴切」，嘉靖帝很高興，親自給講義作注釋（《明史·顧鼎臣傳》卷一百九十三）。這樣一來，為了誰能出任經筵講官，翰林官之間不免有一番競爭。

經筵講官，實屬不易。明正德帝那麼不爭氣，有位叫劉健的大臣仍苦諫不斷。劉健是弘治朝首輔。弘治帝彌留之際，拉着劉健的手說：老師們多年來輔導朕，真是辛苦了！太子（後來的正德帝）天資聰明，但是年紀還小，喜歡安逸享樂。請老師們勸導他讀書，輔佐他成為賢主！劉健受先帝臨終托孤，對正德帝盡心輔弼。正德元年（一五〇六年），他見小皇帝成天玩樂，荒疏學業朝政，就上書說：最近，皇上取消朝會的次數太多，上奏的事情回覆愈來愈遲，遊戲的範圍倒是愈來愈廣，經筵日講乾脆直接停止了。臣等愚昧，不知道陛下在宮裏，究竟有甚麼事情比經筵日講還要急！劉健嚴厲地教導正德帝：「濫賞妄費非所以崇儉德，彈射釣獵非所以養仁心，鷹犬狐兔田野之物不可育於朝廷，弓矢甲胄戰鬥之象不可施於宮禁」——可見正德皇帝都在宮裏幹了些甚麼！一番切責，年輕的正德皇帝嘴上接受了，行動上卻依舊我行我素。弘治帝的陵墓剛一修好，劉健就請正德皇帝開經筵，皇帝勉強答應，卻經常找理由停課，一會兒說要看望兩宮太后，一會兒又說要騎馬去。皇帝大婚，劉健又抓住機會請求開講。正德皇帝拖了一個月，到了經筵的日子，又提出來每天只講一次。原來，明代曾有制度，日講每天早晨和中午各講一次。日講明明是為了他朱姓江山好，教他怎樣做皇帝，正德皇帝卻如此討價還價，視學業為畏途，視祖制為兒戲，這種人怎麼能當好皇帝呢？劉健堅持要按制度辦事，無奈皇帝就是不聽。托孤大臣的遭遇尚且如此，其他講官的諫言被隨隨便便頂回來，也就毫不為怪了。

明代圍繞經筵的鬥爭，主要發生在朝臣與宦官、清流與權奸之間。清代則比明朝增加了滿官與漢官、維新與守舊之間的政爭。明代由於朝會失常，皇帝怠於理政，經筵幾乎成為儒臣覲見皇帝、影響皇帝的唯一機會，因而圍繞經筵的鬥爭，更複雜、更激烈。圍繞經筵的鬥爭，爭的正是影響皇權的機會。

這場經筵鬥爭暗流，講官文震孟與閹黨魏忠賢的較量是一個例證。

文震孟（一五七四～一六三六年），江蘇吳縣（今蘇州市吳中區）人，先祖文徵明與唐寅等齊名，被譽為「吳中四才子」。震孟弱冠中舉，但科試不順，十赴會試，到天啟二年（一六二二年），殿試狀元，授修撰，入翰林。時魏忠賢專權，斥逐忠臣，廟堂之上，烏煙瘴氣。震孟氣憤，上《勤政講學疏》說：大小臣工，因循粉飾，官員上朝，長跪一諾，北面一揖，跪拜起立，如傀儡登場，這將使祖宗天下日銷月削。非陛下大破常格，鼓舞豪傑心，天下事未知所終也！又說：經筵日講，侍臣進讀，鋪敍文辭，如蒙師誦說已耳。尖銳指出：「唐、宋末季，可為前鑑。」疏入，魏忠賢不即上奏。他乘天啟帝看戲，摘錄疏中「傀儡登場」一句，說文震孟「比帝於偶人（傀儡），不殺無以示天下，帝頷之。一日，講筵畢，忠賢傳旨，廷杖震孟八十」（《明史·文震孟傳》卷二百五十一）。首輔葉向高、次輔韓爌力爭，言官上章疏救。文震孟被降級外調，又被斥為民。講官文震孟，敢講真話，敢犯天顏，時稱「真講官」。

講官文震孟與奸臣溫體仁的較量又是一個例證。崇禎元年（一六二八年），懲治閹黨，起用正人，召文震孟入朝，官以侍讀，充日講官。宰輔溫體仁，「為人外謹而中猛鷙，機深刺骨」（《明史·溫體仁傳》卷三百八）。是個內外不一、陰狠狡詐的小人。體仁主持禮部，禮部主管經筵，經筵影響皇帝，皇帝看重清流。所以，溫體仁和清流之間，矛盾一觸即發。

這時，閹黨餘孽謀翻魏忠賢逆案，文震孟抗疏批駁：「群小合謀，欲借邊才翻逆案。天下有無才誤事之君子，必無懷忠報國之小人。舉朝震恐，莫敢訟言。臣下雷同，豈國之福！」矛頭直指閹黨餘孽和奸臣宦官。

明朝故事，經筵不講《春秋》。崇禎帝以有益於治亂，命選人進講《春秋》。文震孟本是《春秋》名家，溫體仁憚忌他，不予推薦。次輔錢士升指出來，溫體仁假裝吃驚地說：「幾失此人！」（差點把這人給漏了！）文震孟果然講得好，受到皇帝肯定，進入內閣中樞。

一次進講，崇禎帝「足加於膝」——蹺起了二郎腿。文震孟正在講《尚書・五子之歌》，當講到文中「為人上者，奈何不敬」這句話時，眼睛直盯着皇帝蹺起來的腳。皇帝不好意思，用袍袖遮住二郎腿，慢慢把腿放下。

震孟在講筵，態度嚴正，不畏邪惡，耿直規諷，營救大臣。崇禎二年（一六二九年），皇太極兵犯京城，獄囚劉仲金等一百七十人破械越獄，被獲。崇禎帝震怒，命將刑部尚書喬允升及左侍郎胡世賞等下獄處死，刑部郎中徐元嘏於當堂廷杖，事件牽連多人。有的官員乘機落井下石。副都御史掌都察院事易應昌等主張，允升雖有罪，但沒有死罪，崇禎帝益怒，並將易應昌下獄。這時文震孟講《魯論》「君使臣以禮」一章，反覆諷勸，崇禎帝才降旨把尚書喬允升、侍郎胡世賞放出監獄。喬允升端方廉直，官聲很好，以詿（失誤）誤獲罪，天下惜之（《明史・喬允升傳》卷二百五十四）。朝臣對文震孟讚揚有加。

後特擢文震孟為禮部左侍郎兼東閣大學士，入閣預政。他兩次疏辭，皇帝不許。司禮太監曹化淳雅慕文震孟，讓人轉話，表示敬意，但他就是不相往來。文震孟再次得罪溫體仁：體仁竄其上疏，對所擬不滿文字，讓他改，拒不從。溫體仁徑然抹去不滿意的文字。震孟大怒，將奏疏擲在溫體仁面前，體仁也不理睬。溫體仁還是「日伺震孟短」，把文震孟趕走。文震孟做大學士僅三個月，遭小人暗算，被免官回鄉。不久死，六十三歲。《明史》本傳評論文震孟說：「剛方貞介，有古大臣風。」

此外，講官羅喻義奉命日講，與溫體仁也有鬥爭。他撰寫講義，提及時政，說「左右之者不得其人」，暗指左右國事的溫體仁之流不稱職。講義上呈，溫體仁看了很不高興，讓正字官通知羅喻義加以改正。羅講官不聽招呼，他到內閣去，隔着一道門就敢嘲諷溫體仁。這下溫某被激怒，給皇帝上書說：照老規矩，只有經筵的時候，規勸朝政的內容才能比講解文義的內容多；日講時，應該多講文義，少發規勸。羅喻義是日講官，卻錯用了經筵的辦法；讓他刪改，卻被他侮辱。請聖上明察！羅講官雖然上書抗辯，但吏部懾於溫體仁的權勢，上奏革去了羅的職務。《明史·羅喻義傳》記載：「喻義雅負時望，為體仁所傾，士論交惜。」這應該是符合實際的。

總之，明朝士子可貴可敬之處，恰恰在於「知其不可為而為之」，前仆後繼，勸導皇帝。以講官文震孟為代表的清流，與以魏忠賢、溫體仁為代表的權奸，大戰兩個回合，以權奸小人得勝而告終。說到底，朝廷大臣的升遷起伏，在於皇帝是不是明君。不用忠臣能臣，而用奸臣佞臣，這是明朝衰敗的一大徵兆。

蘇洵《管仲論》說：「夫功之成，非成於成之日，蓋必有所由起；禍之作，不作於作之日，亦必有所由兆。」明清廟堂經筵的盛衰，明清經筵講官的進退，是皇朝盛衰的一個先兆。

第十二講　文淵書閣

當乾隆帝組織編修《四庫全書》時，法國正在編修《百科全書》。「百科全書派」傳播啟蒙思想，反對封建專制，批評僵化經院哲學，形成社會進步動力，為法國大革命做了思想、輿情與理論的準備。「四庫全書派」則集中當時的知識精英，埋首故紙堆，抄寫古文獻，扼殺了他們的聰明和智慧，磨滅了他們的批判與創新精神。結果，中國與西方各自走上不同道路，這很值得人們深思。文淵書閣則成為這一歷史的見證。

△明清皇宮的文淵閣，先後有三座：第一是明太祖在南京皇宮裏修建的文淵閣，正統年間毀於火；第二是永樂帝遷都後，依樣在北京皇宮裏興建的文淵閣，明末李自成撤離北京時毀於火；第三是乾隆時專為貯藏《四庫全書》而在文華殿後興建的文淵閣。北京故宮現存文淵閣的功能，主要是藏書，所以本講名為「文淵書閣」。本講重點介紹與以上三個文淵閣相關的三部大書——《永樂大典》、《古今圖書集成》和《四庫全書》。

一 《永樂大典》

《永樂大典》是永樂皇帝下令編纂的一部規模空前的類書。《永樂大典》和《古

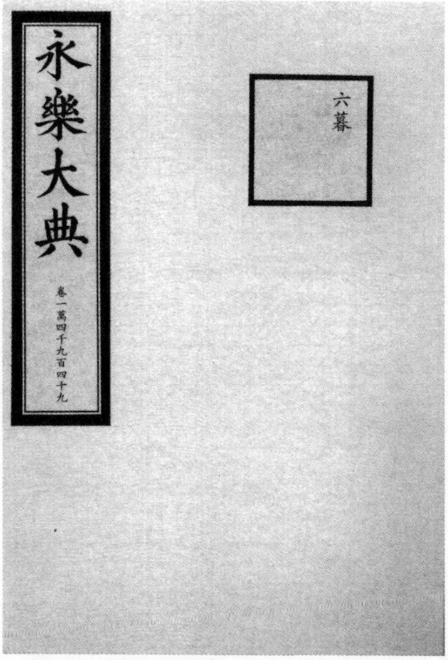

《永樂大典》書影

今圖書集成》屬於「類書」，就是將許多圖書裏的內容打散，按照不同內容，分類編纂，再按照字韻等重新排列起來，便於檢索查閱。《四庫全書》則屬於「叢書」，就是將整本書直接歸類，再編排起來。

永樂元年（一四〇三年），明成祖向翰林侍讀學士解縉等下達了修書敕令：「天下古今事物，散載諸事，篇帙浩穰，不易檢閱。朕欲悉采各書所載事物，類聚之而統之以韻，庶幾考察之便，如探囊取物。……爾等其如朕意，凡書契以來，經史子集，百家之書，至於天文、地志、陰陽、醫卜、僧道、技藝之言，備輯為一書，毋厭浩繁。」（《明太宗實錄》卷二十下）永樂帝修書要求就是兩個字：「全」與「便」。就是彙集要齊全，使用要方便。解縉顯然沒有理解這個「全」字。他組織了一百多人的編輯部，只花了一年多時間，就編好了一部《文獻大成》，向朱棣交差。朱棣一看，嫌該書不夠完備，於是加派姚廣孝等為總負責，讓禮部在全國搜羅纂修和繕寫人，「開館於文淵閣，命光祿寺給朝暮膳」（《明太宗實錄》卷三十六）。在揣摩上意方面，姚廣孝顯然比解縉更勝一籌。他把編修隊伍從一百多人擴大到二千一百六十九人，供事人員更達三千餘人。能請到的先生盡量請，能找到的圖書盡量找。到永樂五年（一四〇七年）冬，一部收書七八千種，共二萬二千九百三十七卷、一萬一千九百〇五冊、三點七億多字的大書，擺在了永樂皇帝面前。永樂帝為這部新書賜名《永樂大典》，並作序說：「惟有大混一之時，必有一統之製作，所以齊政治而同風俗。序百王之傳，總歷代之典。」（《明太宗實錄》卷七十三）就是說，只有國家大一統的盛世，才有這部鴻篇巨製問世。這部《永樂大典》，繼承了歷代的傳統，總匯了歷代幾乎所有的重要著作，被《大英百科全書》譽為「世界有史以來最大的百科全書」。《永樂大典》修成後，放在南京文淵閣珍藏。

《永樂大典》開館纂修之際，總負責解縉的仕途也達到了頂峰。解縉，洪武年間生人，十九歲就中進士、點翰林，明太祖對解縉「甚見愛重，常侍帝前」。朱元璋比解縉大四十多歲，一天他對解縉說：「朕與爾，義則君臣，恩猶父子，當知無不言。」意思是朕與你，雖說是君臣，卻如同父子，你有話可要知無不言啊！這話籠絡成分居多，可解縉太年輕，缺乏城府，竟當了真，當天就給朱元璋上了萬言書。這封萬言書，僅《明史．解縉傳》就引述了近兩千字，約佔本傳的二分之一。大到用人、刑名等國務，小到皇帝讀甚麼書，解縉全批評一頓，特別是嚴肅指出了朱元璋殺人過多等弊政。奏書後，朱元璋別的沒說，僅稱讚他的才華。解縉沒明白朱元璋的真實內心，又上了《太平十策》。朱元璋繼續不理。一次，解縉到兵部索要差役，語多不恭，被告到朝廷。朱元璋隨即讓解縉改做御史。後來解縉的父親覲見，朱元璋對他說：「大器晚成，若以而子歸，益令進學，後十年來，大用未晚也！」就這樣客氣地把解縉趕走，沒動怒，沒貶官，也沒殺頭。解縉在鄉八年，朱元璋病死。他進京弔喪，又被劾母喪未葬離鄉，貶到河州衛（今甘肅臨夏）去當吏員。虧得有人說情，他才回到朝中，做了個從九品的低級官員。

朱棣奪取皇位後，建文帝的官員士子多不服。解縉認為升官時機已到，於是主動迎接新君，願為新皇盡忠效力。永樂帝在孤立之時，見解縉投桃送李，便破格加以信用，讓他入直文淵閣，參預機務。《明史．解縉傳》說「內閣預機務自此始」。短短兩年，解縉一路春風，節節高升，位極人臣。朱棣曾對解縉等人說：「慎初易，保終難，願共勉焉。」（《明史．解縉傳》卷一百四十七）可歎解縉沒參透永樂皇帝講的這個「慎」字。他少年登朝，才華過人，鋒芒畢露，口無遮攔，隨性臧否，招來嫉恨。朱棣立儲時，在嫡長子高熾與次子高煦間猶疑，問詢解縉，縉力主高熾，即後來的洪熙帝。於是覬覦儲位的漢王朱高煦對解縉恨之入骨。到了永樂五年《永樂大典》編成，解縉也因故被外貶。臨走前，又有人舉報他發牢騷，便把他發到粵西南，遠離政治中心。永樂八年（一四一〇年），解縉進京奏事，順便去看太子。當時朱棣在北征蒙古，朱高煦就說：「縉伺上出，私見太子。」朱棣聽後震怒，解縉被下詔獄，嚴刑拷打，牽連甚廣。這一關就是五年。永樂十三年（一四一五年），朱棣閱看在押犯名單，見到解縉的名字，對錦衣衛頭目紀綱說：「縉猶在耶？」這句話可以有兩種理解：一是嫌他活着，暗示殺了解縉；二是念他活着，打算起用解縉。紀綱理解為前者，就在寒冬深夜，把解縉灌醉，埋在雪中，活活凍死：一代才俊，四十七歲，悲劇謝幕，啟人深思。

解縉歷事洪武、建文、永樂三朝，二十多年間，三起三落。入直文淵閣，是他飛黃騰達的開端；在文淵閣修《永樂大典》，又是他名垂史冊的起始。所以，解縉的一生，與南京文淵閣緊密相連。

《永樂大典》現在還存世嗎？正本，到康熙時，翰林們對原書所在，「竟無人知，是可怪也」！今天完全看不到了。它的下落，一說是李自成撤離皇宮時遭焚毀；另一說是嘉靖帝太喜愛這部書，死後隨葬到他的永陵地宮裏！這個說法是否可信，只有打開地宮才能知道。副本，在修《四庫全書》時，已殘缺不全。咸豐時英法聯軍、光緒時八國聯軍侵入北京，副本兩遭劫難，或被焚，或被掠。中華文化瑰寶就這樣毀於浩劫！今天所存殘卷，已是鳳毛麟角。一九六〇年中華書局據歷年徵集所得，影印出版七百三十卷。一九八六年再次影印，增加到七百九十七卷。

二　《圖書集成》

《永樂大典》今多不存，而《古今圖書集成》是我國現存規模最大、印製最精美的一部類書。《古今圖書集成》主要由陳夢雷編纂，從康熙四十年（一七〇一年）開修，到雍正四年（一七二六年）印出六十四部，歷時整整四分之一個世紀。全書「貫穿今古，匯合經史，天文地理，皆有圖記；下至山川草木，百工製造，海西秘法，靡不備具，洵為典籍之大觀」（《清世宗實錄》卷二）。《古今圖書集成》文字部分由銅活字排印。中國是活字印刷的發明國，但銅活字印本至今僅存二十餘部，其中《古今圖書集成》規模最大，品質也最好。全書配有木刻版畫等六千二百四十四幅，質和量均堪稱古書之冠，而該書的表格也是傳世古籍中最多最好的。所以，《古今圖書集成》的編纂、刻印，是中國古代文化史上的大事；《古今圖書集成》的出版，又是中國古代印刷史上的大事。乾隆帝說：「《古今圖書集成》為書城鉅觀，人間罕覯。」（《清高宗實錄》卷九百五十八）英國《中國科學技術史》（三十四卷本）著者李約瑟說：「我們經常查閱的最大的百科全書是《圖書集成》。」《古今圖書集成》凡一萬〇四十卷，五千〇二十冊，分裝五百七十六函，約一點七億多字，被譽為是中國現存最大的類書，也是世界最大的百科全書。《古今圖書集成》與《永樂大典》不同，其編纂最初並非皇帝敕令，而主要是陳夢雷的個人行為。

陳夢雷（一六五〇～約一七四〇年），福建侯官（今福州市）人。康熙九年（一六七〇年），年僅二十歲的陳夢雷中進士，後點翰林。夢雷通滿文，雖光明前途遙見，卻厄運不期而至：康熙十二年（一六七三年），夢雷送母親返鄉，遭遇三藩中耿精忠叛亂。他雖然躲到寺廟裏，但是耿的手下一手拿令箭，一手執白刃，脅迫陳父供出了他的下落。陳夢雷堅不附逆，被下獄，釋出之後，削髮入寺。後來耿精忠硬要給他授官，陳夢雷擺脫不掉，託病不出。陳夢雷的不合作態度，不僅換來牢獄之災，而且讓全家陷入貧困，大兒子甚至因為沒有奶水喂而死去了。夢雷不改其志，尋找報國機會。恰好陳夢雷同年進士、同官編修、同為閩人的李光地也回家探親，與陳密談。按陳夢雷的說法，他將耿逆虛實寫成奏疏，封在蠟丸裏，由李光地夾帶回京，上呈朝廷。

可惜，李光地到了京城，呈上蠟丸，據為己功。耿逆平定，朝廷將陳夢雷打成逆黨。康熙十九年（一六八〇年），陳夢雷在刑部審訊時，母親去世。次年，陳夢雷被下獄論斬。萬念俱灰時，相傳日講起居注官徐乾學相救，才從寬免死，發往瀋陽給披甲人為奴。陳夢雷和夫人被押上路，「兩人耦繫，起臥與俱」，備受精神與肉體的摧殘。他到戍所不久，病倒在一座僧寺，後被心月和尚關照住進瀋陽龍王廟。奉天府尹高爾位聘他主持纂修《盛京通志》。他在瀋陽既修書，又讀書，所住的草堂，「四壁圖書列，煙光一徑深」。流放期間，陳夢雷先痛失愛女，又遭遇夫人逝世。後康熙帝東巡謁陵，他到撫順迎駕，跪訴冤情。康熙帝用滿語和他對話，最後赦免了他。陳夢雷結束了十七年流放生活，回到京城，奉旨侍皇子胤祉讀書。（陳夢雷《松鶴山房文集》、《閑止堂集》）

胤祉（一六七七～一七三二年），康熙帝第三子，封誠親王，學問淵博，是玄燁諸子中的科學家。陳夢雷為給王爺進講，從康熙四十年（一七〇一年）起，整理誠親王和自己積累的古代文獻，按經、史、子、集，「目營手檢，無間晨夕」，勤奮編修，請人謄寫。到康熙四十五年（一七〇六年），《彙編》初稿告成。康熙帝對胤祉進呈的《彙編》極為珍重，賜名《古今圖書集成》。康熙帝還將御書「松高枝葉茂，鶴老羽毛新」賜給陳夢雷（《國朝耆獻類徵初編》卷一一六）。陳夢雷後在熙春園（今清華大學內）松鶴山房內，帶領八十餘人，編纂、增補、修訂、完善，並用銅活字印刷《古今圖書集成》。

康熙帝去世，雍正帝即位。胤祉因同兄長廢太子關係較好，被囚禁在景山永安亭，後來憂鬱而死。陳夢雷受其牽連，《古今圖書集成》受到影響。雍正元年（一七二三年）初，七十三歲的老翁陳夢雷被流放，後死於關外卜魁（今齊齊哈爾市）。雍正帝命戶部左侍郎蔣廷錫（雍正四年升戶部尚書）等「督承在館諸臣」，修訂《古今圖書集成》。蔣廷錫對該書僅做極少部分校訂，刪去修撰人陳夢雷姓名。雍正帝親自作序，完成了《古今圖書集成》。但是，《古今圖書集成》的主要功勞應歸於陳夢雷，而不是蔣廷錫。就連《清史稿．蔣廷錫傳》對《古今圖書集成》修書一事，也隻字未提。

《古今圖書集成》後來和《四庫全書》都貯藏在北京皇宮的文淵閣。

三 《四庫全書》

如今看到的北京故宮文淵閣，是清乾隆帝專為收藏《四庫全書》而建造的。乾隆三十八年（一七七三年），《四庫全書》開館修纂。次年，乾隆帝命杭州織造去寧波著名的藏書樓——天一閣考察（我國有私家藏書傳統）。乾隆帝的旨意非常詳細，要求搞清天一閣的建造方法、材料、書架款式等，然後做成燙樣，標明尺寸後呈報。皇帝見圖，隨即拍板，就照天一閣式樣，在皇宮文華殿以北，明聖濟殿舊址，興建文淵閣。

藏書之地，最重防火。《周易》曰：「五位相得，而各有合。」「疏」引「正義」曰：「天一與地六，相得合為水。」（《周易正義．繫辭上》卷七）為了「生水」，閣名「天一」。天一閣為二層樓，樓下六間一字排開，樓上則將居中的三大間合一，暗合了「天一地六」的寓意。閣頂覆蓋黑瓦，樑柱用青、綠兩色水錦紋和水雲帶裝飾。閣前鑿了蓄水池，以備取水救火。書櫥大都放在樓上的大間中，一律不靠牆；房間也前後開窗，便於通風。文淵閣全面借鑑了天一閣的上述防火措施，又根據皇家書閣的特點，做了改進：一是改名。按照乾隆帝說法閣名「從水立義」，而命名為文淵閣。二是加層。文淵閣要存放《四庫全書》和《古今圖書集成》等，藏書量比天一閣大一倍還多，所以在上下兩層之間加造一層，形成了「明二暗三」的格局。外觀與天一閣類似，使用面積則大增。三是等級。按照皇家規制，將天一閣的硬山頂升格為歇山頂，又增加了遊龍浮雕裝飾，閣頂覆蓋黑琉璃瓦綠剪邊。四是立碑。閣旁立《文淵閣記》碑並建盝頂碑亭。

文淵閣所藏《四庫全書》由紀昀等人任總纂官。

紀昀（一七二四～一八〇五年），字曉嵐，直隸獻縣（今河北獻縣）人。乾隆間進士，點翰林，翰林院侍讀學士，為天子近臣。紀曉嵐因為跟親家說話不謹慎，泄機密，被奪職，遣戍烏魯木齊。重回翰林院後，被薦任《四庫全書》總纂官，又因兒子犯案，受到連累。幸虧皇帝寬免，紀曉嵐才得以繼續修書。《四庫全書》從乾隆三十七年（一七七二年）開始纂修，歷時十五年，才告完成。修《四庫全書》成為紀曉嵐一生的轉折。此後他不僅官運亨通，做到協辦大學士、禮部尚書、左都御史，而且因為這部古代世界最大的叢書而揚名後世。（《清史稿．

《四庫全書》書衣

紀昀傳》卷三百二十）

《四庫全書》分經、史、子、集四部，據林天人先生統計，文淵閣本收書三千四百七十一種，七萬九千〇一十八卷，裝幀成三萬六千三百八十一冊，匯納為六千一百四十四函（各分卷冊函數不同），分插一百〇三書架，共七點九億餘字，二百四十餘萬葉。書冊封面為絹製，各部採用不同顏色。乾隆帝有詩云：「浩如慮其迷五色，挈領提綱分四季。經誠元矣標以青，史則亨哉赤之類，子肖秋收白也宜，集乃冬藏黑其位。」就是説經史子集四部分別對應春夏秋冬四季。

將書衣分為四種顏色——經部綠色、史部紅色、子部藍色、集部灰色，作為全書綱領的《四庫全書總目》則為黃色。幾冊書成一函，裝入香楠木的匣子，襯以夾板，束之綢帶。安置在楠木書架上。關於木匣的費用，還有個辛酸故事。

陸費墀，陸費為複姓，名墀，浙江桐鄉人。他擔任《四庫全書》的總校官，可謂費力不討好。乾隆帝發現書中有差錯，就歸罪於他，罷了他的官，又罰他出錢做文瀾、文匯、文宗三閣藏書裝幀、書匣的費用。陸費墀不久死去，乾隆帝不依不饒，抄了他的家，只留了一千兩銀子做子女撫養費，其他財產一律用來做裝幀、書匣。受追責的還有陸錫熊。

陸錫熊（一七三四～一七九二年），上海人，為《四庫全書》總纂官，也沒能逃脱處罰：乾隆帝讓陸錫熊和紀曉嵐一起出錢，承擔請人補正繕寫的開支，後讓他去奉天（今瀋陽）文溯閣校書。陸錫熊在奉天病死，既沒有回京，也沒有回籍，落得個悲劇結局。

《四庫全書》修成，又經過兩次補遺，到嘉慶九年（一八〇四年）才告竣，長達三十三年。全書沒有刊印，只繕寫了七部，後來命運多舛。第一批四部：大內文淵閣本，現藏於台北故宮博物院，已經影印出版；圓明園文源閣本，英法聯軍、八國聯軍入侵時被焚；瀋陽文溯閣本，後移藏於甘肅省圖書館，現建新館專藏；避暑山莊文津閣本，現移藏於國家圖書館，也已影印出版。以上四閣都在北方，習稱「北四閣」。乾隆帝以江浙文風較盛，為便於士子就近閱讀，命再抄三部：一部藏揚州大觀堂的文匯閣，太平天國時毀於火，現擬復建文匯閣；一部藏鎮江金山寺的文宗閣（又作「淙」），也在太平天國時毀於火，現閣已復建完工；另一部藏杭州文瀾閣，還是在太平天國時部分遭毀，但知縣丁丙等捐籌款補抄，基本補上。以上三閣，都在南方，習稱「南三閣」。底本則存翰林院（有學者認為沒有此書），供士子閱讀。還有兩部書，我簡要介紹。一是《四庫全書薈要》，收書四百六十四種，約佔全書的三分之一。在修《四庫全書》時，從中擷取精華，繕為《薈要》。按照《全書》式樣，繕寫二部：一部貯藏於長春園味腴書室，咸豐十年（一八六〇年）英法聯軍侵入北京時被焚毀；另一部貯藏於皇宮御花園摛藻堂，今藏台北故宮博物院。二是《四庫全書總目》，又稱《四庫全書總目提要》，紀曉嵐等主編，二百卷。在纂修《四庫全書》時，對抄寫入《四庫全書》的書和僅存名目的書，分別撰寫內容提要，彙編成書。收入《四庫全書》中的三千四百六十一種、七萬九千三百〇九卷，存目書六千七百九十三種、九萬三千五百五十一卷（《四庫全書總目．出版說明》）。這部《四庫全書總目》，是讀書人案頭必備的目錄學工具書。

文才自古多磨難。明清三部大書《永樂大典》、《古今圖書集成》和《四庫全書》的六位總纂官和總校官，各有各的悲劇。《永樂大典》的解縉，身陷囹圄，悲苦下獄，慘被凍死。《古今圖書集成》的陳夢雷，耦枷發配，客死塞外；才子胤祉，被囚景山，憤鬱而死。《四庫全書》的紀曉嵐，罷官戴罪，流放西域；陸費墀，罷官憂死，抄家補賠；陸錫熊，罰錢補正，流死瀋陽。分開來看，是個人的悲哀；合起來看，是社會的悲劇。然而，沒有八年鄉居「杜門纂述」，或沒有後來的解縉；沒有關外十七年為奴，或沒有後來的陳夢雷；沒有兩年〇八個月烏魯木齊遣戍，亦或沒有後來的紀曉嵐。所以，事有兩端，話說兩面：文才自古多磨難，磨難之中出文才。《永樂大典》總纂解縉、《古今圖書集成》總纂陳夢雷和《四庫全書》總纂紀曉嵐都是明證。

在肯定《永樂大典》、《古今圖書集成》和《四庫全書》彙集、整理、編纂中華文化遺產正面價值的同時，也要同西方略作對比。特別是乾隆帝組織編修國家巨大文化工程——《四庫全書》，既要看到其在中華文明史上的貢獻，也要看到其影響中國歷史的進程。這時，法國正在編修《百科全書》。狄德羅、伏爾泰、盧梭等一批進步思想家，人稱「百科全書派」。他們傳播啟蒙思想，反對封建專制，批評僵化經院哲學，形成社會進步動力，為法國大革命做了思想、輿情與理論的準備。而「四庫全書派」集中當時知識精英，三百六十多人編纂，三千八百餘人參與，埋首故紙堆，抄寫古文獻，扼殺了他們的聰明和智慧，磨滅了他們的批判與創新精神。再加上其他原因，結果，中國與西方各自走上不同道路，這很值得人們深思。文淵閣則成為這一歷史的見證。

第十三講　武英修書

武英殿和文淵閣在明清兩代，特別在清代，既是中華各族傳統文化之收集、整理、校勘、編輯、出版、珍藏的歷史見證，也是專制君主扼殺大批知識精英之學術批判精神和思想創新精神的歷史見證。

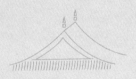

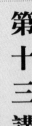

△故宮外朝左翼的文華殿和文淵閣，前面已經介紹過。按照「左文右武」的順序，本講開始介紹外朝右翼的武英殿。

一 武英過客

武英殿與文華殿，按照「左文右武」的格局，兩殿規制，基本相同。復建之後，更加雷同。為甚麼呢？明末文華殿毀於火，康熙年間重修時是以武英殿為藍本的；同治年間武英殿被焚毀，重修時又以文華殿為參照。武英殿與文華殿相對稱，向西，從西華門進出皇宮，向東，從熙和門（右順門、歸極門）進出太和門前廣場及三大殿庭院。

武英殿與文華殿不同，院前有內金水河緩緩流過，經太和門、文淵閣前，從宮城東南注入筒子河。武英門前，三座石橋，肅然而踞。

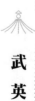

武英殿的主要建築，前為武英門，門內是武英殿庭院。院內主體建築平面呈「工」字形——武英殿居中，坐北朝南，面闊五間，進深三間；武英殿後為敬思殿，也面闊五間，進深三間；武英殿與敬思殿都是黃琉璃瓦歇山頂，兩殿之間的走廊（穿廊），也封閉起來，叫作廊屋。武英殿前的兩廂為配殿，東為凝道殿，西為煥章殿，各五間。武英殿東北為恒壽齋，西北為浴德堂。

武英殿「尚武」，但真正上演「武事」，是在明清易代之際。從崇禎元年（一六二八年），到順治七年（一六五〇年），在這二十三年間，中國政治、軍事的三股主要力量——明朝、大順、清朝，三位主角——朱由檢、李自成、多爾袞，爭逐天下，一決雌雄，而交替進行表演。他們都在三十多歲的英年離世。武英殿成為這場軍事與政治較量的歷史舞台。一六四四年，朱由檢三十四歲，李自成三十九歲，多爾袞三十三歲，這三位三十多歲青年所代表的的三股政治勢力，在影響並決定當時中國的命運。

一說朱由檢（一六一一～一六四四年）。崇禎八年（一六三五年）十月，明崇禎帝朱由檢做出一個不尋常的決定：他從乾清宮搬到武英殿居住，下令減少膳食，撤去音樂，除非典禮，只穿青衣，直到天下太平之日為止。崇禎帝為甚麼有此不凡之舉呢？原來，崇禎年間內憂外患迭起，到這年正月，朱姓皇帝老家鳳陽竟然被農民軍攻破，鳳陽祖陵的明樓、隆恩殿遭到焚毀，守軍也被消滅（《明史．莊烈帝本紀》卷二十三）。祖宗受了驚嚇，崇禎帝一心想要做中興之主的美夢破滅，此時他該有多麼羞愧，又多麼焦慮！於是，崇禎帝下詔罪己。他講了三個意思：

第一，祖陵被焚，責任在誰？崇禎帝在短短三百來字的詔書裏，三次批評臣下：一會兒說自己「倚任非人」，一會兒說「諸臣失算」，最後還要文武百官「省察往過」。說來說去，只有臣錯，沒有君錯；名為「罪己」，實為「罪臣」。

第二，祖陵被焚，如何對策？崇禎帝受了大刺激，「痛心切齒」，下了決心：調集援兵，發給薪餉，挽救江山，在此一舉。

第三，祖陵被焚，怎樣修省？崇禎帝決定避居武英殿，「以示與我行間文武士卒甘苦相同之意」（《明懷宗實錄》卷八）。

後來的事大家都知道了：大明的軍隊並沒有蕩平農民軍，皇帝自己也再沒有看到「太平之日」，他的避居表演也就草草收場。直到臨死，崇禎帝還說「諸臣誤朕」！——仍在怪罪臣子，還是不認己錯。朱由檢這個皇帝，不是不思進取，更不是頑劣不堪。然而，他空有中興的雄心，卻沒有容人的雅量，更沒有自省的精神。所以，大明朝葬送在他手裏，雖有值得同情的一面，卻有歷史必然的一面。

二說李自成（一六〇六～一六四五年）。明崇禎十七年（一六四四年）三月十九日，李自成進駐紫禁城，以武英殿為處理軍政要務之所。四月二十二日，李自成兵敗山海關。李自成山海關兵敗回京後，二十九日，在武英殿匆忙登極稱帝，坐上皇帝寶座，接受官員朝拜。登極儀式結束，李自成便下令將大量木材、硫黃等運入皇宮，當夜二更，放火燒宮，炮擊殿宇，又燒九門城樓，但武英殿未被殃及。李自成登極後，倉皇敗走，最終覆亡。

三說多爾袞（一六一二～一六五〇年）。順治元年（一六四四年）五月初二

武英殿（林京　攝）

日，清攝政睿親王多爾袞率清軍進入北京朝陽門，乘輦入武英殿，升座，故明眾官拜伏呼萬歲。（《清世祖實錄》卷五）因當時宮殿被焚，順治帝進京初期的一段時間，武英殿便成了他們叔侄二人舉行朝會大典，以及處理政務的殿堂。多爾袞登臨武英殿，開始七年的攝政王生活。李自成與多爾袞，都登臨武英殿，一敗一勝，原因何在？

第一，對待文化政策不同。李自成對待歷史文化遺產，下令「焚燒！」故明皇宮，既是明帝的，也是人民的，焚毀文化遺產，天地鬼神不容！多爾袞呢？他的胞兄阿濟格主張：燒毀宮殿，屠殺官民，搶掠財物，東歸瀋陽。多爾袞堅持遷都北京，保護故明皇宮。此前大一統王朝：周滅商，都咸陽；漢滅秦，都長安；唐滅隋，都長安；元滅宋，都大都；明滅元，都金陵（後遷北京）——對待前朝宮殿，或焚，或拆，或遷，或棄。多爾袞對故明宮殿的保護和利用，使明清故宮延續五百多年，當今成為世界文化遺產。

第二，對待前朝態度不同。多爾袞下令安撫百姓，將士夜宿城上，禁止進入民宅。有兵卒殺了百姓家的狗，還射傷犬主，多爾袞下令將肇事者斬首示眾。又下令為崇禎帝發喪三日，以帝禮安葬。宣佈安定社會措施：「官仍其職，民復其業。」（《國朝耆獻類徵．多爾袞傳》）

第三，對待士人胸懷不同。李自成對故明官員、士人，缺乏寬大胸懷，實行殘酷拷掠，鬧得人心惶遽。多爾袞接納大學士范文程奏言：「治天下在得民心，士為秀民，士心得，則民心得矣。」（《清史稿．范文程傳》卷二百三十二）就是說：士心得，則天下得；士心失，則天下失。民心士心得失，關係王朝興亡。

朱由檢、李自成、多爾袞三位叱吒時代風雲的人物，都在武英殿留下歷史痕跡，也都是武英殿的匆匆過客。武英殿既有「武英」的記憶，更有「文華」的歷史。方苞仕途沉浮與在武英殿修書，算是一個歷史見證。

二 武英沉浮

明清兩代的武英殿，大部分時間發揮着文化功能。如明曾在這裏召集畫師作畫，而清康熙十九年（一六八〇年）設立武英殿修書處（初稱造辦處），佔東西配殿的凝道殿和煥章殿等六十三間，人員八十四名，後多時達千人，武英殿成為宮廷修書印書之所，也就是皇家出版社和印刷廠。武英殿在清朝以修書、刻書而著名，其主殿、配殿、恒壽齋、浴德堂等成為編書、刻字、印書、藏書的場所。清朝皇家修書，延續兩百餘年，以康雍乾三朝為盛。清朝著名學者方苞，歷仕康雍乾三朝，曾任武英殿修書總裁，他的官宦沉浮與勤奮修書，見證了武英殿修書的起步和繁榮。

方苞（一六六八～一七四九年），安徽桐城人，是桐城文學派的創始人之一。方苞中舉人，又會試考中，但殿試前因母病回裏，沒有中進士，成為他終身的遺憾。他和戴名世同縣，就給戴氏《南山集》作序。後來清廷認為《南山集》裏有悖逆之語，定為文字獄案，方苞受牽連下獄論斬。康熙帝恰在搜羅古文人才，大學士李光地推薦了他，方苞得以免死，被收入旗籍。康熙帝愛惜方苞的學問，把他召到身邊，入直南書房，又派他去暢春園蒙養齋編校御製樂律、演算法等書。康熙六十一年（一七二二年），方苞尚未授實官，就以布衣充任武英殿修書總裁。雍正帝同樣賞識方苞，赦免他，出旗籍。數年後，方苞升任內閣學士，又獲特旨，不用到內閣上班。方苞在武英殿奉命教習庶起士，相當於皇家博士生導師，並擔任《大清一統志》總裁。乾隆帝即位，復令方苞入直南書房，還升他為禮部侍郎。方苞堅辭官職，獲准「以原銜食俸」（享受副部級待遇）。乾隆帝即位當年，就讓方苞選編「四書文」，又任命他做「三禮館」的副總裁，負責編訂「三禮」，就是《周禮》、《禮記》和《儀禮》。至此，方苞的人生達到了頂峰。

方苞奉旨修書的地方，他任修書總裁的辦公室，就在武英殿西北的浴德堂。（《清宮述聞》）「浴德」一語出自《禮記．儒行》，「儒有澡身而浴德」，就是說要洗澡潔其身，沐浴清其德。浴德堂的建築，前為殿堂，後為浴室。殿堂不大，面闊三間，後簷牆上開有券門，內為曲尺形券洞，通往北側的浴室。浴室底部呈方形，長寬各四米，用乳白色瓷磚飾面；上部為圓形穹頂，正中開有一個直徑六十釐米的通風採光口。浴室牆體厚一米多。牆外西北有一口井，是沐浴的取水源。浴室北牆外有灶屋，井水被引到灶屋內大鍋加熱後，通過鐵管流入浴室。浴德堂的興建和使用，史籍幾乎沒見記載，有學者認為是元代建築，也有學者認為是明代建築。關於它的功能，現有三種推測：

一說是，乾隆帝為香妃建的沐浴室。民國年間古物陳列所在此舉辦過香妃等畫像展出，更引發人們的遐思。故宮一些專家不同意這個說法，因為明朝皇宮就有浴德堂。

二說是，皇帝齋戒沐浴之處。故宮左路文華殿東側傳心殿內有大庖井，右路武英殿區又有浴德堂，正合古禮「左庖右偪（浴室）」之說。

三說是，皇帝死後清洗屍體的場所。

在清代，浴德堂主要有兩個用處：一是武英殿修書、製版、印刷、裝裱的地方；二是清文臣修書、校書時值班的地方，如方苞曾在此校訂「四書文」和「三禮」。

方苞選錄明、清諸大家時文四十一卷，名為《欽定四書文》，「頒佈天下，以為舉業指南」，就是給天下讀書人的欽定範文，相當於高考輔導資料彙編。這樣重要的工作，派給方苞辦理，可見其名望和才學之高。修「三禮」時，方苞推薦一位叫張甄陶的文人來做。對於一介布衣來說，獲薦與修官書，本是終身之幸，但張甄陶堅辭不就，反而請求入方苞門下，可見方苞的學問為士林仰望。

水滿則溢，月盈則虧。方苞達到人生事業頂點，厄運接踵而來。乾隆四年（一七三九年）五月，晴天一聲霹靂，方苞被革去侍郎職銜、南書房行走、武英殿修書總裁等一切職務。乾隆帝命他「專在三禮館修書，效力贖罪」。方苞修書二十年，有大功，何以突然獲罪呢？據《清高宗實錄》記載，主要是因方苞犯下做官的兩件大忌：

第一件：洩密。《周易》曰：「君不密則失臣，臣不密則失身。」方苞與魏廷珍友善，魏守護雍正帝的泰陵。在乾隆帝召對時，方苞請起用魏廷珍。乾隆帝任命魏廷珍為左都御史，命未下達，消息傳出。乾隆帝派人調查，方苞原來住在魏廷珍北京城的宅子裏。後來更查出，乾隆帝決定起用魏廷珍，旨意還沒發，方苞就先搬出魏家。乾隆帝認為，方苞給魏廷珍騰地方，暗示魏廷珍馬上就要獲得重用。因方苞洩密，就傳旨訓斥。

第二件：徇私。方苞為庶起士教習，負責散館考試。他已奏報並決定考試日期，但吳喬齡晚到，方苞請吳補考。乾隆帝起了疑心，派人調查，發現方苞從魏廷珍家搬出後，住在吳喬齡家。乾隆帝認為，方苞受吳喬齡請託，以權謀私，斷不可用，降旨詰責，削侍郎銜，仍在武英殿修書。

在乾隆帝看來，方苞「洩密」與「徇私」——「其不安靜之痼習，到老不改」。於是天顏震怒，時年七十二歲的方苞，被一革到底，「白衣修書」的往事重現。乾隆帝這下氣得不輕，過了數月，下旨斥責一名御史，竟然扯上該人「薰染方苞造言生事、欺世盜名之惡習」（《清高宗實錄》卷九十三）。又過了兩年，乾隆帝批評洩露朝廷涉密，又拿方苞做靶子，可見餘怒未息。

乾隆七年（一七四二年），方苞分纂「三禮」中的《周禮》完成。皇帝賞給翰林院侍講品級頂戴，准其回籍。（《清史稿．方苞傳》卷二百九十）方苞回家後七年多，講學授徒，著文賦詩，雖少些官場熱鬧，卻多些文化成果。桐城人方苞治學「為古文正宗」並提倡「義法」，而後劉大櫆提出「神氣」，姚鼐再力倡「義理、考據、辭章」——就是觀點、材料、文章，今人仍受啟發。他們開創「桐城派」，被尊為「桐城派三祖」，影響廣泛而深遠。如今在安徽桐城，仍留下「桐城派」的遺跡和佳話。

對方苞來說，武英殿修書的經歷，成就了仕途的頂峰，而對同時代的陳鵬年來說，三度奉旨入武英殿修書，卻成了仕途遇險時的避難所。

三 武英避難

陳鵬年（一六六三～一七二三年），湖南湘潭人。康熙三十年（一六九一年）中進士，出任浙江西安（今浙江衢州境內）知縣。陳鵬年在任上，清理豪強霸佔民間田地，平反徐氏冤死十年錯案。他下令禁止溺死女嬰，當地民眾被感化，將本想扔掉的女嬰留下撫養，都改姓陳。後陳鵬年調任山東，親自分發賑濟糧食，嚴控借賑肥私官員，「全活數萬人」。康熙帝南巡迴鑾，在山東濟寧船上召見他，賜予御書。不久，陳鵬年升任江寧（今南京）府知府。陳鵬年一生中，曾三次蒙受大難，三次到武英殿修書。

一蒙難一修書。康熙四十四年（一七〇五年），康熙帝第五次南巡。江南江西總督阿山召集屬下，商量加徵地丁銀，作為皇帝巡幸的接待費。陳鵬年身為下級，竭力反對，事情告

《崇慶皇太后萬壽圖》卷中的武英殿

吹。阿山和陳鵬年結下疙瘩，又讓陳鵬年去主管建造行宮。阿山的侍從向陳鵬年索賄，都被頂了回去，於是嫉恨陳鵬年的人就開始傳閒話。康熙帝要到京口（今江蘇鎮江）檢閱水師，阿山成心刁難陳鵬年，命令他在江上壘石鋪路，限期一天完工。江流湍急，施工困難。眾人擔心完不成任務，人心惶遽。陳鵬年親自率百姓運輸土石，到黎明時，工程告竣。阿山還不甘休，又上奏摺，參劾陳鵬年貪污殘暴，將他關押在江寧監獄。阿山必欲置陳鵬年於死地，又加上「大不敬」的罪名。陳鵬年在任江寧知府時，下令封閉妓院，並將其改為講堂，懸榜曰「天語丁寧」，每月宣講聖諭。這本是好事，但被阿山指為褻瀆聖諭，上綱上線，論罪當斬。消息一出，江寧百姓，呼號罷市，千餘士子，舉幡叩閽（告御狀），江寧織造曹寅也叩頭為陳鵬年祈情。康熙帝經過調查，命陳鵬年罷官免死，徵入武英殿修書。是為陳鵬年第一次入武英殿修書。

陳鵬年逃過一劫，蒙恩免死，感激涕零，對修書事，格外用心。他曾有《初伏直武英殿》詩，其小序云：「奉命直武英殿，日在涼堂廣廈之間，帶星而入，昏黑而返。」起早貪黑，辛勞修書。

二蒙難二修書。陳鵬年在武英殿修書，一干就是三年。康熙四十七年（一七〇八年），陳鵬年再次被起用，出任蘇州知府，後任江蘇布政使。他一如從前，改革風俗，清理積案。當地發生饑荒和瘟疫，《清史稿．陳鵬年傳》說他親自「周歷村墟，詢民疾苦，請賑貸，全活甚眾」。他獲得巡撫張伯行的器重：「事無鉅細，倚以裁決。」不料就此捲入總督和巡撫矛盾漩渦之中，再遭厄運。清制：各省設巡撫，一省或數省設總督；總督和巡撫往往同城，發生很多摩擦。當時的兩江總督噶禮，不僅和巡撫張伯行矛盾很深，而且因陳鵬年「素伉直，忤噶禮」，也和陳鵬年矛盾很深。噶禮找碴彈劾陳鵬年，不僅要奪他的官，而且要將他遣戍黑龍江。翌年，危難之時，又是康熙帝下旨寬宥，讓陳鵬年回京到武英殿修書。是為陳鵬年第二次入武英殿修書。

三蒙難三修書。噶禮仍窮追不捨，又上書康熙帝，舉報陳鵬年寫「反詩」。康熙帝把詩發給閣臣傳閱，說：「朕閱其詩，並無干礙。朕纂輯群書甚多，詩中所用典故，朕皆知之……今與爾等公看，可知朕心之公矣！」還下諭：「噶禮曾奏陳鵬年詩語悖謬。宵人伎倆，大率如此。朕豈受若輩欺耶？」為陳鵬年主持了公道。後世有人稱讚康熙帝此舉「如神之哲，洞察隱微，可為萬世法」。這自然有些過譽，但康熙帝的博覽群書、明察秋毫，的確讓陳鵬年又躲過一次生死劫難。武英殿的「涼堂廣廈」，也再次成為陳鵬年仕途受挫時的避難所。是為陳鵬年第三次入武英殿修書。

俗話說：善有善報，惡有惡報。噶禮，滿洲正紅旗人，其先祖為清開國五大臣之一的何和禮，其母為康熙帝幼年的乳母。噶禮依恃祖上的功勞和母親的恩遇，狂貪暴虐，惡貫滿盈。後噶禮的母親向康熙帝叩閽，說噶禮在食物中下毒藥圖謀弒母。康熙帝命刑部調查，刑部核實，擬噶禮當極刑，諭令噶禮自盡。

康熙六十年（一七二一年），黃河決口。康熙帝想起了當年賑災的陳鵬年，第三次起用他，讓他去治河，不久任河道總督。他忙得沒時間回府，「止宿河堧，寢食俱廢」（《清史稿．陳鵬年傳》卷二百七十七），就是夜宿河堤旁空地，廢寢忘食，日曬水浸，潔己奉公，疲病交加。雍正元年（一七二三年），陳鵬年病逝於治河工地，年六十。雍正帝下諭說：「鵬年積勞成疾，沒於公所。聞其家有八旬老母，室如懸罄。此真鞠躬盡瘁、死而後已之臣。」（《清史稿．列傳六十四》）陳鵬年官到總督（正部），積勞成疾，累死之後，家貧如洗，四壁空空，就像倒懸的罄一樣。陳鵬年身後謚「恪勤」，可謂恰如其分——恪盡職守、勤勉任事。他的兩個兒子樹芝、樹萱，也在武英殿校對書籍。方苞和陳鵬年，是武英殿修書官員的代表。當時，皇帝挑選全國最有學問的大量官員參加修纂工作，選定的工匠也是百裏挑一的。清代康雍乾時期武英殿編修與刻印的圖書，用歐陽詢、趙孟頫字體，可謂是書寫精秀，刻字精良，校勘精細，紙墨精粹，印刷精湛，裝潢精美，流傳四海，嘉惠士林。康雍乾時期武英殿圖書刻本，張秀民《中國印刷史》讚譽為「盡善盡美，跨越兩宋」，版本學上稱之為「殿本」。

康熙朝開始用銅活字，以《古今圖書集成》為代表；乾隆朝又用木活字，稱為「聚珍版」，武英殿聚珍版因此得名。「聚珍版」共刻成大小棗木活字二十五萬三千五百枚，先後印成「武英殿聚珍版書」一百三十四種，二千三百八十九卷，是歷史上規模最大的一次木活字印書（翁連溪《清代宮廷刻書》），成為古籍中的精品。先後出版《十三經注疏》、《二十一史》等，後用套色印《御製避暑山莊三十六景詩》、《圓明園四十景詩》等，有雙色、三色、四色、五色套印，還有大的輿圖。如《淵鑑類函》、《康熙字典》、《佩文韻府》、《十三經注疏》、《二十一史》，以及《南巡盛典》、《皇輿全覽圖》等圖版二十餘萬塊，至今都保存完好。尤其是《滿文大藏經》，因其經頁邊欄飾以龍紋而稱《龍藏》，計一百〇八函（夾），六百九十九部，二千四百六十六卷，印製精良，裝潢精美。其經版保存完好，現藏故宮博物院。還有《萬壽盛典初集》，記錄康熙六旬生日的文獻。清王掞監修，王原祁、王奕清等奉敕撰，一百二十卷，版畫插圖一百四十八頁。內容構圖嚴謹，人物密緻，景物繁複，是一幅長約六十米的版畫巨製。其稿本初由宋駿業所創，繼由冷枚、王原祁等重加修潤完成，著名刻工朱圭將其全部刻成版畫，刻印極為精麗。故宮博物院藏康熙五十六年（一七一七年）武英殿刊本。光緒朝引進鉛活字，銅活字與木活字沿用了一個世紀，終被取代。

武英殿的刻書，幾乎囊括了清代歷朝聖訓、方略、御製詩文集及歷朝奏議等，內容遍及經、史、子、集，總計六百三十三種，五萬三千二百二十一冊，於文化傳承，其功績大焉。

「殿本」圖書雖流芳百世，曾經儲藏在武英殿的兩套活字——古代最大規模的銅活字和木活字，卻蒙受悲慘遭遇。康熙、雍正年間編印的《古今圖書集成》，共刻二十餘萬個銅活字。時間一長，監守自盜，管事者怕東窗事發，藉口乾隆初年「京師錢貴」，經報准後，將這些銅字全部化為銅錢。乾隆年間，曾任四庫全書副總裁的金簡，組織工匠刻出二十五萬餘木活字，主持印行「武英殿聚珍版叢書」。這批舉世無雙的木活字也貯藏於武英殿，其下場比銅活字更讓人扼腕驚歎：晚清值班衛士把這些木活字當劈柴燒火取暖了。

宮廷武英殿印書處表明：盛世製銅活字，衰世則化銅活字為製錢；盛世製木活字，衰世則化木活字為劈柴——國盛則文盛，國衰則文衰！

武英殿和文淵閣在明清兩代，特別在清代，既是中華各族傳統文化之收集、整理、校勘、編輯、出版、珍藏的歷史見證，也是專制君主扼殺大批知識精英之學術批判精神和思想創新精神的歷史見證。

第十四講　內閣大堂

事應為而不可為，雖力為亦不能為，則退之，是為圓通，如楊慎之父楊廷和；事應為而不可為，雖力為亦不能為，仍為之，是為風骨，如楊廷和之子楊慎。堅持理想，與命運搏鬥，雖可以被摧毀，但不能被征服，這是人們敬仰的崇高品格。做何選擇，都是智慧。

⌂ 明清內閣，在皇宮的外朝，非常重要，故事很多。本講先介紹內閣的變遷，再介紹內閣的人物。

一 內閣變遷

明朝官制，行政系統，皇帝之下，設立內閣，輔助皇帝。內閣設大學士，人數不固定，一般為五至七人。其下設六部——吏、戶、禮、兵、刑、工部。皇權與相權，經常有矛盾：皇權過大，內閣只備顧問，沒有實權；相權過大，遇上弱勢皇帝，威脅皇權。洪武十三年（一三八〇年），宰相胡惟庸以「叛國罪」被殺，罷丞相不設，內閣權力，歸於六部。皇帝

民國時期保存清代檔案情況（二十世紀二十年代）

朱元璋直接領導六部。這樣做實際上等於皇帝兼宰相，其好處是權力集中，減少行政環節，提高辦事效率，其壞處是皇權得不到制約，使專制君主更加專制。而且這樣做必須有一個前提條件，就是皇帝每日親政、勤政，卻無暇管得過細，導致行政機構運轉失靈。

永樂以後，相權逐漸提高。到他兒子洪熙、孫子宣德時，內閣權力，日漸加重。到嘉靖帝時，信用宰輔嚴嵩，「遂赫然為真宰相」（《明史．職官一》卷七十二）。這時皇權運作，皇帝用了兩手：權力交內閣，票擬（皇帝批示的草稿）交內監，二者相制約，皇帝操君權。

明朝內閣辦公地點多有變化，細節記載疏略。清內閣故址尚在，記載也比較詳細。清內閣為大學士的辦公室，稱內閣大學士堂，簡稱內閣大堂。內閣大堂的位置，在午門東側城牆以北，午門內東廡以東，東華門以西，文華門以南。這是一座圍合小院，院有垂花門，有正門。院內正堂坐北面南，三間，是大學士辦公室。其東廂為漢文票簽房，西廂為蒙古堂。其東南，為漢本堂。其西南，為滿本堂。院內還有侍讀擬寫草簽（草稿）處、檔案房等。清代內閣文本，主要為滿文、漢文和蒙古文，所以內閣的票簽和公文有三套機構，都集中在內閣大院辦公。房均為三間，但建築面積大小不同，辦公條件極其簡陋。院東側為內閣大庫，收貯大量內閣滿文、漢文、蒙古文的檔案，現分藏於中國第一歷史檔案館和台北故宮博物院圖書文獻處。明代內閣大庫檔案大部焚毀或散失。清末民初，內閣大庫檔案有些被當作廢紙賣給造紙廠，經發現購回約八千麻袋，這就是所謂「八千麻袋事件」。根據這些資料，已整理出版《明清檔案》甲乙丙丁戊己庚辛壬癸等編。

內閣大堂建築，為硬山頂，黃琉璃瓦。其建築等級、建築體量、建築規模，在整個紫禁城中，同三殿和三宮比，同養心殿和皇極殿比，顯得多麼狹窄，多麼低矮，多麼簡陋，又多麼寒酸！堂堂宰輔，堂堂大學士，在皇帝面前，在君權之下，只不過是個臣子，也只不過是個奴才！所以，明帝對大臣恣意廷杖，清帝對大臣任情鞭撻。辛亥興起，推翻專制，推倒君權，合情合理，符合潮流，勢之必然。

明朝上奏皇帝章疏，有前朝與後朝之分：「前朝所奏者，諸司章奏也；他方士雜流有所陳請，則從後朝入，前朝官不與聞。」（《明史·田玉傳》卷三百七）後朝上奏，可以避開朝臣或言官的摘發。上面說的是嘉靖朝，其他各朝，類似情況，後宮上奏，何朝無之！

明代內閣大學士，據《明史·宰輔年表》統計為一百八十九人。其中父子同為宰相的只有陳以勤、陳于陛父子。

二 陳氏父子

陳以勤（一五一一～一五八六年），四川南充人。嘉靖二十年（一五四一年）進士，選庶起士，授翰林院檢討。嘉靖帝有八子，先後有七位皇子都早死，就剩下裕王載垕，就是後來的隆慶帝。嘉靖帝的長子，生下立為太子，但兩月病死。又立四歲的皇二子為太子，十歲又死。這時大臣請立第三子載垕為太子。嘉靖帝說：前兩立太子，都立後而死，推一推再議。而後，皇四子、皇五子、皇六子、皇七子、皇八子都先後死去，只有皇三子存活。皇三子載垕，被封為裕王。裕王的老師為陳以勤。後任裕王載垕的講官。當時東宮位號未定，皇儲爭奪激烈。嘉靖帝父子關係，長期淡薄，裕王載垕經年不得見皇父一面。裕王的俸祿，不能按時發放，連續三年，不給發放。裕王也不敢申請，王邸生活，極為窘迫。怎麼辦呢？裕王身邊的官員，花費千金，賄賂宰相嚴嵩的兒子嚴世蕃。世蕃見錢高興，囑咐戶部官員，補發三年欠俸[1]。陳以勤遷修撰（從六品），進洗馬（從五品）。這個「洗馬」，不是給御馬洗澡，而是管太子事務的官員。做甚麼呢？《明史》說：「洗馬掌經史子集、制典、圖書刊輯之事。」（《明史．職官志》卷七十三）

嘉靖帝死，三十歲的裕王即位，這就是明穆宗隆慶帝（萬曆帝之父）。陳以勤自以潛邸舊臣，條上謹始十事，詔嘉其忠滑。隆慶元年（一五六七年）春，陳以勤為禮部尚書兼文淵閣大學士，後改武英殿大學士，參與機務。隆慶帝既怠政又怠學，很少御門聽政，也很少聽老師講課。太監、妃嬪、宮女、佞臣圍在皇帝左右，但陳以勤堅持請皇帝勵精修政，學習經典。

裕王做皇太子時的講官如陳以勤、殷士儋、高拱、趙貞吉、張居正，後來都成為大學士，參與機務。

當時內閣高拱和徐階不和，明爭暗鬥。朝中大臣，各有依附，互相攻擊，但陳以勤中庸不阿，也無私人。後徐階下野，趙貞吉入閣，高拱與趙貞吉又掐。待張居

1 《明史．食貨志六》載親王每年俸祿：「米五萬石，鈔二萬五千貫，錦四十匹，紵絲三百匹，紗、羅各百匹，絹五百匹，冬夏布各千匹，綿二千兩，鹽二百引，茶千斤，皆歲支。馬料草，月支五十匹。」

正入閣，內閣鬥爭更為複雜。陳以勤見事不能為，便引疾求罷。隆慶帝念老師之恩，給他太子太師、吏部尚書銜回鄉。二年後，高拱被逐下台，倉皇出過門時感歎地說：「南充，哲人也。」就是說陳以勤有先見，高明啊！以勤鄉居十年，七十大壽，皇帝頒銀幣祝賀，又過六年病死。陳以勤究竟是位老師，是位書生，而不是政客，不是佞臣，知進知退，晚節清譽。《明史》贊道：「陳以勤誠心輔導，獻納良多。後賢濟美，繼登相位。」又說：「天之報之，何其厚哉。」（《明史》卷一百九十三）他的兒子陳于陛繼父為相，故事更為精彩。

陳于陛（一五四三～一五九六年），隆慶二年（一五六八年）進士，選庶起士，授編修。萬曆初，參與修嘉靖帝的《明世宗實錄》和隆慶帝的《明穆宗實錄》，任日講官，後升為翰林院掌院學士，領詹事府事，教習庶起士。奏言早立太子，又請早朝勤政，皆不報。後進禮部尚書，仍領詹事府事。陳于陛少從父以勤學習前朝歷史，熟悉朝廷掌故，上《恭請聖明敕儒臣開書局纂輯本朝正史以垂萬世疏》，長三千餘言：

> 我朝史籍，只有列聖實錄，但正史闕焉。朝野所撰次，可備採擇者無慮數百種。尚不及時網羅，歲月浸邈，卷帙散脫，耆舊澌凋，事跡罕據。欲成信史，將不可得。惟陛下立下明詔，設局編輯，使一代經制典章，犁然可考，鴻謨偉烈，光炳天壤，豈非萬世不朽盛事哉！

詔從之。後兼東閣大學士，入參機務。疏陳親大臣、錄遺賢、獎外吏、核邊餉、儲將才、擇邊吏六事。末言：「以肅皇帝（嘉靖帝）之精明，而末年貪黜成風，封疆多事，則倦勤故也。今至尊端拱，百職不修，不亟圖更始，後將安極！」萬曆帝優詔答之，但不能採用。帝以軍政失察，斥南北兩都言官三十餘人。于陛與同官申救至再，又單獨疏請寬宥，都不被採納。乾清、坤寧兩宮火災，請萬曆帝接見大臣，也不報。請辭職，也不許。後改文淵閣大學士。時內閣四人，趙志皋、張位、沈一貫和陳于陛，都是同年生，遇事協調，不相齟齬。但萬曆帝拒諫更甚，上下阻隔。于陛憂形於色，以不能補救，在直廬望着日影歎息。《明史·陳于陛傳》記載：「終明世，父子為宰輔者，惟南充陳氏。」

歷史巧合，無獨有偶。在明朝直隸曲周縣（今河北省曲周縣），也有一位進士叫陳于陛，相傳因與張居正政見不合，受到排擠，一度棄官，回家務農，布衣草履，下田耕作。兩袖清風，一塵不染，身後家中僅有紋銀八兩，受親友資助，才草草埋葬。

陳以勤、陳于陛父子為帝師，父子為宰輔，父子都清廉，父子都善終，這在明朝官場上是罕見的。相反，首輔楊廷和與他的狀元兒子楊慎，其經歷與結局，與陳以勤、陳于陛父子是不同的。

三 宰相之子

明代宰相及其兒子的故事很多，我特別介紹宰相楊廷和與他兒子楊慎的真實故事。楊廷和在明朝成化、弘治、正德、嘉靖四朝為官。楊氏一門四代，出了「一宰相一狀元六進士」：「一宰相」是楊廷和；「一狀元」是他的兒子楊慎；「六進士」是楊廷和，其父楊春，其弟廷儀，其子慎與惇，其孫有仁。楊廷和的家族中，當代最為人知的是楊慎，為甚麼這樣說呢？因為歷史小說《三國演義》和歷史電視劇《三國演義》家喻戶曉，那首膾炙人口的開篇詞和主題歌《臨江仙》，傳遍大江南北，長城內外，甚至五洲四海。這首《臨江仙》的作者就是楊慎，要了解楊慎，先從他父親楊廷和說起。

楊廷和（一四五九～一五二九年），四川新都（今四川省成都市新都區）人。出身讀書人家，性格沉靜，風姿秀美，聰明過人，年十二，中舉人。十九歲時先其父成為進士，改庶起士，入翰林院，受修撰。參加《大明會典》、《明憲宗實錄》纂修，書修成後，為皇太子老師，就是日講官。又進文淵閣大學士，參與機務。因得罪大宦官劉瑾，摘出《會典》中小的疏誤，被降二級，後來恢復。官至吏部尚書、武英殿大學士。楊廷和在朝廷有幾件大事：

第一，特殊時刻奏定皇位。當正德帝暴死無嗣的緊急之時，楊廷和以《皇明祖訓》為依據，提出：「兄終弟及，誰能瀆焉！興獻王長子，憲宗之孫，孝宗之從子，大行皇帝之從弟，序當立。」就是立正德帝的堂弟朱厚熜繼位，並由太監啟奏太后，他等候在左順門（協和門）下。不久，太監奉遺詔及太后懿旨，宣諭群臣，如廷和請，皇位敲定。後朱厚熜由大明門進入皇宮，告大行皇帝几筵，並在大行皇帝靈前，正午時即皇帝位。

第二，總攬朝政三十八天。正德帝死，嘉靖帝立，中間皇位空缺整整三十八天，實際上是大學士、首輔楊廷和在主持朝政。他以太后懿旨逮捕奸佞權臣江彬，大快人心；他在草擬並公佈的詔書中革除正德蠹政，「裁汰錦衣諸衛、內監局旗校工役，為數十四萬八千七百，減漕糧百五十三萬二千餘石。其中貴、義子、傳升、乞升一切恩幸得官者，大半皆斥去」（《明史·楊廷和傳》卷一百九十）。這引起一群失去既得利益者的不滿，他們趁楊廷和入朝，攜帶白刃，準備行刺。事聞，命派營卒百人，護衛他上下班。

第三，「大禮儀」之爭觸犯帝意。嘉靖帝朱厚熜登帝位後，為「大禮議」事，多次召楊廷和「從容賜茶慰諭」，楊廷和不順帝意，嘉靖帝不悅。廷和等三奏，帝留中不下。嘉靖帝親予手敕，廷和以「臣不敢阿諛順旨」，封還手詔。廷和先後「封還御批者四，執奏几三十疏」。嘉靖帝以廷和有定策之功，先後四次封賞，廷和「四辭而止」。而後，嘉靖帝崇道教，事齋醮，楊廷和勸阻，不聽；又派太監督催織造，楊再勸阻，仍不聽。嘉靖帝再派太監到內閣，督促楊廷和撰擬敕告，廷和以「民困財竭」，請毋遣。帝不聽，警告曰：毋瀆擾。廷和還是力爭，言：「臣等與舉朝大臣、言官言之不聽，顧二三邪佞之言是聽，陛下能獨與二三邪佞共治祖宗天下哉？」廷和沒有辦法，請求退休。嘉靖三年（一五二四年）正月，嘉靖帝免去楊廷和大學士職務，讓他辭官回家。此時，楊廷和的兒子楊慎率群臣伏闕哭諍，被杖謫雲南。

楊慎（一四八八～一五五九年），楊廷和之子，幼年機警敏銳，十一歲能詩。十二擬作《古戰場文》、《過秦論》，長老驚異。入京，賦《黃葉詩》，大學士李東陽見而讚賞，令受業門下。年二十四，正德六年（一五一一年）殿試第一，授翰林修撰。嘗奉使過鎮江，到丹徒，拜見在籍的原大學士、首輔楊一清，閱覽其所藏書籍。每有叩問請教，楊一清都能背誦如流。楊慎既驚訝，又敬佩，於是更加用力學問，博覽群書。嘗對人說：「資性不足恃。日新德業，當自學問中來。」楊慎秉承楊廷和忠耿執着的家風，不做佞臣，而做忠臣。正德十二年（一五一七年）八月，明武宗正德帝微行，剛出居庸關，楊慎得到資訊，立即抗疏懇諫。不久，正德帝因病回到京城。正德帝病死，嘉靖帝嗣位，楊慎任經筵講官。

嘉靖帝因「大禮議」而恨楊廷和、楊慎父子。父親舊怨未息，兒子新怨又結。

第一，罰俸。嘉靖三年（一五二四年），楊慎的父親楊廷和剛辭官回鄉，時為大學士、又是楊廷和政敵的桂萼等，奏請升楊慎為翰林學士，皇帝採納。楊慎連同三十六人上書：「臣等與萼輩，學術不同，議論亦異。臣等不能與同列，願賜罷斥。」嘉靖帝大怒，加以切責，罰俸兩月。

第二，廷杖。一個月後，楊慎又與學士豐熙等為「大禮議」疏諫，並偕廷臣跪在左順門（協和門）外力諫。《午門鳳翔》中寫過這次廷杖，在這裏要講的是，有人奏告在左順門（協和門）撼門大哭，聲徹殿庭，為首的是楊慎。嘉靖帝聞奏更怒，命在朝廷上，再廷杖楊慎等七人。

第三，遣戍。楊慎等因聚哭案被謫戍雲南永昌衛（今雲南保山境）。楊慎在謫戍路上險遭殺害。先是，楊廷和為宰相時，被斥逐的錦衣衛冒濫官員，這時伺機在路，謀害楊慎，實行報復。楊慎沿途防範，抱病跋涉萬里，病憊不堪，抵達戍所，臥床不起。嘉靖帝每問慎作何狀，閣臣以老病對，乃稍解。楊慎聞知後，更放縱飲酒。（《明史·楊慎傳》卷一百九十二）

第四，悲歌。嘉靖八年（一五二九年）楊慎父喪，奔告巡撫請於朝，獲准歸葬，葬完回戍所。年七十，私自還蜀，巡撫派官兵抓捕而回。兩年後死，七十二歲。楊慎與解縉、徐渭被譽為明代三大才子。明朝文人中，記誦之博，著作之富，文采之麗，骨鯁之硬，士節之正，推慎為第一。詩文外，雜著一百餘種，並行於世，其影響最大的是《臨江仙》。

羅貫中名著《三國演義》，以楊慎《臨江仙》開篇，電視劇《三國演義》又以《臨江仙》做主題歌詞，大江上下，長城內外，家喻戶曉，婦孺皆知。楊慎詠史名詞《臨江仙·滾滾長江東逝水》，悲愴地唱道：

滾滾長江東逝水，浪花淘盡英雄。是非成敗轉頭空：青山依舊在，幾度夕陽紅。
白髮漁樵江渚上，慣看秋月春風。一壺濁酒喜相逢：古今多少事，都付笑談中。

詞的上片，開首兩句，令人想到杜甫「無邊落木蕭蕭下，不盡長江滾滾來」和蘇軾「大江東去，浪淘盡，千古風流人物」。「是非成敗轉頭空」，是對上兩句歷史現象的總結，從中可看出楊慎閱盡人間滄桑，胸懷曠達，情意超脫。「青山依舊在」是在講地，講空，講不變；「幾度夕陽紅」是在講天，講時，講變化。世間萬象，變中有不變，不變中有變。《心經》講：「色即是空，空即是色。」色，在這裏是指實，相；空，在這裏是指虛，無。在時與空，虛與實，人與事，喜與悲的變幻中，楊慎感悟道：「滾滾長江東逝水，浪花淘盡英雄。」這一切如日月升落，草木榮枯。

詞的下片，展現了一個白髮漁樵，獨釣江雪，任憑驚駭濤浪，不管是非成敗，清酒一壺，友朋夜逢，縱論古今，談笑而已。寂寞悲苦的楊慎，仰觀日月運行，沐浴秋月春風。歷史的興替，人物的悲歡，都只不過是酒中的談資，助興的話柄。

先是，《宋詞三百首》中選錄六篇《臨江仙》，其中包括歐陽修與蘇東坡的《臨江仙》，都各具特色。但是，楊慎的這首《臨江仙》，慷慨激昂，悲壯恢宏，亦虛亦實，渾然大氣，是《臨江仙》中的翹楚之作。時過近五百年，依然震撼人心，為甚麼呢？因為楊慎有驚世的才華，非凡的閱歷，悲喜的家庭，跌宕的人生。楊慎這個人，相門之子，大明俊彥，二十四歲，高中狀元，烈火烹油，繁花似錦。但是，大喜也楊慎，大悲也楊慎。因觸犯「龍顏」，遭廷杖，被遣戍，蒙羞辱，離家鄉，死戍所，達三十五年。天賦的才華，地畫的監牢，奇特的人生，坎坷的經歷，使他的心靈擁有更加深刻的人生感悟，使他的詞章展現更加淡定的純淨意境。青山不老，看盡炎涼事態；醉酒笑語，釋去心頭重負。宇宙永恆，人生短暫；江水不息，青山常在。

風平而後浪靜，歷險才能淡定。楊慎經歷家庭盛衰、個人浮沉的特殊境遇，在成敗得失之間，總結人生際遇，探索人生哲理，抒歷史興衰之感，詠人生沉浮之慨，散溢高潔情操，展現悲壯胸懷。既有大英雄功成名就後對前景的空疏與孤獨，又有大名士落魄悲苦後對名利的淡泊與輕蔑。楊慎一首《臨江仙．滾滾長江東逝水》成為千古絕唱。

事應為而不可為，雖力為亦不能為，則退之，是為圓通，如楊慎之父楊廷和；事應為而不可為，雖力為亦不能為，仍為之，是為風骨，如楊廷和之子楊慎。堅持理想，與命運搏鬥，雖可以被摧毀，但不能被征服，這是人們敬仰的崇高品格。做何選擇，都是智慧。

第十五講　父子宰相

張英與張廷玉，劉統勳與劉墉，翁心存與翁同龢，其成功的一面，還是那句古訓：「幾百年人家無非積善，第一等好事只是讀書。」所以，多積善事，勤奮讀書，是他們人生成功的共因；花開必謝，富久生驕，是他們後世衰敗的同果。

△上一講介紹了在內閣大堂上班的明朝的父子宰相，本講介紹清朝的父子宰相。清朝內閣，沿襲明制。雍正設軍機處。清內閣與軍機處，既彼此聯繫，又各有專責。這裏講的內閣大臣，主要是大學士，不包括軍機大臣（後面要講到）。有人據《清史稿·大學士年表》統計，清大學士為二百四十九人，其中父子宰相如索尼、索額圖父子，阿蘭泰、富寧安父子，尹泰、尹繼善父子，阿克敦、阿桂父子，傅恒、福康安父子，英和、奎昭父子，蔣廷錫、蔣溥父子，張英、張廷玉父子，陳元龍、陳世倌父子，劉統勳、劉墉父子，翁心存、翁同龢父子。本講主要介紹清朝三對漢人父子宰相——張英和張廷玉、劉統勳和劉墉、翁心存和翁同龢，特別介紹其家庭教養的傳承與延續。

一　張氏父子

張英和張廷玉父子宰輔，事情在康、雍、乾三朝。

張英（一六三七～一七〇八年），安徽桐城人，康熙進士，入翰林院。康熙十六年（一六七七年）設南書房，召張英入直，並在皇城西安門內賜第，清朝漢官住在皇城裏的這是首例。時平定三藩之亂，戰務繁忙，軍報多時一天三五百封。康熙帝每日在乾清門聽政後，就來到懋勤殿，與張英等儒臣，講論經史詩詞。張英隨侍左右：「辰入暮出，退或復宣召，輒食趨宮門，慎密恪勤，上益器之。幸南苑及巡行四方，必以英從。一時制誥，多出其手。」（《清史稿·張英傳》

卷二百六十七）官做到文華殿大學士，奉敕主編《淵鑑類函》，四百五十四卷。張英家訓：務本力田，隨分知足。張英性格：性情和易，不務表襮（表露）。不去隨意討好，做善事不張揚：有所薦舉，終不使其人知。推薦他人做官或升官，始終不使別人知道——做好事，不宣揚。

張英在任文華殿大學士、內閣宰相時，有一個「六尺巷」的故事。說的是：安徽桐城張家和吳家為鄰，吳家要拓展院牆，影響張家，張家不讓。官司打到縣衙，張家是顯宦，吳家是豪富，誰也得罪不起，知縣非常為難。張家寫信給當朝宰相張英，希望他修書給知縣關照。張英見信後，提筆寫道：

> 一紙書來只為牆，讓他三尺又何妨。長城萬里今猶在，不見當年秦始皇。」（「六尺巷」石碑）

張家見信後，主動讓出三尺。吳家受感動，也讓出三尺。於是出現至今猶在的「六尺巷」。

張英退休回鄉後，更加謙遜低調。相傳晚年他在家鄉西山居住，有條山間小道，他出來散步時，遇見挑柴的樵夫，總要退到路邊草地上，讓樵夫先行。

張英的賢慧妻子姚氏，也是桐城人。張英初官翰林時，薪水很低，家裏很窮，有人饋送千金，不接受，並告訴妻子姚氏。姚氏說：「窮人家或得饋贈十金五金，童僕都欣喜相告。今無故得千金，人問是從哪來的，能不慚愧嗎？」有時家裏經濟拮据，典當衣物，買米做飯。後張英俸祿稍豐裕，姚氏勤儉之風不改，一件青衫，數年不換。張英做了宰相，姚氏更加謙卑。親友派丫鬟來問起居，姚氏正在縫補舊衣，來人問她：「夫人安在？」姚氏恭敬起應，來的丫鬟大為慚愧。張英六十歲時，姚氏仍親手縫製棉衣給宰相丈夫御寒。兒子張廷玉，繼入翰林，直南書房。有一天，康熙帝環顧左右說：「張廷玉兄弟，母教之有素，不獨父訓也！」張廷玉母親得到康熙皇帝的讚揚。姚氏還喜讀書，工詩文，有《含章閣詩》傳世。（《清史稿．列女傳》卷五百八）

張廷玉（一六七二～一七五五年），官做到軍機大臣、大學士，死後配享太廟。史評：「終清世，漢大臣配享太廟，惟廷玉一人而已。」（《清史稿．張廷玉傳》卷二百八十八）張廷玉也有古大臣之風。雍正十一年（一七三三年）殿試時，雍正帝欽點一甲三名，即狀元、榜眼、探花。考卷是密封的，拆卷時知一甲第三名為張若靄，是張廷玉之子，榮登探花，眾臣敬賀。按例一甲可以免試庶起士三年學習和散館考試，即授為翰林院修撰、編修。但張廷玉沒有順水推舟，玉成其事，卻叩謝皇恩，跪下堅辭：若靄是臣子，這萬萬不可！雍正帝說：卷子是密封的，你又回避，朕決定前並不知道是誰的試卷，此事與你無關。廷玉仍跪地不起，雍正帝說：這次科試，你已回避，是朕主意，你快起來！廷玉跪奏道：臣家兩代輔臣，已經蒙恩了；天下寒士很多，應該讓給別人。雍正帝稍加思索，說：好吧，讓二甲第一名（第四名）升為一甲第三名，若靄降為二甲第一名。

桐城張家為清代書香門第典範。張英四個兒子——廷瓚、廷玉、廷璐、廷彖都是進士，廷璐子若需、若需子曾敞也都是進士，廷玉子若靄、若澄也都是進士。張英之家為書香門第：「以科第世其家，四世皆為講官。」張英、張廷玉父子為相，為康熙、雍正、乾隆、嘉慶四代帝師，張廷玉配享太廟。張氏一門，前後六代十二位翰林，共有二十四位進士——這在清代是絕無僅有的。史稱：「自祖父至曾玄十二人，先後列侍從，躋鼎貴，玉堂譜裏，世系蟬聯，門閥之清華，殆可空前絕後矣。」（陳康祺《郎潛紀聞初筆》卷五）張英、張廷玉父子都以耄耋之年，高壽善終。

讀書要有一個家庭環境。由張氏一門可見，書香家庭對於一個青年、一個學子的成才是多麼重要！

二 劉氏父子

劉統勳、劉墉父子，山東諸城人，其村逄戈莊今屬高密市，父、子皆為大學士。

劉統勳（一六九九～一七七三年），父親劉棨官四川布政使，是位省部級高官。劉統勳天資聰穎，自幼苦學，中進士後，在南書房、上書房任職，進入皇權核心層。不久，任都察院左都御史。他彈劾張廷玉，説：風聞安徽桐城張、姚二姓，佔半部縉紳。張氏登仕版者，有十九人，姚氏與張氏世婚，仕宦者十人。請自今三年內，非特旨擢用，概停升轉。乾隆帝説：朕思張廷玉等若果擅作威福，劉統勳必不敢為此奏。今既有此奏，則其沒有聲勢能箝制諸官。尋命劉統勳將此疏宣示廷臣。（《清史稿．劉統勳傳》卷三百二）劉統勳作為左都御史敢於彈劾當朝宰相，乾隆帝敢於將彈章公佈，實在是政壇佳話。劉統勳還有私訪的故事。

乾隆帝派劉統勳督察河流決口堵塞工程。劉到現場問為甚麼工程拖期，主事官員説因秸稈供應不上。劉統勳微行私訪，見大小載秸稈的車輛，數以百計，排成長龍等待。劉詢問哭泣等待的人，回答是主事官員索賄未得，故意拖延不收。劉統勳令將主事官員捆綁起來，數其罪，將斬之。巡撫以下官員請求寬免，於是先杖責，再戴枷示眾。結果是，一夜薪芻（喂牲畜的草）收完，一月工程告竣。統勳後官至大學士。

一日，夜漏盡，上早朝，劉統勳乘輿到東華門外，侍衛與輿夫見乘輿微側，便掀開帷簾，見他已經斷氣。乾隆帝聞訊後，派尚書福隆安帶藥前往，已經晚矣。乾隆帝親臨其喪，見劉統勳極其儉素，為之一慟。回蹕到乾清門，流涕對諸臣說：「朕失一股肱！」一會兒又說：「劉統勳乃不愧真宰相。」統勳之子劉墉也官至大學士。

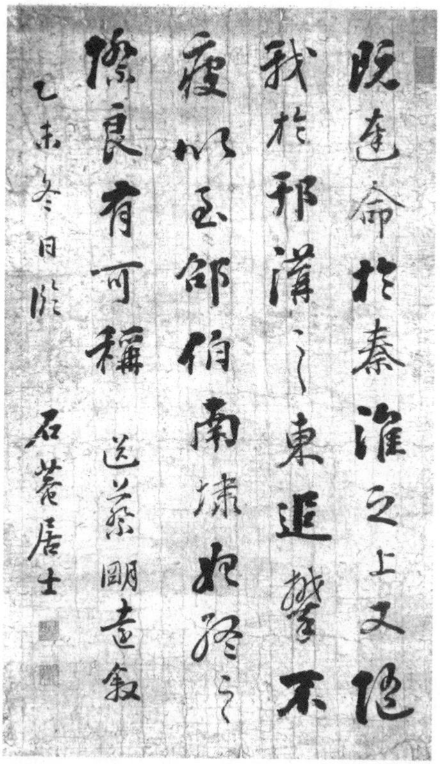
劉墉書法

翁同龢（十九世紀末）

劉墉（一七一九～一八〇四年），乾隆十六年（一七五一年）進士，自編修，遷侍講。乾隆二十年（一七五五年），因父親劉統勳得罪，連帶劉墉下獄。這件事的原委是：朝廷在西北用兵，派劉統勳前往負責後勤事務。時清伊犁將軍班第兵敗而死事，定西將軍永常也後退。劉統勳奏請還守哈密。乾隆帝因兵敗而生氣，斥責劉統勳附和永常，命罷永常官，逮回北京，重加治罪。劉統勳子墉革職，其在京諸子，全下刑部大獄，查抄其家。不久，乾隆帝火氣消解，諭：劉統勳管糧餉馬駝，軍行進止，責在將軍。統勳在漢大臣中尚奮往任事，從寬免罪，釋其諸子。

劉墉被釋放後，任編修。後任江蘇學政、太原知府等。劉墉又因在知府任上，對僚屬貪污失察，被發往軍台效力。一年後釋還，命在武英殿修書處做事。後任江蘇江寧知府，居官頗有清名。後又直南書房，任左都御史，仍直南書房。劉墉在與尚書和珅同為官時，能把握分寸，不同流合污，後授工部尚書，充上書房總師傅，署直隸總督，授協辦大學士。

嘉慶帝登極後，懲治和珅，劉墉未受牽連。升授體仁閣大學士。嘉慶九年（一八〇四年）卒，年八十五。劉墉工書，「用墨厚重，貌豐骨勁」，有名於時，被譽為清朝四大書法家之一。

三　翁氏父子

翁心存、翁同龢父子，江蘇常熟人，就是人們盡知的《沙家浜》故事發生的地方。翁家是常熟書香門第。翁氏一門，兩朝宰相，兩代帝師，兩位狀元，兄弟巡撫，三子公卿，四世翰林。翁氏家族有甚麼特點呢？

耕讀之家。翁家有一副對聯：上聯是「綿世澤莫如為善」，下聯是「振家聲還是讀書」。上聯說的是做人，下聯說的是修身。

翁心存（一七九一～一八六二年），出身耕讀之家。父親翁咸封家境貧寒，節衣縮食，勤苦讀書，中乾隆舉人，為海州（今連雲港市）學正（教育局長）。心存用功讀書，考中進士。但是，翁心存痛失狀元：宰相英和主試，定江蘇翁心存為一甲一名，但另一人提議定為廣東人，英不同意。在關鍵時刻，英身體不適，請同仁完卷，竟將翁卷放在一邊，於是翁心存失去狀元。（英和《恩福堂筆記》）而其子同龢、孫曾源為狀元。史稱：「鬱之愈久，發之愈光。」（陳康祺《郎潛紀聞初筆》卷六）後在上書房，做皇子老師。翁心存為皇六子恭親王奕訢的老師，這是他後來仕途宏達的關鍵。他是道光、咸豐兩朝重臣，官階逐步高升——由順天府尹，歷官工、刑、兵、吏、戶五個部的尚書，翰林院掌院學士、協辦大學士、體仁閣大學士。翁心存在朝與肅順（後為咸豐帝顧命大臣）同官，但二人不和。肅順等興起戶部大獄，差點要了他的命，先議降五級，後革職留任。咸豐帝死，同治帝立，恭親王奕訢輔政，他得到起用。不久，病死。有《知止齋日記》（手稿）藏國家圖書館。他的夫人許氏「通詩、易，五經大義，尤好觀史」（翁同龢《先母事略》）。不僅教子讀書，還教子做人，家訓是：「行好事，做好人。」

幸為帝師。翁同龢（一八三〇～一九〇四年），上有兩個哥哥：長兄同書，進士，官安徽巡撫；次兄同爵，官湖北巡撫，署湖廣總督。同龢出生在北京，自幼受到良好的家庭教育。他在常熟讀書，春天虞山百花盛開，卻不出書房一步；夏天酷熱蚊子叮咬，他在几案下放個大甕，把腳泡在甕裏——既消暑又防蚊；冬天，手持銅爐，誦讀不輟。同龢二十六歲中狀元。先後任同治帝、光緒帝的老師。曾任都察院左都御使，刑部、工部和戶部的尚書，體仁閣大學士、軍機大臣、總理各國事務大臣。光緒帝「每事必問同龢，眷倚尤重」（《清史稿．翁同龢傳》卷四百三十六）。他在刑部任職時，處理「楊乃武與小白菜案」。此案先經省、府、縣三級，七審七結，但浙江官員三十多人聯名上告，慈禧皇太后命重審。翁同龢親自訪查，查閱案卷，反覆議商，奏報慈禧，此案三年，最後平反。翁同龢在中法、中日之戰的主戰與主和，在「戊戌變法」中的態度，學界有不同聲音。在戊戌政變後，光緒帝被囚禁，翁同龢被革職——「着即行革職，永不敍用，交地方官，嚴加管束」（《清德宗實錄》卷四百三十二）。

晚年悲涼。翁同龢生命的最後十年，不是回家頤養天年，而是待罪惶恐度日。行動受到監視與限制，還要到縣衙去「聽訓」。他隨時等待慈禧皇太后一不高興，或懿旨自裁，或抄家問罪。他為表現不問政治，不與友朋往來——「燈市繁華常避影，酒場熱鬧早抽身」。他還在家鄉常熟西山祖墓旁蓋一座屋宇，名「瓶廬」，寓意是「守口如瓶」，結廬隱居。院中設置正方形石板一塊，重大節日在石板上遙向北京紫禁城叩拜。晚上也不安寧，常「中夜驚起」，「夢聞霹靂」。過着「與魚鳥相親」、「寂寞似孤僧」的生活。翁同龢在家做了兩件事：一是購買一口快刀，二是屋旁挖一眼井，準備隨時以刀自裁或投井自盡。

《左傳》說：「君以此始，必以此終。」翁心存、翁同龢父子的升遷，因為他們是帝王之師——恭親王、同治帝、光緒帝的老師；光緒帝被慈禧皇太后幽禁，翁同龢自然也跟着革職還鄉。不過，翁同龢給慈安和慈禧兩宮皇太后講過課，所以慈禧最後給他留了一條活路，沒有賜他自裁。他在江蘇常熟的故居，名「綵衣堂」，保存尚好，今為翁同龢紀念館。給人點燃一盞善燈，為己留下一縷光明。翁同龢愛才、重才、惜才、舉才。翁同龢識拔張謇，終成狀元，是清代科舉史上的一段佳話。當年張謇科舉考試，屢試不中，失去信心，經濟拮据，改從實業，放棄科舉。翁同龢不僅給予經濟支持，而且予以精神鼓勵。光緒十一年（一八八五年）張謇赴北京應順天鄉試，翁為主考官。試前，翁親到張住處東單牌樓關帝廟探訪，考試後親閱張的試卷，錄為舉人第二名。光緒二十年（一八九四年），四十二歲的張謇最後一次赴京參加會試，中貢士第十名。殿試時，翁命收卷官等候張交卷，直送他手裏。翁親閱張謇試卷，評語為「文氣甚老，字亦雅，非常手也」。次日評定前十名次序，相傳翁將張謇試卷放在最上面，又向帝力薦，光緒帝欽定，張謇中本恩科狀元。後翁同龢落魄回鄉，想結廬隱居，但無錢構築。張謇仗義而為，給予資助，得以建成。另一門生是張元濟，光緒十八年（一八九二年）進士，後為商務印書館負責人。張元濟主持涵芬樓影印出版《瓶廬叢稿》和《翁文恭公日記》，今有中華書局《翁同龢日記》點校本，使翁同龢著述得以廣為傳播。

由上，張英和張廷玉，劉統勳和劉墉，翁心存和翁同龢三對父子，能夠成為父子宰相，其原因何在，其借鑑何在？

第一，他們多處於政局穩定、崇尚文化的時代，又都有南書房、上書房的經歷，既接近皇權核心，又為接班皇子的恩師。

第二，他們多生於文化發達、書香濃郁的地域。在明清時期，全國每縣平均出進士三十餘人，其中山東諸城（現為縣級市）有一百三十一位進士，安徽桐城（現為縣級市）據市圖書館吳青館長統計有二百三十六位進士、一位狀元，江蘇常熟（現為縣級市）據市圖書館包岐峰館長統計則有三百九十五位進士、六位狀元。可見，一個書香城市，對於一個青年、一個學子的成才有多麼重要！

第三，他們多生長於崇尚積善、洋溢書香的家庭。張英一門，有二十四位進士（桐城博物館張澤國館長提供資料）；劉統勳一門先後有五位進士（諸城博物館張健館長提供資料）；翁家先後有十一位進士、二位狀元、一位探花（翁同龢紀念館王忠良館長提供資料）。他們都有一個清雅的書香家庭，「入我室皆端人正士，升此堂多古畫奇書」。

第四，他們多善於以史為鏡、修煉官場的智慧。大學士不僅能決疑定計，而且能慎密通敏——「勝此任者，非以其慎密，則以其通敏。慎密則不泄，通敏則不滯，不滯不泄，樞機之責盡矣」（《清史稿》卷三百二「論曰」）。他們都律己自戒，以史為鏡：「事君篤而不顯，與人共而不驕，勢避其所爭，功藏於無名，事止於能去，言刪其無用，以守獨避人，以清費廉取。」（《清史稿．孫嘉淦傳》卷三百三）

總之，張英與張廷玉，劉統勳與劉墉，翁心存與翁同龢，其成功的一面，還是那句古訓：「幾百年人家無非積善，第一等好事只是讀書。」所以，多積善事，勤奮讀書，是他們人生成功的共因；花開必謝，富久生驕，是他們後世衰敗的同果。

一般說來，高官顯宦，富商大賈，不過三代。翁心存四代（後廢除科舉制），劉統勳五代，張英六代——「以科第世其家，四世皆為講官」，這算是特例。內閣大堂是大學士個人浮沉和家族興衰的見證。

第十六講　乾清宮門

乾清門在清代兼為處理政務的場所，特別是康熙朝的「御門聽政」，主要在這裏。乾清門給歷史留下最深刻的記憶是「御門聽政」。許多重要決策是在乾清門「御門聽政」時作出的。康熙大帝的勤政，五十五年，寒暑無間，堅持不懈，一以貫之，難能可貴，值得史鑑。

△乾清門是外朝和內廷的分界。門前有一條橫街，俗稱「天街」——往東，出景運門通太上皇的寧壽宮；往西，出隆宗門通皇太后的慈寧宮；往南，迎面是保和殿。門裏是後三宮區，外朝大臣、皇親國戚及一般人等，非經皇帝特許，萬萬不能進入乾清門，擅入者，處絞刑；而後宮妃嬪宮女們，沒有得到皇帝許可，也絕對不可以隨便外出乾清門，違反者，受嚴處。

△乾清門在清代兼為處理政務的場所，特別是康熙朝的「御門聽政」主要在這裏。乾清門給歷史留下最深刻的記憶是「御門聽政」。許多重要決策是在乾清門「御門聽政」時做出的。康熙大帝的勤政，五十五年，寒暑無間，堅持不懈，一以貫之，難能可貴，值得史鑑。

一 重要決策

前文已介紹過前三殿，本講開始介紹後三宮。後三宮是一個相對獨立的後宮庭院，主要是帝后的生活區。前三殿的正門是太和門，後三宮的正門是乾清門。前三殿的太和門、太和殿、中和殿、保和殿的名稱都多次改過，乾清門、乾清宮、交泰殿、坤寧宮的名稱始終沒有改過。

我們展開故宮地圖，故宮的後三宮（又稱後寢）區平面呈長方形。這組宮殿建築群，建在高台上，因為是帝后生活區，所以庭院面積、基座高度，雖比前朝規制緊縮，但比其他宮殿宏麗。在建築形制上，外朝的宮殿高大壯麗，間隔寬闊，等級森嚴；內廷的宮殿建築，佈局緊湊，更為精緻。

在這裏插一句：在乾清門月台前，高大丹陛下面，有一條暗道，俗稱「老虎洞」，高一點八米，寬一點一米，長約十米，供太監們穿行。明天啟帝曾值月夜，在洞中同太監、宮女玩「捉迷藏」遊戲。此洞至今完好。

後三宮區的建築與格局，可以概括為「三宮兩院十二門」：「三宮」就是後三宮的核心建築乾清宮、交泰殿、坤寧宮；「兩院」就是由交泰殿分割為前後兩個宮廷院落，即乾清宮前院和坤寧宮後院；「十二門」是南面的正門乾清門，北面的坤寧門，東面的日精門、龍光門（小門）、景和門、永祥門（小門）、基化門（小門），西面的月華門、鳳彩門（小門）、隆福門、增瑞門（小門）、端則門（小門）。所謂小門，就是單間，不設門樓。這種「一、一、五、五」結構的門，既莊重，又靈活，構成了東西南北的內外通道。

乾清門坐北朝南，東西五間，三陛三出（三道、三層台級），各九級（磴）。長八丈二尺，寬連廊共四丈三尺，山柱高三丈一尺，單層屋簷，歇山頂，黃琉璃瓦。圍飾以石欄杆，前列兩尊金獅。

乾清門外東西兩側各有一排低矮狹窄的房屋：東側南向有房屋十二間，主要是六部九卿——吏、戶、禮、兵、刑、工部和都察院、理藩院、通政司等臨時辦公的場所；西側南向也有房屋十二間，主要是軍機處及其他相關機構的場所。乾清門南向兩側的機構，是隨着乾清門功能變化而變化的。明初在奉天門（太和門）御門聽政，那些相應的內閣機構，分佈在奉天門（太和門）外兩側。清朝——從順治朝開始、特別是康熙朝，主要在乾清門御門聽政，所以相應的內閣機構隨之分佈在乾清門的兩側。

御門聽政是明清皇帝處理軍政要務的一種重要會議形式。所謂「御門聽政」，通俗地説，就是皇帝辦公會議。御門聽政，常在早上舉行，所以又稱早朝。皇帝在太和殿舉行的朝會，叫作大朝；在乾清門等處舉行的日常朝會，叫作常朝。明朝皇帝御門聽政，早期在奉天門（皇極門），文武官員每天拂曉到奉天門早朝，皇帝升座，接受朝拜，處理政事。清初御門聽政在乾清門。如皇帝在皇宮外活動，那就隨皇帝行宮所在地而規定處理政務的場所。

清朝初期御門聽政的場所，為甚麼由太和門改到乾清門呢？太和門在皇宮最南端，皇帝住在乾清宮，每天早上要從後宮乘輿，經過大半個皇宮，路程遠，費時間，動靜大，不方便。皇帝在乾清門聽政，出乾清宮，到乾清門，只有八十九點五米，既便捷，又安全。雖説乾清門不如太和門氣派，但它接近後宮，比較實際，效率也高，體現了康熙帝不擺排場、講求實效的作風。

清朝御門聽政，從順治朝開始，到康熙朝，逐漸制度化、規範化。在乾清門的門道設「黼扆」就是圍帳。帳前設御座（寶座），座前設御案，案上放置奏疏或奏摺，供大臣跪奏時用。乾隆五年（一七四〇年）命設氈墊，這是乾清門設氈墊的開端。（《養吉齋叢錄》）

清朝御門聽政時間，夏、秋為辰初（早七時），冬、春為辰正（早八時）。北京冬天很冷，早晨更冷，雖設圍帳，也要取暖，御座前設兩個銅火盆。乾清門是開敞的，雖有火盆，還是很冷。這種取暖同現代暖氣或空調相比，可要寒冷多了！

御門聽政時參加的官員，有大學士、六部九卿——六部尚書加左都御使、理藩院尚書、通政使，內閣學士，翰林院侍讀、侍講，日講起居注官、各部相關官員等，一般十多人。

御門聽政儀式，與會官員，先在午門外會合，傳旨宣召，魚貫而入，到乾清門，分列東西，按級序立，記注官等就位侍立。部院奏事官員，捧疏者到正中，靠近黃案前跪，奏事畢，起立，退回原班。吏部引見各部院屬官畢，退下。記注官立御榻之右。每奏一事，皇帝降旨，大學士、學士承旨完畢，起立。皇帝還宮，皆退朝。（《大清會典》）設滿、漢科道官各一員侍班，糾參失儀官員，遲到官員要受申斥或處分。

會議文件——奏疏或奏摺，一式兩份，一份呈上御案，一份由內閣學士捧本在御前背誦，如果記憶不熟或滿語生疏，會受到斥責或處分。每本奏完，皇帝用滿語或漢語降旨。一段時間，檔批寫，都在乾清門。在諸學士執筆批寫中，以折爾肯的書寫為最快。諸臣一二張沒寫完，折爾肯已寫完五張。他的草書更快，時人皆稱他為「文壇飛將」。散會後，文件交內閣，遵旨繕寫處理。副本交內閣或軍機處存檔，成為軍機處錄副，這就是我們現在能看到

乾清門（二十世紀二十年代）

的內閣或軍機處的檔案。

清帝御門聽政，議決重大治策。

先說治河決策。據《郎潛紀聞》記載：御門聽政時，皇帝與大臣商討治河方略。巡撫張伯行熟諳水性，面奏河務。康熙帝反問，張伯行從衣袖裏取出地圖，一面比畫，一面答辯。大臣牛鈕當即斥責張伯行狂妄。康熙帝說：「畢竟是他留心，即書本亦是他看過，爾等誰留心者？」張伯行留心河務，不僅實地考察，還查閱書上記載，你們誰這樣留心過？諸位大臣，閉口不言。

康熙四十六年（一七〇七年）十一月二十七日，康熙帝命江、浙兩省在京官員及大學士、六部九卿等官，都聚齊到乾清門外，宣諭道：

> 朕每至一方，必取一方之土，以試驗之。今歲南巡江浙，見兩省農功，全資灌溉。命兩省督、撫，將各州縣河渠地宜建閘蓄水之處，並應建若干座，通行確察，明晰具奏。以朕度之，建閘費不過四五十萬兩，且南方地畝，見有定數，而戶口漸增，偶遇歲歉，艱食可虞。若發帑建閘，使貧民得資傭工度日糊口，亦善策也。（參見《清聖祖實錄》卷二百三十一）

這說明：其一，重視水利；其二，未雨綢繆；其三，以工代賑；其四，國庫出錢。

次說版圖大事。康熙二十七年（一六八八年）五月初一，康熙帝御乾清門，派內大臣索額圖、佟國維、馬喇等一行，出使俄羅斯國。命選精騎萬餘人扈行，私從僕馬，數位過萬，旌旗綿延，三十餘里。（《出塞紀略》）行前，康熙帝指示索額圖等，大意是：俄羅斯侵佔我邊境，交戰在黑龍江、松花江、呼瑪爾江等處，佔據我屬尼布楚（今涅爾琴斯克）、雅克薩（今阿爾巴津）

地方，收納我逃人根特木爾等。為反擊侵入，我兵築黑龍江城（今漠河黑龍江北岸），兩次進剿雅克薩，攻圍其城。這就是同俄羅斯關係的原委。黑龍江地方，最為重要。嫩江而下為松花江，松花江而下為黑龍江，還有恆滾、牛滿、精奇里等江，都匯流入黑龍江，直達於海。康熙帝指出：

環江左右，均係我屬鄂羅春、奇勒爾、畢喇爾等人民，及赫哲、飛牙喀所居之地。若不盡取之，邊民終不獲安。朕以為尼布潮、雅克薩、黑龍江上下，及通此江之一河一溪，皆我所屬之地，不可少棄之於鄂羅斯。我之逃人根特木爾等三佐領，及續逃一二人，悉應向彼索還。如鄂羅斯遵諭而行，即歸彼逃人，及我大兵所俘獲招撫者。與之畫定疆界，准其通使貿易。否則爾等即還，不便更與彼議和矣。（《清聖祖實錄》卷一百三十五）

當天，索額圖等起行。但因噶爾丹叛亂，召索額圖一行回京。局勢稍定後，再派索額圖等出使，康熙二十八年（一六八九年），與俄國簽訂《中俄尼布楚條約》，劃定中俄東北部邊界。

議政事之外，還議決人事。

二　重要人才

御門聽政，既議決重大軍政國務，還議決重要人事安排。御門聽政是發現、考察、選拔人才的重要場所。順治帝在御門時發現徐元文，是一個有意思的故事。

徐元文（一六三四～一六九一年），江蘇昆山人，順治十六年（一六五九年）狀元，時二十五歲。順治帝御乾清門召見徐元文，告訴他是自己親自選拔的，並親賜冠帶、蟒服、皮裘、靴子等。回宮，奏啟孝莊皇太后說：「今歲得一佳狀元。」就是今年得到一名優秀的狀元。明日，順治帝又御乾清門，徐元文率領新科進士謝恩，百官陪列，鴻臚讀表，前此未有。徐元文被依例授予翰林院修撰，蒙多次宣召，經常陪順治帝到南苑打獵，乘着御賜駿馬，好一派瀟灑。順治帝命內閣學士折納庫為徐元文牽馬，徐元文急忙說：「不敢，折公是我翰林院的老師！」便改為內廷侍衛牽馬。後來，順治帝又經常晚上在便殿召對徐元文，夜深了，賜夜宵。順治帝問侍從人員餓嗎，又給侍衛賜飯。（《張文貞公集》）康熙初，徐元文為國子監祭酒，後改翰林院掌院學士，任《明史》監修總裁官、左都御史，官至文華殿大學士。

徐氏兄弟三人：兄徐乾學，康熙九年（一六七〇年）一甲三名進士（探花），授編修（正七品）；徐元文，順治十六年（一六五九年）一甲第一名（狀元），為修撰（從六品）；弟徐秉義，康熙十二年（一六七三年）一甲三名進士（探花），為檢討（從七品）。兄弟三人號稱「昆山三徐」，史稱「一門三鼎甲」，清朝僅有，學林佳話。

元文為官，頗受讚譽。

第一，嚴肅學規。任國子監祭酒（國家大學校長），條規嚴肅，紀律嚴明，滿洲子弟不聽管理、違反紀律者，「輒加撻責，咸敬憚之」（《清史稿・徐元文傳》卷二百五十），這是後人做不到的。

第二，不做頌揚。平定三藩之亂，朝臣多稱頌康熙帝的功德，奏請給皇帝上尊號，獨元文上書「願皇上倍切諮儆」，不歌頌皇帝功德，還勸皇帝更加謹慎。

第三，限制特權。當時京城民人被賣到或騙到八旗下做奴僕的，生活淒慘，紛紛逃亡，稱作「逃人」。清廷頒佈懲治逃人法，規定：捉到逃人，逃人及其鄰左鄰右和十家長（甲長），連坐處死。有的大臣為此上奏，順治帝將奏疏擲於地。徐元文還是疏奏。《清史稿·徐元文傳》記載：「京師奸人，多掠平民賣旗下，官吏豫印空契給之，屢發覺，元文疏請禁止。又八旗家人投水、自經，報部者歲及千人，疏請嚴定處分。上俱從之。」

其兄乾學與弟秉義，以招權納賄，結黨營私，貪瀆獲罪，被參解職。而元文「謹守禮法，門庭肅然」，退休回家，路過臨清，關吏檢索，「僅圖書數千卷，光祿饌金三百而已」。徐元文居家一年，患病而死，才五十八歲，有《含經堂集》傳世。

御門聽政，還有故事。御門聽政時，康熙帝同大臣討論數學的開方、圓周率，以及音律等，還表演測水流量，諭道：「算數精密，即河道閘口流水，亦可算晝夜所流分數。」怎樣計算河道閘口的河水流量呢？諸大臣既沒有聽過，更沒有見過。他說：「先量閘口闊狹，計一秒所流幾何，積至一晝夜，則所流多寡，可以數計矣。」然後，命取觀測日晷表，用御筆作畫展示：「此正午日影所至之處。」就把這張畫放置在乾清門正中，讓諸大臣等候觀看。到正午，果然日影與御筆畫處恰合，分毫不差。與政大臣的反應是：「聞所未聞，見所未見，不勝歡慶之至。」（《清聖祖實錄》卷一百五十四）

雍正元年（一七二三年）四月，雍正帝開始御乾清門聽政。大臣奏事，君臣討論。雍正四年（一七二六年）十一月，謝濟世為御史，因彈劾雍正帝的寵臣田文鏡而下獄。是時，雍正帝御門聽政，允許科道御前奏事，謝濟世拿出奏章。雍正帝問：「云何？」對曰：「錢法。」雍正帝說：「錢法大難，朕方籌畫。」雍正帝問：「又云何？」對曰：「劾河南巡撫田文鏡貪贕不法狀。」雍正帝環顧左右後說：「彼號能臣，朕方假任，爾無惑浮言。」就是說像田文鏡這樣的能臣，朕剛信任，你不要相信傳言，並退回其奏疏。謝濟世伏地不起，爭諫益力，因而見罪。（《簷窗隨錄》）雍正帝在這點上，缺乏氣度和雅量。

御門聽政也是清朝興衰的一個歷史信號。

三 重要信號

清朝的御門聽政，順治發其端，康熙定其制，雍、乾、嘉、道四朝恪遵祖制，沿襲不變。但清朝後期，御門聽政，走向衰落。

清帝勤政，清朝興盛。御乾清門聽政，以康熙帝為最勤。他說：「朕聽政三十餘年，已成常規，不日日御門理事，即覺不安，若隔三四日，恐漸致倦怠，不能始終如一矣。此乾清門乃在朕宮中，亦有何勞？……朕仍照常，每日聽政。」（《清聖祖實錄》卷一百六十一）如康熙帝所說：「親政六十餘年，夙夜勵精，始終惟一。」

康熙三十二年（一六九三年），康熙帝諭大學士等說：「朕每日聽政，必於辰刻中御門，聞部院奏事大臣，每日於黎明時齊集午門外久候，方始入奏，迄奏畢，復各歸署理事，無乃過勞。朕觀大臣內有年及六旬者，亦有六旬以上者，此後於家中各進糜粥，按時來奏，亦不至遲誤。大臣節勞養體，亦可多為朕效力數年。」（《清聖祖實錄》卷一百六十一）有時皇上高興，在乾清門，賜滿漢大學士、尚書、侍郎御書扇各一（《居易續錄》），還賜大臣書畫、飲食、水果等（《尊聞堂集鈔》）。

一些老臣，每天上朝，實在辛苦。如乾隆四十六年（一七八一年），當朝大學士六人，其中武英殿大學士阿桂出差在甘州、東閣大學士三寶兼湖廣總督在任，其餘四人都是高齡：協辦大學士兼戶部尚書永貴七十六歲、協辦大學士兼吏部尚書蔡新七十五歲、東閣大學士兼暫管直隸總督英廉七十五歲、東閣大學士兼翰林院掌院學士嵇璜七十一歲。這時乾隆帝七十一歲，五人合計三百六十八歲，平均年齡七十三點六歲（乾隆辛丑《御門》詩注）。這是一個年齡老化的最高決策集團。

清帝懈政，清朝衰落。清朝衰落，江河日下。早在雍正三年（一七二五年），元旦清晨，鄂倫岱在乾清門院內掀衣便溺。這個鄂倫岱，為康熙帝孝懿皇后之兄、康熙帝的大舅子，雍正帝連帶其他罪名，將他發配到奉天（瀋陽）。這雖是件小事，卻是知秋的一片落葉。

乾隆四十三年（一七七八年），大學士高晉到京入覲，已命回兩江總督任上，但他從未親臨御門大典，懇請晚走一天，隨班觀瞻御門聽政典儀後再起程，獲允（《乾隆戊戌御門》詩注》）。還有發生御門聽政遲到的現象。如大學士傅恒，一日御門，已經遲到，踉蹌而入。某侍衛笑道：「相公身肥，故爾喘籲。」乾隆帝曰：「豈惟身肥，心亦肥也！」傅恒脱帽叩首，心神不寧，數日難平（《嘯亭雜錄》）。這從側面説明，乾隆朝後期，大學士、兩江總督都沒有參加過御門聽政，有的大學士不能準時到會，可見乾隆朝的御門聽政，已經遠不如康熙朝時之經常與整肅。

到嘉慶朝，嘉慶十八年（一八一三年）天理教民攻入紫禁城。事變平定後，嘉慶帝入宮。嘉慶帝御乾清門，王公大臣會集乾清門前，跪聽皇帝宣讀《罪己詔》。隨後，打開內外各城門，特賜將士食品。這時的御門聽政，遠沒有康熙時的宏大氣魄，成為皇帝行施小恩小惠的場所。

咸豐以後，逐漸懈怠。咸豐因「聖躬違和，此典久輟」。及同治親政，也沒有請行御門聽政之典。到清末，乾清門放置兩個木箱，其中收藏當年御門聽政的器物，鎖鏽未開，五十年矣！

這幾個歷史小故事，反映清朝走向衰亡。

第十七講　康熙書房

康熙書房提供了一條經驗：學習聰明者的聰明，會更聰明；吸納智慧者的智慧，會更智慧——修養自強不息的精神，陶冶厚德載物的品格。

◇康熙書房就是南書房，在乾清門到乾清宮這個相對獨立的乾清宮庭院裏，院的周圍有四十間門廡環繞，四維（面）主要有四殿（昭仁殿、弘德殿、端凝殿和懋勤殿）、三房（南書房、上書房和敬事房）、兩處（奏事處、批本處）和一宮（乾清宮）等建築和機構，其中乾清門裏西側，坐南朝北的一處就是本講要介紹的南書房。

一 書房創立

乾清門裏的乾清宮院，是個四面圍合不太大的院落。從乾清宮到乾清門，南北八十四米，東西九十六米，面積八千〇六十四平方米。乾清宮是這座院落

昭仁殿北側（王志偉　攝）

的主體宮殿。

宮兩側有兩座南向小殿：東為昭仁殿，崇禎帝自縊前在這裏砍殺其女昭仁公主。清代在這裏儲藏宋、金、元、明版及明影印宋鈔善本書，是中國古典文獻的精華所在。殿中高懸清乾隆帝寫的「天祿琳琅」匾，後出版《天祿琳琅書目》，從中可以窺見當時宮中藏書的概貌。西為弘德殿，是皇帝傳膳（餐廳）、讀書的地方。殿內有乾隆帝寫的《弘德殿銘》，其中有句：「求全之毀，吉德也；不虞之譽，凶德也。」就是說，逆言為吉，諛言為凶——這是一條樸素的真理。帝王雖以它為座右銘，卻是難以做到的。

宮兩廡——東廡，西向：有端凝殿，是收藏皇帝冠帶袍履的地方，就是皇帝的衣帽間，每年六月六日晾曬；它的北面有御茶房，南面有御藥房等。西廡，東向：有懋勤殿，是皇帝讀書的地方（書房）。康熙帝小時候曾在這裏讀書。

宮南廡——北向：東端有皇子讀書的上書房等，西端有敬事房（總管太監辦公室）和南書房。南書房三間，經過拉尺實測，每間室內資料：面闊四點九米，進深六米，面積三十三點三二平方米，三間共九十九點九六平方米，距乾清宮八十四米。此外，還有為皇帝服務的奏事處和批本處等。

清順治、康熙兩朝，乾清宮庭院實際上是當時中國政治中心、國家權力重心。皇帝日常辦公、接見臣工、讀書學習、生活起居，皇子讀書和皇帝辦公廳——包括秘書處、機要處、侍衛處、研究室、智囊團等，都集中在這座庭院裏。

南書房的設立是康熙帝的一個創造，這是應軍事之需、行政之需、學問之需和情趣之需：說軍事之需，是因為當時正進行平定三藩之亂的戰爭，軍報緊急而繁多，指示應迅速及時，皇帝身邊需要有軍政顧問和機要祕書。

說行政之需，是因為康熙帝是勤政君主，三藩平定後，皇權集中，日理萬機，處理政務，也需要一個貼近的諮詢、祕書班子。

說學問之需，是因為康熙帝酷愛讀書學習，經史子集，天文地理，算學音律，地方民情，隨時請教和探討，需要身邊有機要的師友。

說情趣之需，是因為康熙帝喜歡書法、繪畫、詩詞、文玩，也需要與人同趣相通，同好相逑。所以，南書房建立後，沒有因平定三藩之戰結束而結束，而是堅持下來，並制度化、規範化。

南書房實際設立較早，但沒有制度化、規範化。康熙十六年（一六七七年）十月二十日，正式創立南書房。康熙帝說：「朕不時觀書寫字，近侍內並無博學善書者，以致講論不能應對。今欲於翰林內，選擇二員，常侍左右，講究文義。但伊等各供厥職，且住外城，不時宣召，難以即至。着於城內撥給閒房，停其升轉，在內侍從數年之後，酌量優用。」（《清聖祖實錄》卷六十九）

以上所引文字說明，康熙帝設立南書房的最初動因是：其一，康熙帝身邊的太監等，沒有文化或文化不高，不能同他研討經史，切磋書法；其二，各大臣都有職務，也不能隨時陪伴身邊，日侍左右；其三，大臣住地離皇宮較遠，隨時諮商，很不方便，每日派員，輪流值班；其四，加強皇權，抑制旗權。所以要設南書房。這些隨侍左右的大臣應是：品德高尚，學藝有長，任事專職，住近宮廷。

南書房的名稱。「書房」是清入關前的舊名，「南」字是因書房在乾清宮南面，所以稱南書房，又稱南齋。雍正時在圓明園也設有南書房。最早正式入直南書房的官員為張英和高士奇。

南書房官員稱南書房行走，但自大學士到侍郎等，都稱翰林，進出南書房，可走乾清門。（英和《恩福堂筆記》）不過進出門時都由內監或侍衛陪同，不可個人單獨進出，在書房門外的院裏也不能隨便走動。

南書房的官員，地位特殊，稱為「內廷」。「內廷」官員有哪些人呢？一是御前大臣，二是軍機大臣，三是南書房翰林，四是上書房師傅，五是內務府總管等。就連內閣大學士、內閣官員都算外廷，而不算內廷。這是為甚麼呢？因為內閣為外廷。內閣又為甚麼算外廷？因為雍正朝從內閣分出軍機處，軍機大臣算內廷，大學士也就算外廷。南書房翰林與內廷官員進入內廷，從乾清門出入。

南書房翰林，挨近皇帝，參與機要，容易得寵，升遷較快。但是，南書房翰林，也蠻辛苦的——官員雖以入直南書房為榮，但不知其苦：「咫尺天顏，垂手侍立，久之則氣血下注，十指欲腫。若派寫進呈書籍，則終日伏案而坐，兩腳不得屈伸。」有人說：「伺候時立得手痛，鈔錄時寫得腳痛。」皇帝到南書房的時候，值班的翰林們都要到門外站着回避，「呼某人則入，不呼則候，帝去乃入也」。皇帝同每個人的談話內容，都是兩人間的機密，外人不得聞知，更不能外傳。

南書房值班的翰林，文具由內務府辦理，飲食由御膳房供應。早餐在家裏吃。《履園叢話》記載：徐乾學飯量大，每早入朝，吃實心饅頭五十，黃雀五十，雞子五十，酒十壺，可以竟日不餓。同朝張玉書古貌清臒，早餐只食山藥兩片，清水一杯，亦竟日不餓。大多南書房值班翰林，伙食標準有規定，「每餐每日肉菜半桌，稻米一倉升，茶葉一錢」（《清宮述聞》）。可以喝免費的茶水。夏天，從五月初一日開始，每天賜給冰塊，裝在大盤裏乘涼。時令鮮果，地方特產，時常供應，也受賞賜（如字畫、筆硯、眼鏡、魚類、鹿肉等）。

南書房也有趣聞：狀元于敏中初直南書房時，一日同僚談鋒正濃，于敏中微聞聲音，疾呼其同僚說：「老頭子來矣！」話音剛落，皇帝駕到。乾隆帝聽到說自己是「老頭子」，頗不高興，嚴厲詰問。翰林們很緊張，不知如何回應。這時，于敏中機靈地對答：「萬壽無疆曰老，首出庶物曰頭，父天母地曰子。」乾隆帝一聽，轉慍為喜。于敏中節節高升，很快升為尚書，後官至大學士。

康熙帝少年智擒鼇拜的故事，有的書說就發生在南書房。康熙帝召鼇拜到南書房進講經史。鼇拜遵旨進入，內侍以折一條腿的椅子請他坐，持椅立後。命賜茶，內侍先把茶碗用開水煮，使杯極熱，鼇拜一接，茶杯墜地。持椅子的內侍，乘勢一退，椅子歪斜，鼇拜倒地。鼇拜在國君面前，摔杯、灑茶、歪椅、倒地，實屬大大地不敬。康熙帝呼曰：「鼇拜大不敬！」布庫內侍，撲而擒之。（《南亭筆記》）但《嘯亭雜錄》和《歸田瑣記》記載，是鼇拜入見時，康熙帝召羽林士卒或布庫少年將他擒捕的。

南書房翰林，都做些甚麼？

二 書房翰林

南書房為清要之地，書房翰林，嚴格薦審，精中選精，優中選優，清代士人以能到南書房任職為榮。清朝皇帝與書房翰林之間的關係，可以說是錯綜複雜：亦君亦臣，亦師亦友，亦主亦奴，亦恩亦仇。

南書房的翰林，有不同的專業或專長。許多進士一甲，入直南書房。有人寒暑不休，十餘年如一日。特別是張英一門父、子、孫三代六人，入直南書房。彭元瑞以文學受知遇，官禮、兵、吏、工四部尚書、大學士，入直南書房四十年。這都是南書房翰林的佳話。下面介紹南書房幾位翰林。

一是書法：康熙帝自幼酷愛書法，臨摹唐太宗、黃庭堅、米芾、趙孟頫、董其昌等書帖，以趙、董為多。特別受書法家沈荃的指點。

沈荃（一六二四～一六八四年），江南華亭（今上海市松江區）人，順治朝探花。先在地方做官，書法聞名海內，康熙酷愛其書。以擅長書法，入直南書房，官至國子監祭酒、禮部侍郎銜。沈荃在南書房，給康熙帝講解古今各體書法，先做示範，並做指導。御製碑文、屏風、楹聯等，多由沈荃書寫。他特別敢於指出康熙帝寫字的毛病：「公每侍聖祖書，下筆即指其弊，兼析其由。」不但指出毛病，還分析其緣由。他的兒子沈宗敬也在南書房。一日，康熙帝感慨地說：「朕初學書，宗敬父荃指陳得失。至今作字，未嘗不思其勤也。」（《清史稿・沈荃傳》卷二百六十六）沈荃為人正直，康熙十八年（一六七九年）大旱，求直言。沈荃說：「流放人到烏拉（今吉林市），地極寒冷，人多凍死，今罪不至死者，而流放到此，是更驅趕到死地！」康熙帝不接納。他又說：「此議行，三日不雨者，甘服欺罔罪。」果然，兩天後下雨。康熙帝採納了這個諫議。沈荃清廉，死後，家貧，賜銀下葬。康熙帝每賜御書，如福壽、嘉祉、松鶴、松壽字，多由南書房翰林代筆。康熙帝得益於書房翰林的敬心指教和個人的勤學苦練，其本人也有深厚的書法功底。這幅康熙帝書法「書閣山雲起，琴齋澗月留」行書大軸，截取唐詩人崔翹「五言排律」中句：「傳家惟力學，報國在持忠。書閣山雲起，琴齋澗月留。」這幅字，佈局疏朗，純熟精到，結字圓勁，秀逸流暢。

又如，雍正帝和乾隆帝喜歡張照的書法。張照在直南書房時，嘗夕召入，議論古今得失，漏且四下，燭眉長，欲起自剪。雍正帝以失大臣體，止之。乾隆帝最愛張照的書法，集其所書宮廷春聯字，為春朝吉語。也有人說，乾隆帝的御書有的就是由張照代筆的。

二是繪畫：南書房有畫家，也稱翰林。舉王原祁為例。

王原祁繪画

王原祁（一六四二～一七一五年），江蘇太倉人，出身官宦、文學、繪畫世家。家族文化底蘊深厚。其先祖王錫爵為明萬曆朝大學士、首輔，王世貞為著名文學家。其祖父王時敏「為一代畫苑領袖」。明亡清興，時代變革，王門棄政從畫，廣收名作，結交名流，四方畫家，踵接於門。祖、父、孫、曾孫等四代，都以繪畫聞名。王原祁自幼習畫，畫山水，貼牆壁，祖父王時敏見後說：我甚麼時候畫了這幅畫？家人告訴他說：是原祁畫的。王時敏說：此子已出我右——他的繪畫，超過了我。康熙九年（一六七〇年），王原祁中進士，後入南書房。常召入便殿，從容奏對，或在御前作畫，康熙帝憑几觀看，不覺移晷。每召諸大臣到內苑賜宴、賞花，原祁都必參與。還命鑑定內府名跡，任《書畫譜》總裁、《萬壽盛典》總裁等，寵信有加，恩禮特異。（《清史稿．王原祁傳》卷五百四）

王原祁每作畫必用三樣東西：宣德紙，重毫筆，頂煙墨。他說：「三者一不備，不足以發古雋渾逸之趣。」有人請他評論康熙《南巡圖》主要作者王翬的畫，說：「太熟。」又問著名書畫家查士標的畫，說：「太生。」王原祁以不生不熟自居。中年之後，供奉內廷，別人求畫，多出代筆，而自署名，其真跡不可多得。年終宴會，給門下賓客作畫，人各一幅，為他們製裘之需，好事者攜金以待。人們評論王原祁及其畫：閱盡古人名畫，看遍九州山水，神與天地遊，意在筆墨外。王原祁是《萬壽盛典圖》的主要作者。王時敏、王原祁、王鑑、王翬合稱「四王」[1]。

三是詩臣。清帝的文學侍從很多，以乾隆帝的詩詞侍臣錢陳群為例。

錢陳群（一六八六～一七七四年），浙江嘉興人，康熙六十年（一七二一年）進士。後患反穀疾（可能類似現在說的胃食管反流），連續上疏，乞請解職，獲允。他沒有南書房之名，而有南書房之實。錢陳群在鄉里居住，每年乾隆帝錄寄詩百餘篇，陳群作詩賡和，親書冊頁奏進，行草兼書，屢蒙獎許。陳群賡唱既久，詩作頗似乾隆帝的御製詩。有個小故事。乾隆帝賜文學侍臣、禮部侍郎詩人沈德潛詩云：「我愛德潛德，淳風挹古福。」刑部侍郎錢陳群從旁賡和道：「帝愛德潛德，我羨歸愚歸。賜詩與和詩都巧妙地嵌入沈德潛的名『德潛』和字『歸愚』」。詩貴在巧，後者更巧。錢陳群還先後三次到京師為皇太后、皇帝祝壽，四次為乾隆帝南巡迎駕。其中一次到京年已八十，南歸時，乾隆帝以詩餞送。皇太后八十壽慶，陳群入京，年八十六，步健神奕。乾隆三十九年（一七七四年）卒，年八十九。乾隆帝說：「儒臣老輩中能以詩文結恩遇、備商榷者，沈德潛卒後惟陳群。」後加太傅，祀賢良祠。錢陳群的詩，純愨朴厚，如其為人。（《清史稿．錢陳群傳》卷三百五）

不凡男人的背後，必有不凡的母親。錢陳群的母親，姓陳名書。幼聰慧，性端靜，喜詩書，識大體，嫻淑善良，胸懷正義。剛嫁到錢家，陳氏從樓上望見侄子毆打佃客，致其口吐鮮血，幾乎致死。佃客的鄉族氣勢洶洶前來報復。陳氏派人將受傷佃客抬到屋裏，請醫生敷藥，又給傷者母親錢米，並呼來侄子，命用杖責打，鄉眾乃散。

1 清初畫家「四王」，王原祁為王時敏之孫，王鑑與時敏同族，王翬向時敏學畫垂二十年。故合稱「四王」。

她的公公和丈夫回到家裏，讚她賢能。陳群父親早故，寡母教子有方，二子為官，都有賢聲。陳氏長於詩，又善畫，自號南樓老人。她作詩三卷，不讓兒子刻印。陳氏「畫尤工，山水、人物、花草，皆清迥高秀，力追古作者」（《清史稿．列女一》卷五百八）。陳群向乾隆帝進其母陳氏畫冊和父親綸光的題句，還進呈《夜紡授經圖》。乾隆帝為其題詩、題詞，並以趙孟頫、管道升夫婦相比。

四是科技之臣。南書房有一批通天算、明音律等科技人才，如戴梓。

戴梓（一六四九～一七二六年），浙江錢塘（今杭州）人。少年聰悟，自製火器，能射擊百步以外。康熙初，三藩亂，耿精忠在福建叛應，軍犯浙江。康親王傑書率軍南征，戴梓以布衣從軍，獻連珠火銃法。平定叛亂，立有功勞。師還，康熙帝召見，知戴梓不但能武，而且能文。親試他作詩，康熙帝看後滿意，授翰林院侍講。一次，康熙帝要選拔算學人才，參試三百餘人，親自策試，取七十二人，戴梓為首。命戴梓入直南書房。這是清朝以技藝入南書房的唯一之人。後改直養心殿。

戴梓所造的連珠銃，形如琵琶，火藥鉛丸，都貯於銃脊，用機輪開閉——其機有二，互相銜接，扳第一機後火藥鉛丸自落入筒中，扳第二機時以石激火而銃發，可以連發二十八發子彈。這種新發明的機槍，未能通用，器藏於家，到乾隆中期還存在。西洋人貢蟠腸鳥槍，戴梓奉命仿造，以十槍賞賚其使臣。又奉命造子母炮，母送子出墜而碎裂，如西洋炸炮，康熙帝率諸臣親臨閱視，賜名「威遠將軍」，鐫製者職名於炮後。康熙帝在實戰中，用以破敵，效果很好。（《清史稿．戴梓傳》卷五百五）

戴梓通曉天文演算法，參與纂修《律呂正義》。但他與耶穌會士南懷仁等學術見解不合，受到妒忌。戴梓是個學者型、發明家型的科技專家，不適應官場事務，遭人流言蜚語，被奪職，戍關東；後被赦免，留在鐵嶺，遂隸屬旗籍。像這樣傑出的科技人才，而不能信用，發揮其所長，實在是可惜！

三 書房之外

南書房的翰林，功夫既在書房內，又在書房外。他們走出南書房之後，有的做尚書、侍郎，有的做大學士、軍機大臣，有的風清氣正、耿介終生，也有的貪污納賄、行為齷齪，更有的身後受辱，梟首銼屍。下舉兩例，略作介紹。

沈德潛（一六七三～一七六九年），今江蘇蘇州人。乾隆四年（一七三九年）中進士，已六十七歲。庶起士散館時，已七十歲！一天傍晚，乾隆帝巡視，問誰是沈德潛，他自稱為「江南老名士」，授為編修。七十一歲，命在上書房行走，官禮部侍郎。後德潛因病乞休，命以原銜食俸，仍在上書房行走。乾隆十四年（一七四九年），再請歸里，命原品休致，仍令校刊《御製詩集》。讓他如有著作，寄京呈覽，並賜給人參，賜詩送行。德潛歸鄉，進所著《歸愚集》，乾隆帝親為作序，稱其詩與王士禎相伯仲。後幾次來京，其中一次是：德潛年八十時來京，賜額「鶴性松身」，並賞賚藏佛、冠服。入朝賜杖。乾隆帝命集文武大臣七十以上者為九老，沈德潛為致仕九老之首。命遊香山，並在內府掛沈德潛的畫像。

欲無止境，常有兇險。沈德潛奏進編纂的《國朝詩別裁集》，請乾隆帝作序。乾隆帝發現詩集的首篇為錢謙益的詩，還有錢名世的詩。錢謙益是明朝人，又為清朝做官。乾隆帝因諭兩條：一是「謙益其詩自在，聽之可也，但選以冠本朝諸人則不可」；二是「錢名世者，皇考所謂『名教罪人』，更不宜入選」。但乾隆帝並未與他過不去，只命內廷翰林重新校定該詩集。後乾隆帝幾次南巡，沈德潛等迎駕常州，加太子太傅，賜其孫維熙舉人。卒年九十七。贈太子太師，祀賢良祠，謚文愨，又御製詩為悼輓。不久，有人訐舉人徐述夔《一柱樓集》中有悖逆文字。經查集前有沈德潛為徐述夔作的傳，稱其品行文章皆可為法。沈德潛死後被扯入「《一柱樓詩》案」之中。

「《一柱樓詩》案」是怎麼回事呢？其作者徐述夔，江蘇東台人，乾隆四十三年（一七七八年）九月事發，成為當時一大文字獄。徐述夔，舉人，教書鄉里。出了一本書，名《一柱樓詩》。沈德潛在書前寫了《徐述夔傳》。這本小書，刻板印刷，數量很少，影響不大。他死後十多年，因徐的子孫一場糾紛而案發。徐孫與生員蔡嘉樹為爭產事成訟，蔡氏將《一柱樓詩》、書版、沈德潛在書前的《徐述夔傳》等一併告到縣衙。江蘇學政劉墉將其呈送乾隆皇帝。經過調查，主要罪名是：（一）居家授徒，以「身體髮膚受之父母」給學生取名「徐首髮」，乾隆帝認為有「詆毀本朝剃髮之制」；（二）詩中有「明朝期振翮，一舉去清都」之句，乾隆帝認為有欲「去清復明」之罪；（三）「大明天子重相見，且把壺兒擱半邊」，乾隆帝認為有「反清復明」之意。經過乾隆帝二十餘道「諭旨」，最後定案：抄家，掘墳，剖棺，梟首，「將該犯徐述夔之屍，梟去首級，凌遲銼碎，撒棄曠野」，並將其首級，懸示於東台縣城。（《清高宗實錄》卷一千七十一）將徐述夔之子、孫，學生徐首髮等處以死刑，作跋的毛澄「杖一百、流三千里」。結果，兩人戮屍、六人處死、一人流放、一人徒刑、一人戍軍台。乾隆帝命奪沈德潛贈官，罷

祠削謚，僕其墓碑。（《清史稿．沈德潛傳》卷三百五）

乾隆帝曾說：「朕於德潛，以詩始，以詩終。」但事實上，未與詩終。若一旦惹惱皇帝，就一切不管不顧。

劉綸，江蘇武進人。少年俊穎，六歲能文，長於古文辭。乾隆元年（一七三六年），以生員舉博學鴻詞，考第一，授編修。後直南書房，又命在軍機處行走，授文淵閣大學士，兼工部尚書。劉綸，至親至孝，親喪三年不喝酒、不吃肉。直軍機處十年，與大學士劉統勳同輔政，有「南劉東劉」之稱。器度端凝，出入殿門，進止有度。早年買宅數間，後做軍機大臣、大學士、工部尚書二十餘年，沒有增加半間房屋。衣履垢敝，不做新服，但上朝必着盛裝，為甚麼呢？他說：「不敢褻朝章也！」一天，侍郎王昶在嚴冬黑夜，有急奏草稿，半夜到劉綸相府。綸起燃燭，操筆點定。天奇寒，呼家人備酒肉，但櫥櫃空空，僅得十幾枚棗下酒。史官贊道：「其清儉類此！」

難行能行，難忍能忍。這是歷史上取得突出成就者的共同經驗。

總之，清朝的南書房，自康熙十六年（一六七七年）建立，到光緒二十四年（一八九八年）撤銷，存在二百二十二年。康雍乾時期，是南書房的興盛時期，越到後來，越是衰落。

康熙書房提供了一條經驗：學習聰明者的聰明，會更聰明；吸納智慧者的智慧，會更智慧——修養自強不息的精神，陶冶厚德載物的品格。

第十八講　乾清三案

《周易·繫辭下》說：「天地之大德曰生。」生命是最可貴的，應當敬畏生命，尊重生命，愛惜生命，保護生命。這是「乾清宮案」給予後人的歷史啟示。

乾清宮是明清皇帝的正宮。宮廣九間，深五間。正中設寶座。上懸清順治帝書「正大光明」匾。秘密建儲鐍匣曾放在匾的後面。宮為廡殿頂，重簷，黃琉璃瓦。宮內有暖閣，因宮寬廣高大，分層並隔成若干間，便於居住。明清共二十八位皇帝，在北京乾清宮治居的，明朝有十四位，清朝只有順治帝和康熙帝兩位。在乾清宮居住的明朝十四位皇帝，各有各的宮廷故事。本講主要介紹在乾清宮發生的永樂、嘉靖、天啟三個宮廷案例的史事。

一 永樂宮案

永樂皇帝，前面已經講過，是位雄才

乾清宮（一九〇〇年）

大略的君主。他有突出的貢獻，也有荒唐的故事。

永樂帝的后妃，《明史．后妃傳》僅記載三人，實際上卻是妻妾成群，到底有多少，誰也說不清。他最喜愛的徐皇后、王貴妃、權妃三位，都先他而死。永樂帝有四子、五女，都出生在他奪取帝位之前。永樂帝晚年，身體欠佳，脾氣暴躁，發作起來，後宮遭殃。著名的有「二呂案」和「殉葬案」。

「二呂案」的緣由，要從權妃說起。永樂帝和他父親朱元璋一樣，都要朝鮮貢獻美女。權妃是朝鮮進貢的美女，既「姿質穠粹」、豔美驚人，又「善吹玉簫」、能歌善舞，頗受永樂帝的寵愛，就是去沙漠北征，也帶上這位美人。民諺說：「紅顏薄命。」這位權妃，永樂十年（一四一二年），在永樂帝北征凱旋途中，死於山東臨城（今棗莊市轄地）。事出突然，議論紛紛。一次權妃的宮女與呂美人在吵架中揭短說：呂美人因爭風吃醋，串通宦官，從銀匠家裏買了砒霜，研成粉末，放在權妃胡桃茶裏，將她毒死。永樂帝得知此情，頓時發怒，將有關宮女、宦官、銀匠等處死。最慘的呂美人，朱棣命用烙鐵烙她，折磨一個月，才將她殺死。這起案件，株連廣泛，被殺者有數百人（時北京宮殿尚未建成）。

其實，這是一樁冤案。原來宮裏有兩位姓呂的美人。兩位呂美人之間，也互相爭風吃醋。後來權妃猝死，那呂美人甲便乘機誣告呂美人乙毒死了權妃，鑄成了這樁慘案。

後來，呂美人甲和宮人魚氏內行違規，與宦官私通。朱棣雖有察覺，但因寵愛呂、魚二人，沒有及時處置。當時後宮的宮人，生活寂寞，孤單寡歡，常與宦官相好，譬如一起用餐，一塊喝茶，這種特殊關係，稱為「對食」。這類情況，比較普遍，並不被認為是亂宮之事，但如果傳播開來，畢竟是不體面的。呂、魚二人知道隱秘洩露後，覺得丟了臉面，竟然懼罪自縊。

呂、魚二人自殺，事情就鬧大了。永樂帝認為壞事都因呂氏所起，便把呂美人甲的侍婢都拘來審訊。這些侍婢不勝拷問，便被刑逼亂説，説是要謀殺永樂皇帝。既然刑問出了大逆之罪，一場刑殺大禍，鋪天蓋地而來。永樂帝愈是濫殺，愈覺得問題嚴重。宮內宮外，上上下下，彼此揭發，互相牽連，女子連娘家，親戚連友人，被連坐殺者竟達二千八百人（一説三千多人）！

永樂帝晚年，患重風濕症，常臥病不起，精力也不行，但他還要仿效乃父朱元璋那樣多妃多嬪多宮女，經常向朝鮮索要貢女。按説，朱棣登極時才四十二周歲，歲數並不算大，正當年富力強。朱棣為了發洩積憤，懲戒後人，讓畫工把呂美人甲與小宦官相抱的情景畫下來。這時的永樂帝，成為一個喪心病態的虐待狂、殺人魔王。每次處死宮人時，他都要「親臨剮之」。有些宮女臨刑前，知自己不免一死，便痛罵朱棣道：「自家陽衰，故私年少寺人，何咎之有！」（你自己陽衰，我們只有找年少貌美的太監，這有甚麼罪！）

就在永樂帝瘋狂殺人的時候，發生了一件驚天動地的大事情。就是永樂十九年（一四二一年）四月初八日中午，一場大雷雨，引發了火災，將奉天（太和）、華蓋（中和）、謹身（保和）三大殿燒毀。經過十幾年的興建，舉全國民力，盡國庫財力，剛在正月初一登殿慶賀，時過百天，皇宮大火，遭到焚毀。永樂帝雖對外發佈詔書，表示自責，但對內的殺戮，沒有停止。

永樂帝的後宮，除「二呂案」外，還有「殉葬案」。

「殉葬案」是殘暴的血案。歷史上酋長、帝王死後殉葬，事例之多，不勝枚舉。但到了明朝，已經進入十五世紀，竟然還有黑暗的殉葬制。

皇帝死後，妃嬪殉葬。明太祖朱元璋死，據《彤史拾遺記》載述，有宮妃四十六人，俱身殉從葬。如李賢妃聰明俊秀，知書達禮。朱元璋病重，對守護在身旁的李賢妃説：「你十幾年來與我朝夕相伴，我實在離不開你。你把兩個哥哥喚進宮來，與他們見面，敍兄妹之情。」李賢妃明白朱元璋的意思，心裏一酸，站起身來，躬身一拜，轉身而去。不一會兒，太監奏報：「李娘娘懸樑歸西了。」明洪熙帝僅在位一年，死後有四妃從葬。明宣德帝在位十年，死時有十妃從葬。同樣，清初努爾哈赤死，有大妃阿巴亥（多爾袞母親）等三人殉葬。明清皇帝死後妃嬪殉葬，最為殘酷的是永樂帝。據朝鮮官書《李朝大王實錄》記載：

> 及帝之崩，宮人殉葬者三十餘人。當死之日，皆餉之於庭。餉輟，俱引升堂，哭聲震殿閣。堂上置木小床，使立其上，掛繩圍於其上，以頭納其中，遂去其床，皆雉經而死。韓氏臨死，顧謂金黑（麗紀韓氏乳母）曰：「娘，吾去！娘，吾去！」語未竟，旁有宦者去床，乃與崔氏俱死。（《李朝世宗大王實錄》甲辰六年十月戊午）

這是一幅慘絕人寰的生人殉葬的黑暗圖畫。三十多位妃嬪、宮女等，臨死之前，被集合在乾清門內庭院的案桌前，已擺好了送行宴席，被賞一頓酒飯；而後，被引向停放大行皇帝梓宮（棺槨）的乾清宮內，立在案旁啜泣。這時大堂已安設許多小木床，殉葬的妃嬪，在床上立着，放聲大哭，聲震殿堂。（查繼佐《罪惟錄．皇后傳》）她們被迫把頭伸進吊好的繩套裏，站在旁邊的宦官將床一撤，這些宮人便「升天了」！就連最受寵愛的韓氏和崔氏也在其中。韓氏臨死前，呼喊着自己的乳母說：「娘，我去了！娘，我去了！」喊聲未絕，床已撤去。殉葬者家屬被稱為「朝天女戶」，受到優恤，父兄升官，輩輩世襲。殉葬者也會得到好聽的謚號，並被葬入皇陵，但這無法掩蓋殉葬制度對生命的野蠻絞殺。明初宮人殉葬的制度，直到明英宗遺詔中才被廢除。

二 嘉靖宮案

明朝嘉靖帝在位四十五年，做了許多事情，如修三大殿，抗擊倭寇等。但有一件事情，宮廷史上罕見，這就是「嘉靖宮案」，因發生在壬寅年（一五四二年），也叫「壬寅宮案」。這個案件發生，是事出有因的。嘉靖帝信道教，在御花園欽安殿前建天一之門，又建大高玄殿，範金為像，香煙繚繞，舉行齋醮，一意修玄，煉丹製藥，祈求長生。他多年不視朝政，大權旁落，嚴嵩父子擅權。後籍沒嚴嵩父子家產，僅金器皿、金首飾就有三千九百八十三件，合純金共重三萬二千九百六十九兩。當時譏諷嘉靖帝的民諺說：「嘉者，家也；靖者，盡也。」就是說在嘉靖朝，民窮財盡，一貧如洗。嘉靖帝吃丹藥，性情格外暴躁，殘酷虐待宮女，無端打罵折磨，使她們身心受到摧殘，處於極其悲慘的境地。嘉靖帝還相信道士秘方，用宮婢的經血燒煉「丹鉛」。這種慘無人道的折磨，把宮女逼上了絕境。受辱宮女，串通起來，秘密謀劃，進行報復。

嘉靖二十一年（一五四二年）十月二十一日夜裏，發生了一件讓嘉靖帝險些丟掉性命的「宮變」[1]。事情是

1 《明史．許紳傳》：「二十年，宮婢楊金英等謀逆，以帛縊帝，氣已絕。」《明世宗實錄》和《明史．世宗紀》均記此事在嘉靖二十一年十月丁酉（二十一日）。

這樣的——

明朝皇帝的寢宮在乾清宮，只有皇后可以與皇帝同住，其他妃嬪等僅是奉召進御，不能在此過夜。明代乾清宮後部的暖閣，共有九間，有書記載：每間有三張床，共有二十七張床。或記載：每張床三層，室內九床，共二十七個床位。皇帝夜裏隨意選擇房間和床位就寢，讓人們很難弄清他睡在哪裏，確保安全，以防不測。儘管皇帝防範巧妙，但對嘉靖帝身旁侍奉的宮女來說，則是沒有秘密可言的。

這天夜裏，嘉靖帝已經熟睡，楊金英等十幾個宮女便溜進他的寢宮，準備將他勒死。開始時，宮女楊玉香將絲繩遞給蘇川藥，蘇又傳給楊金英，楊金英則拴好繩套，另一宮女用黃綾抹布蒙住嘉靖帝的臉；其他宮女一擁而上，掐脖子的，按前胸的，按胳膊腿的，楊金英就勢把繩套套在嘉靖帝的脖子上，另兩個宮女姚淑翠和關梅秀用力拉緊繩套。但是，楊金英誤把繩套打成死結，拉了好久也沒把嘉靖帝勒死。宮女張金蓮見事不成，發生動搖，跑去報告方皇后。方皇后聞訊趕來解救，見皇上氣息已絕，急忙派太監去找御醫許紳。經過幾番折騰，太監趕來多人，將十多個宮女捉住。這時嘉靖帝已經斷氣，處於昏迷狀態。

許紳入內，見氣已絕，就死馬當活馬醫，「急調峻藥下之，辰時下藥，未時忽作聲，去紫血數升，遂能言，又數劑而愈」（《明史．許紳傳》卷二百五十九）。許紳用猛藥，歷六時，嘉靖帝才口吐紫血，多達數升，蘇醒過來。不久，許紳得病，說：因宮變事，我自知不能救活必遭殺身，因受驚悸，非藥石所能療也。不多久，果然死。許紳，北京人，後官太醫院領院事、工部尚書。明朝醫官最顯赫到尚書者，只許紳一人。

嘉靖帝雖被搶救過來，但因驚嚇過度，器官受到損傷，身體病弱，不能理事，對「謀逆」

宮女的處置，由方皇后主持。後將楊金英等十六名宮女凌遲處死。因遭方皇后妒忌，在嘉靖帝病不能言時，將端妃曹氏和寧嬪王氏牽連進去，「磔端妃曹氏、寧嬪王氏於市」（《明史·世宗本紀》卷十七）。

三 天啟宮案

明萬曆帝的兒子泰昌帝在做皇太子時，被一個叫張差的人持木杖，險遭梃擊，這就是明史上另一樁有名的「梃擊案」。這位泰昌帝好不容易熬到三十八歲登極，正值盛年之時，當皇帝才一個月，寶座位子還沒有坐暖，身體不適，吃下紅丸，猝然薨逝。這就是明史上有名的「紅丸案」。紫禁城的乾清宮裏，一月之間，兩次停靈，悲悲戚戚，滿宮喪氣。這時，又發生了「移宮案」。

這樁「移宮案」的主人公是天啟皇帝。天啟帝名朱由校，這年才十六虛歲。按說他與英宗九歲、神宗十歲登極比，也不算小了，但他缺乏帝王氣概。他父親泰昌帝暴死之後，朝廷上下，亂成一團。作為皇長子的朱由校，不能及時正式登極，被迫逃到慈慶宮避難，五天四夜，史稱「避宮」。

泰昌帝生前寵愛兩位女人，都是選侍，也都姓李，為加以區別，一位叫東李選侍，另一位叫西李選侍。這次「移宮案」的主要人物是「西李選侍」，簡稱「西李」。這位「西李」同明泰昌帝和天啟帝的「三角」關係很有意思。這裏插敘一句：天啟帝的生身母親王氏，福不夠，死得早，否則兒子當皇帝、自己做皇太后，既可以享清福，也免了「移宮案」。朱由校母親死了，年齡小，泰昌帝就交代給「西李」照料，這是天啟帝同「西李」的關係。「西李」又是泰昌帝最寵愛的妃子，這是泰昌帝同「西李」的關係。「移宮案」就發生在這「三角」關係之中。

泰昌帝吞下「紅丸」死後，「西李」便抓住、依靠小朱由校，以鞏固自己在宮中的地位。怎麼辦呢？這位「西李」想了一招，自己和小皇帝同住在一起，就是天啟小皇帝住乾清宮，自己也住乾清宮。要知道這是有先例的，當年萬曆皇帝十歲登極，他媽媽李太后就搬到乾清宮住，朝夕相處，有時母子還睡在一張床上。可李太后是萬曆帝的親媽，而「西李」不是天啟帝的親媽！泰昌帝死時，朱由校由「西李」撫視，同住在乾清宮。她規定朱由校每天必須按時向她行一拜一叩頭禮，還經常「侮慢凌虐」，使他「晝夜涕泣」。有些大臣考慮到朱由校既無嫡母，又無生母，勢孤可憫，打算將他繼續託給「西李」照護；有些大臣則堅決反對，認為誰擁有少主朱由校，誰就控制皇權，「西李」非可託之人。只有儘快使朱由校暫時離開乾清宮，擺脱「西李」的控制，才能穩定大局。而「西李」為了實現自己的欲望，鞏固地位，也在乾清宮與心腹太監李進忠等人，加緊策劃挾持朱由校，不讓他離開乾清宮。這個李進忠，據劉若愚《酌中志·客魏始末紀略》和《明通鑑》記載，就是魏忠賢的原名。

泰昌帝哀悼儀式一結束，就發生「移宮案」。這個案子，從九月初一泰昌帝賓天，到天啟帝初五日登極即位，先後五天，包括兩次「移宮」：一次是儲皇「移宮」，另一次是西李「移宮」。

先説儲皇「移宮」。「西李」因泰昌帝死，封為皇后的幻想破滅，封為皇貴妃的願望也落空。她乾脆將朱由校藏閉在乾清宮暖閣裏，不讓他出來為泰昌帝守靈。大學士劉一燝等見狀，責問道：「皇長子當柩前即位，今不在，何也？」原東宮伴讀、司禮監秉筆太監王安説：「為李選侍所匿耳！」劉一燝大聲喝道：「誰敢匿新天子者！」王安說：「請慢，公等慎勿退。」（《明史·劉一燝傳》卷二百四十）說完，便入宮請見朱由校，但「西李」不同意。大學士方從哲及諸大臣趕到乾清宮門外，要見朱由校，把守宮門的太監，手持木棍，加以攔阻，不讓進入。這時，兵科都給事中楊漣，沖出人群，對着太監，大罵道：「奴才！皇帝召我等，今已晏駕，若曹不聽入，欲何為！」太監們自知理虧，不敢爭辯，慢慢退開，諸臣直入，呼喊萬歲。為擺脫儲皇受「西李」的控制，就要將他移出乾清宮。王安乘其不防，沖進暖閣，把朱由校拉出來。諸臣見到朱由校，立即叩頭，高呼「萬歲」。拉着朱由校就往宮外走。太監從寢閣急出，大呼：「拉少主何往？主年少畏人！」有的太監撕扯衣服，要奪朱由校回宮裏。楊漣邊推搡、邊斥責太監道：「殿下群臣之主，四海九州，莫非臣子，復畏何人！」（《明史·楊漣傳》卷二百四十四）群臣簇擁着朱由校往外走。「西李」着急，馬上派李進忠（魏忠賢）等眾太監追出來，要朱由校回到乾清宮。楊漣、王安等人奮力推開眾太監，保駕護行；劉一燝和英國公張惟賢分居左右，連扶帶推，擁着朱由校往外跑。剛跑到乾清宮門外，宮內眾太監又追了上來，緊緊拉着朱由校的衣服不放，一定要他回去，並號叫：「你們挾持皇長子到何處？」楊漣毫不畏懼，一面嚴厲怒斥他們，一面與諸臣一起把朱由校抱入轎內，直奔文華殿。辰時（七～九時），諸臣行禮完畢，「西李」又派人來糾纏，要朱由校回到乾清宮。諸臣見勢如此，覺得不宜在文華殿久留，經過緊急商議之後，迅速把朱由校請到慈慶宮（今無存）居住。朱由校避居慈慶宮，而「西李」仍居乾清宮。朱由校必須儘快回到乾清宮，以便舉行登極典禮。而要回乾清宮，「西李」必須先移出乾清宮。

次說西李「移宮」。自初一日起，諸臣目標是要「西李」離開乾清宮，移居仁壽殿——明代宮妃養老之地。時內閣首輔方從哲兩邊討好，主張緩議。劉一燝等則說：「西李」既不是嫡母，

也不是生母，按照本朝家法，必須搬出，不容遲緩！大多朝臣，給予支持。這時「西李」仍不

搬出乾清宮。群臣激情，憤恨不已。朱由校這才派人傳達他的諭旨：「先帝選侍李氏等，着於仁壽殿居住，即日搬移。」（《明熹宗實錄》卷一）

初五日，楊漣等大臣，不顧一切，勸首輔方從哲，要按原定時間舉行登極大典。這時，「中官往來如織」，氣氛異常緊張，「西李」爪牙紛紛出來，進行威脅。楊漣怒斥道：「能殺我則已，否則，今日不移，死不去！」大學士劉一燝等也催促，聲色俱厲，聲徹御前。「西李」無奈，在責罵聲中，於當天午時離開乾清宮，移居仁壽殿。皇長子朱由校在同一天，由慈慶宮復回乾清宮，結束了「避居」生活。這兩場「移宮」鬧劇，演出五天，落下帷幕。

初六日，按照預定計劃，舉行新君登極大典，這位新君就是天啟皇帝。

明宮三案——「梃擊案」、「紅丸案」、「移宮案」當世當作政治大事，後人視作歷史故事。明朝「乾清宮案」，已為歷史煙塵。《周易·繫辭下》說：「天地之大德曰生。」生命是最可貴的，應當敬畏生命，尊重生命，愛惜生命，保護生命。這是「乾清宮案」給予後人的歷史啟示。

第十九講　乾清三宴

尊敬老者，尊敬賢者，敬畏歷史經驗，敬畏歷史教訓，應是文明社會的高尚道德。「千叟宴」對當時社會上存在的「兩不敬」——敬官不敬老，敬錢不敬賢，是一針抑制劑。

乾清宮還是皇家舉行宴會的場所。明清宮廷宴會，數量之多，不勝枚舉。明朝宮廷宴會，留存史料較少；清朝宮廷宴會，檔案資料較多。所以，重點講清朝宮廷宴會，着重講在乾清宮舉辦的三場皇家大宴會——康熙「千叟大宴」、乾隆「千叟大宴」和嘉慶「過年大宴」。

一 康熙大宴

康熙、乾隆時期，千人以上的大宴會，主要有四次：第一次在康熙五十二年（一七一三年）三月十八日（康熙帝六十歲生日），第二次在康熙六十一年（一七二二年）正月初五日（康熙帝在位一甲子），第三次在乾隆五十年（一七八五年）正月初六日（乾隆帝御極五十年），第四次在嘉慶元年（一七九六年）正月初四日（乾隆帝御極一甲子）。這四次千人以上大宴會，冠名「千叟宴」的有三次，即康熙六十一年（一七二二年）、乾隆五十年（一七八五年）和嘉慶元年（一七九六年），其中在乾清宮舉行的「千叟宴」有兩次：康熙六十一年和乾隆五十年。我先講康熙「千叟宴」。

「千叟宴」的「千」是指千人以上，「叟」是指老叟，即老年人，「宴」是宴會，就是千名以上老年人參加「養老尊賢」的盛大宴會[1]。

敬老是中華民族的優良傳統。在生產力非常低下，人們沒有剩餘食物養活多餘人口時，養老成為家庭、部族、社會的負擔。傳說有「六十花甲子」的現象：在遠古時候，老人到六十歲，兒子在山裏挖個窯洞，把老人送到裏面住，隔三岔五，前去送飯。洞裏油燈，油盡燈滅，停送飯食，老人餓死。我們不必考據這個傳說的真實性，但反映歷史上曾出現過因生產力低下而不講尊老的習俗。隨着社會的發展，物質財富的增多，尊敬老人，尊重經驗，成為一種社會道德風尚。社會愈發展，就會愈敬老。尊敬長者就是尊重知識、尊重經驗、尊重智慧、尊重生命。這是我國優良的歷史傳統。

其實，康熙「千叟宴」之前，已經舉辦過千人以上宮廷大宴。康熙五十二年（一七一三年）三月十八日，是康熙帝六十歲生日。在清代，當朝皇帝誕生的日子，既是萬壽節，又是國慶日。人生六十年，是花甲之年。在古代，「人生七十古來稀」，所以六十歲生日被認為是人生的一個重大節日。這個節日，玄燁作為個人，是家庭的節日；作為當今皇上，則是國家的節日。為此，舉辦隆重的萬壽慶典、盛大的千人盛宴。慶典和盛宴在暢春園（今北京大學西門附近）舉行。自大內到西直門，再到暢春園，沿途所經，約三十里，搭建彩棚，設置經

1 中國二〇〇六年十月二十八日在廣西永福縣舉行「千叟宴」，年齡最大者一百〇五歲，最小者七十歲，百歲以上者五位，平均年齡七十五歲，已列入吉尼斯世界紀錄。

壇，舉行慶典，官員士庶，男女老幼，熙來攘往。禮部規定：官員着正裝（禮服）一個月（常例最多七天）。康熙帝佈告天下耆老，年六十五歲以上者，官民不論，均可按時趕到京城參加暢春園的盛宴。宴會分作三天三場舉行：

第一場，康熙帝在暢春園正門前，首宴漢族大臣、官員及士庶年九十歲以上者三十三人、八十歲至九十歲者五百三十八人、七十歲至八十歲者一千八百二十三人、六十五歲至七十歲者一八四六人，共計四千二百四十人。皇子、皇孫、宗室子孫年紀在十歲以上、二十歲以下的，出來為老人們執爵敬酒、分發食品，攙扶八十歲以上老人到康熙帝面前親視飲酒，以示恩寵，並賞給外省老人銀兩不等。

第二場，在暢春園正門前，設酒筵招待八旗大臣、官兵及閒散人年九十歲以上者七人、八十歲至九十歲者一百九十二人、七十歲至八十歲者一三九四人、六十五歲至七十歲者一千〇一十二人，共二千六百〇五人，禮遇同前。

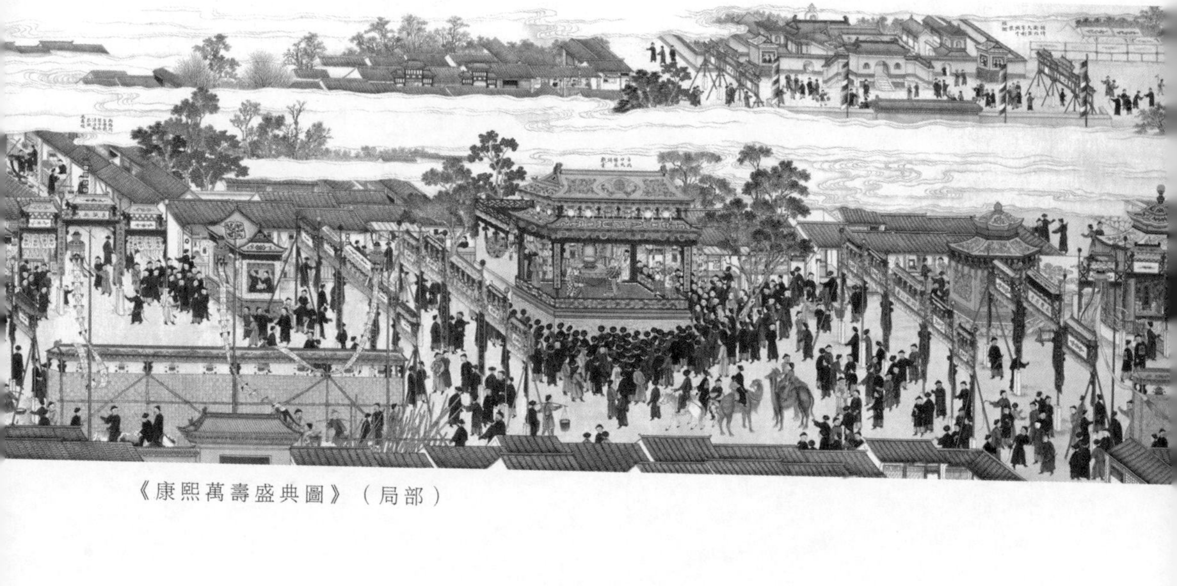

《康熙萬壽盛典圖》（局部）

第三場，在暢春園皇太后宮門前，宴請八旗滿洲、八旗蒙古、八旗漢軍七十歲以上的婦人，其中九十歲以上者就席宮門內、八十歲以上者就席丹墀下，其餘都在宮門外。漢人大臣妻子年老者也到宮內賜坐。皇太后親賜茶果酒食，令皇子、皇孫等以次頒賜，還賞給彩緞金銀等。（《清聖祖實錄》卷二五四）這是歷史上的空前之舉。

以上參加宴會的滿漢耆老多達六千八百四十五人，加上人數不詳的八旗老婦，還有攙扶老人的家屬等，總數當近八千人。在王原祁等作畫的《萬壽盛典圖》中描繪了這場宴會的盛況。《古今圖書集成》纂修者陳夢雷也參與了這場「千叟宴」，並賦詩：「承恩五十有三年，曠典虞庠近御宴。萬卷書成傳盛世，嵩呼聖壽永同天。」

這次大宴群老，雖有「千叟宴」之實，卻無「千叟宴」之名。從甚麼時候開始有「千叟宴」之名呢？

中國歷史上第一次「千叟宴」，是康熙六十一年（一七二二年）正月，康熙帝在乾清宮前庭院，舉行空前盛大的「千叟宴」。因人數太多，宴會分兩場舉行：

第一場，初二日，八旗滿洲、八旗蒙古、八旗漢軍文武大臣官員，在職的、退休的、退斥的，年六十五以上者，共六百八十人，在乾清宮前宴會。還有諸王、貝勒、貝子、公及閒散宗室等持爵勸飲，分賜食品。

第二場，初五日，漢文武大臣官員，在職的、退休的、退斥的，年六十五以上者，共三百四十人，在乾清宮前宴會。（《清聖祖實錄》卷二百九十六）

以上兩場共有一千〇二十人參加這次盛宴。康熙帝賦七言律詩一首，命與宴滿漢大臣官員作詩相和，以詩紀盛，題名為《千叟宴詩》。因此，這次歷史盛宴就叫作「千叟宴」。這首御製《千叟宴詩》是：

百里山川積素妍，古稀白髮會瓊筵。
還須尚齒勿尊爵，且向長眉拜瑞年。
莫訝君臣同健壯，願偕億兆共昌延。
萬機惟我無休暇，七十衰齡未歇肩。

上詩中的「積素」，意為積雪；「須尚齒勿尊爵」，意為以年齒而不以官爵為序；「訝」，意為或迎（如迎訝）或驚（如驚訝），這裏應為後者。

康熙帝說：「覽自秦漢以下，稱帝者一百九十有三，享祚綿長，無如朕之久者。」（《清聖祖實錄》卷二百五十四）自秦漢以來，只有康熙帝臨朝六十一年。康熙帝是自秦始皇以來的二千一百三十二年皇朝史上，在位時間最長、中原地區四十一年沒有戰爭的中華唯一之君主。這當然值得隆重舉行「千叟宴」來慶賀了。

康熙帝舉行的「千叟宴」，其用意在：「帝王之治天下，發政施仁，未嘗不以養老尊賢為首務。近來士大夫，只論居官之賢否，而移風易俗之實政、入孝出弟之本心，未暇講究。」（《清聖祖實錄》卷二百五十四）康熙帝借此，希望諸位老者，回到家鄉，曉諭鄰里：敬老尊賢，講求孝悌，重視禮儀，移風易俗。

二 乾隆大宴

乾隆帝仿照其祖父康熙帝的「千叟宴」，也先後兩次舉行大宴——「千叟宴」。第一次是乾隆五十年（一七八五年）正月，乾隆帝以五十年「國慶」，在乾清宮舉行「千叟宴」，有六十歲以上者三千餘人參加，其中包括大臣、官吏、軍士、民人、匠藝等。每人還賜予壽杖、銀牌等各種物品。宴會上聯句作詩，共得詩三千四百二十九首。第二次是嘉慶元年（一七九六年）正月，在寧壽宮舉行的「千叟宴」。因前次「千叟宴」是在乾清宮舉行的，而本講的重點是在乾清宮裏發生的事，但後次「千叟宴」史料載述較詳，亦略加酌述。

乾隆五十年（一七八五年）正月初六日，乾隆帝御乾清宮，舉行「千叟宴」，

《千叟宴圖》（局部）

設宴八百席。親王、郡王、大臣、官員，蒙古貝勒、貝子、公、台吉、額駙，回部、番部，朝鮮國使臣，暨士商兵民等，年六十以上者，三千人入宴。屆時，乾隆帝在乾清宮升座，作樂，行禮。各入座次，行一叩禮。丹陛大樂，宮前響起。乾隆帝進茶，王公大臣等行一叩禮。親賜王公大臣等茶，跪受，行一叩禮。乾隆帝又進酒，諸大臣行一叩禮。一品大臣以上及年九十以上者，召到乾隆帝御座前，親賜酒，各跪受，行一叩禮。樂止，賜食。各就座位，依次跪受，行一叩禮。每席用玉泉酒八兩（今半斤），一次宴席就飲用玉泉酒四百斤（《清內務府奏銷檔》）。接着演戲。王公大臣以下等，吃飯畢，再行一跪三叩禮。作樂，禮成。乾隆帝啟座，命以「千叟宴」聯句。宴會結束，頒賞如意、鳩杖、銀牌、繒綺（絲織品）、貂皮、文玩等物，其中：

鳩杖，是指首部雕刻成鳩鳥形狀的拐杖。《周禮》記載：「中（仲）春羅春鳥，獻鳩以養國老。」可見以鳩鳥祝福老人頤養生氣是古老的習俗。《後漢書·禮儀志中》記載：「王杖長（九）尺，端以鳩鳥為飾。鳩者，不噎之鳥也。」老人吃飯容易噎着，將手杖雕成鳩鳥形狀，是要保佑老人平安。乾隆帝遵古禮送給參加宴會老人每人一根鳩杖。今天保存下來的一根，杖首寬十釐米，用整塊犀牛角雕琢成鳩鳥形狀，杖長八十六點五釐米，杖身用黃花梨木製成，上面用銀片鑲嵌不同字體的一百個壽字。

銀牌，全稱「養老銀牌」，只賞給兵丁、匠役和無職銜人員等，其重量不同：七十歲以上者十兩，七十五歲以上者十五兩，八十歲以上者二十兩，八十五歲以上者二十五兩，九十歲以上者三十兩。（軍機處《上諭檔》）北京出土的一面銀牌，呈橢圓形，長十四釐米，寬八點五釐米，厚〇點三釐米，實重三百五十克。牌上端有雲頭紋飾，兩側有小圓孔。牌正面四周有雙龍戲珠紋飾，中間書「御賜養老」。牌背面光滑，中間陰刻楷書「乾隆五十年千叟宴」，側刻「重十兩」。（見高桂雲《北京出土清「千叟宴」銀腰牌》，《文物》一九八三年第六期）

這次「千叟宴」，年齡最高者為一百〇五歲的國子監司業（正六品）銜的郭鐘岳。郭鐘岳，福建人，乾隆四十四年（一七七九年），九十九歲，考舉人，被賞為舉人。來年一百歲，進京考進士，特賞進士。這次來參加「千叟宴」，得隨一品大臣同趨御座附近，親與賜觴。他又於一百一十歲時，來京詣闕祝釐，此為後話。乾隆帝《千叟宴詩》云：「抽秘無須更騁妍，惟將實事紀耆筵。追思侍陛髫垂日，訝至當軒手賜年。君酢臣酬九重會，天恩國慶萬春延。祖孫兩舉『千叟宴』，史策饒他莫並肩。」（《清高宗實錄》卷一千二百二十二）但也有不賦詩的，如天津人俞金鼇，乾隆七年（一七四二年）武進士，屢建奇功。金鼇有骨氣，和珅秉政，欲納交焉，辭謝不可。晚年在乾清門行走，賜紫禁城騎馬，與「千叟宴」。乾隆帝賜酒，命他賦詩紀事，辭以不能作詩。乾隆帝笑道：「你為香樹妻弟，又從受業，豈不能詩者？」香樹，為錢陳群的字。前面講過，錢陳群擅長作詩，以詩同乾隆帝結恩遇。俞金鼇和錢陳群為「一擔挑」，又向錢學詩文，能不會作詩嗎？但金鼇善於藏拙，還是沒有作詩。

朝鮮派正使安春君李烿等入宴，特向朝鮮國王贈送仿宋版「五經」全部和筆墨諸物。（《清史稿·朝鮮傳》卷五百二十六）

嘉慶元年（一七九六年）正月初四日，在寧壽宮皇極殿舉行「千叟宴」，擺列八百張宴席：入席者有親王、郡王，蒙古貝勒、貝子、台吉，大臣、官員等年六十以上，兵、民年七十以上，入宴席者三千〇五十六人，列名邀賞者（未入座）五千人，是歷史上規模最大的「千叟宴」。席位安排：其一品大臣及年九十以上者，太上皇帝召到御座前，親自賜酒；王公、貝勒、貝子、台吉、一二品大臣席在殿內，朝鮮、回部、西藏、暹羅（今泰國）、安南（今越南）、廓爾喀（今尼泊爾）等地區來賓在殿的廊下，三品大臣官員在丹陛甬路，四品以下有職官員在丹墀左右，其餘護軍、馬甲、兵民、匠藝等均在寧壽門外。未入座者也各賞詩章、如意、壽杖、文綺、銀牌等物有差。（《清仁宗實錄》卷一）皇子、皇孫、皇曾孫、皇玄孫等給殿內王公大臣敬酒，並承旨分賜食物。安徽老民熊國沛一百〇六歲，被稱為「升平人瑞」，賞給六品頂戴。其餘九十歲以上者受七品頂戴。九十歲以上鑲黃旗滿洲閒散覺羅烏庫里，提督衙門步甲文保、舒昌阿，鑲白旗漢軍馬甲王廷柱，內務府正黃旗鋤草人田起龍等，俱賞給七品頂戴花翎。（《清高宗實錄》卷一千四百九十四）優待：特准所有與宴官員軍民年九十以上者由子孫攙扶入宴；凡文武大臣年逾七旬者，如步履稍艱，准子孫一人攙扶入宴。

宴會開始，太上皇捧起酒杯一飲而盡。其他人到皇帝寶座前跪獻爵，遞與進爵大臣，再入座。乾隆帝召與宴王公、一品大臣及眾叟中年九十以上者到御宴前跪，親自賜酒、普加賞資，並各加賞緞匹、銀子等；此時諸皇子、皇孫、皇曾孫、皇玄孫等，為殿內宗室王公一二品大臣敬酒，侍衛等為殿簷下、丹墀上下及甬道左右各席群臣來叟敬酒。他們分別承旨分賜給宴席御膳食品、佳餚珍饈。八千名老叟於座旁行一叩禮後，開始進餐。

一等桌張，擺在殿內和廊下兩旁。王公和一二品大臣，以及外國使臣，在一等桌張入宴。一等桌張，每席設擺膳品如下：火鍋二個（銀製和錫製各一），豬肉片一個、退羊肉片一個，鹿尾燒鹿肉一盤，退羊肉烏□（此字原檔模糊不清）一盤，葷菜四碗，蒸食壽意一盤，爐食壽意一盤，螺螄盒小菜二個，烏木箸二隻。另備肉絲燙飯。

次等桌張，擺在丹墀甬路和丹墀以下。三品至九品官員、蒙古台吉、頂戴、領催、兵民等，在次等桌張入宴。次等桌張，每席設擺膳品如下：火鍋二個（銅製），豬肉片一個、退羊肉片一個；退羊肉一盤，燒麅肉一盤，蒸食壽意一盤，爐食壽意一盤，螺螄盒小菜二個，烏木箸二隻。另備肉絲燙飯。（軍機處《上諭檔》）

宴會時，宮內升平署演戲。宴畢，升平署人退下，各王公以下大臣及群叟再次行一跪三叩禮，謝恩。太上皇和皇帝在中和韶樂中還宮。宴會後，按與宴群臣眾叟的品級或年齡，分別頒賞詩章、如意、壽杖、文綺、

恢復的乾清宮大宴復原場景

貂皮、文玩、銀牌等物。這次「千叟宴」，六十歲以上的「京畿及各旗籍兵民，踴躍偕來，相預盛典，龐眉皓首，矍鑠盈廷，實為吉祥盛事」。（《清高宗實錄》卷一千四百九十四）

三 嘉慶大宴

皇家宮廷宴會，雖經常舉行，卻重在過年。僅以嘉慶元年（一七九六年）清宮過年宴會為例，看看皇家的過年宴會。

嘉慶元年（一七九六年）正月初一，在太和殿舉行乾隆帝退位、嘉慶帝繼位的授受大典。從這一天開始，顒琰成為皇帝，弘曆成為太上皇帝。這時的皇曆，分內外兩種：宮內的為乾隆六十一年，社會的為嘉慶元年。乾隆帝雖然退位，卻還戀權。這從過年皇家宴會，可以看到一斑。

正月初一，新年伊始，除舊歲，迎新春，清帝的活動，從淩晨開始。以八十六歲耄耋老人乾隆帝為例：

子正（〇時）剛過，起床。

丑初（一時）剛過，出吉祥門，到欽安殿祭拜，為的是祈求長壽。

丑正（二時），乘轎出乾清門，到奉先殿祭祀列祖。

寅初（三時）剛過，到御藥房藥王前磕頭，還是祈求長生。隨後回乾清宮，喝茶，吃煮餑餑（餃子）。

寅正（四時），乘大禮轎到堂子祭神祭天。這是滿洲的禮儀，漢官不參加。

卯初（五時），回乾清宮後，再乘轎到中正殿、建福宮、重華宮拜佛。

卯正（六時）剛過，乘轎到慈寧宮行慶賀禮。後回養心殿，稍事休息。

辰初（七時），乘轎到中和殿，受內大臣、侍衛，及內閣、禮部等官員拜賀。

辰正（八時），到太和殿參加授受大典，並接受百官朝拜，也就是「大團拜」。

巳正（十時），在乾清宮受后妃行慶賀禮。後受皇子、皇孫、皇曾孫、皇玄孫等慶賀。再到重華宮，受貴人、常在等賀禮。更衣後，與皇帝、皇后、妃嬪等共進早膳。這時的乾隆太上皇，已是五世同堂的大家庭！

午初（十一時），乘暖轎，出神武門，到大高玄殿（景山西）磕頭。後到西苑承光殿（今北海碼頭，乘冰上拖床，到西碼頭，再到弘仁寺、闡福寺（北海西北岸）拜佛。然後到壽皇殿（今景山內）向先祖御容（畫像）瞻拜。

午正（十二時），在乾清宮設大宴。在皇帝宴桌東西兩邊，有親王、郡王、皇子等多人陪宴。

未初（十三時）剛過，太監傳擺熱宴，奏樂，演戲。戲演完了，開始傳宴。傳宴後，接着是酒席。開始送酒，又奏樂，皇子拿酒一杯，到太上皇寶座前，跪着進酒。太上皇嘗酒後，送陪宴者酒。酒後停止奏樂，進果茶。宴會到此完畢，然後奏樂，太上皇離開寶座，出乾清宮，步行回養心殿。

酉初（十七時），送酒膳。酒膳完畢，太上皇休息。（方裕謹《清帝在正月初一這一天》）

過年的皇家宴會，幾乎天天都有。過了正月初一，其他各天，排列如下：

初二日，在乾清宮賜宗室王公等宴。

初四日，「千叟宴」外，還在重華宮，召大學士、內廷翰林等茶宴。

初五日，在紫光閣，賜蒙古王、貝勒、貝子、公、額駙、台吉等，朝鮮、安南（越南）、暹羅（泰國）、廓爾喀（今尼泊爾）正使等宴，並賞賚有差。

初十日，在圓明園山高水長殿，賜王公大臣，蒙古王、貝勒、貝子、公、額駙、台吉等及外藩各國使臣等百餘人宴。

十四日，在圓明園奉三無私殿，賜近支宗藩、皇子、皇孫、皇曾孫、皇玄孫等宴。同日，又在山高水長殿，賜王公大臣，蒙古王、貝勒、貝子、公、額駙、台吉及外藩使臣等食。

十五日，在圓明園正大光明殿，賜來朝賀元旦的外藩使臣等宴。

十六日，在圓明園正大光明殿，賜大學士、尚書等宴。同日，在正大光明殿，賜來朝賀元旦的外藩等宴。

皇家宮廷過年，宴會一個接着一個，樂舞一場連着一場。在歌舞昇平的後面，隱藏着嚴重而深刻的社會危機。

從歷史眼光看，「千叟宴」有積極與消極、正面與負面的歷史作用。

「千叟宴」的積極意義與正面作用在於：

其一，宣導「養老尊賢」的社會風尚。老者是寶貴的社會財富，老年知識份子更是寶貴的精神財富。尊敬老者，尊敬賢者，敬畏歷史知識，敬畏歷史經驗，應是文明社會的高尚道德。「千叟宴」對當時社會上存在的「兩不敬」——敬官不敬老，敬錢不敬賢，是一針抑制劑。

其二，對蒙古王公、回部伯克等聚會、覲見、宴請，顯示清朝皇威，有利於國家安定、民族凝聚。

其三，朝鮮、安南（越南）、暹羅（泰國）、廓爾喀（尼泊爾）等使臣與宴，賜給其國王仿宋版「五經」和筆、墨諸物，和諧睦鄰，鞏固邦交，擴大清朝在東亞諸國的友好往來與文化影響。

「千叟宴」的消極意義與負面作用在於：

康熙與乾隆兩朝四次舉辦「千叟宴」，歌頌升平，宣揚皇威，自我陶醉，閉目塞聽，排場巨大，開支浩繁（如一次置辦鳩杖三千多根），盲目自誇，自娛自樂。

康熙帝和乾隆帝沒有研究國內社會矛盾，沒有了解西方社會發展，在八千人「千叟宴」的觥籌交錯中，西方在崛起，大清在沉落——白蓮教民變，烽火五省、英國大炮、叩打國門、遭到失敗；大清朝皇帝，持泰保盈、不求進取、拒絕改革、最終覆亡。

第二十講　乾清三悲

唐太宗說：用功不如用過。崇禎帝如有唐太宗的大度與胸懷，對王洽、袁崇煥、陳新甲等，不僅能用其功，而且能用其過，那麼，大明江山會是另一番局面，至少不會由自己演出「末日瘋狂」的悲劇。

⌂ 乾清宮有三案、三宴，也有三悲。乾清宮的悲劇很多，本講主要介紹崇禎皇帝的「三悲」，就是童年失母之悲、剛愎自用之悲和末日瘋狂之悲。

一 童年之悲

明清皇帝在乾清宮有多場悲劇，崇禎帝悲劇，是典型一例。北京有句民諺說：北京城前三門，東亡明，西亡清。甚麼意思呢？北京城的前三門，東面叫崇文門，明朝亡於崇禎帝；西面叫宣武門，清朝亡於宣統帝。當然，這是個歷史巧合，也是個後人附會。

崇禎帝（一六一一～一六四四年），即朱由檢，明代末帝，年號崇禎。他的父親是泰昌帝，就是那位登極一個月，八月初一日隆重登極稱帝，九月初一日吞下紅丸歸天，演繹出「紅丸案」，三十九歲就死去的薄命皇帝。泰昌帝有七個兒子，其中五個兒子早殤，只剩下朱由校（天啟帝）和朱由檢（崇禎帝）兩位皇子。天啟帝朱由校十六歲繼位，在位七年，二十三歲死去。天啟帝有三個兒子，都先他而死，所以他死後沒有兒子繼位。按照明朝朱家皇帝的家法，「父死子繼」，「兄終弟及」，就是說父親死了兒子繼承，沒有兒子由弟弟繼承。天啟帝沒有兒子，死後就由皇五弟朱由檢繼承，這就是崇禎皇帝。

崇禎帝朱由檢，天啟二年（一六二二年）被封為信王。六年（一六二六年）搬出皇宮，到信王府。七年（一六二七年），天啟帝死，崇禎帝立。崇禎帝做夢也沒有想到自己會做皇帝，因為皇兄天啟帝朱由校死時才二十三歲！朱由檢十七歲當皇帝後，第一件事就是找他失去的母親。

崇禎帝的生母是怎麼回事呢？這要從泰昌帝的后妃說起。《明史．后妃傳》記載，泰昌帝生前一妃、五選侍，都是悲劇結局——太子妃郭氏未及封后即病死；天啟帝生母王選侍，也早死；東李選侍因魏忠賢亂政，憤鬱而死；西李選侍，因「毆崩聖母（天啟帝生母）」和「移宮案」也沒有好結果；趙選侍，因得罪魏忠賢和客氏，被「矯旨賜自盡」——「西向禮佛，痛哭自經死」；還有一位就是崇禎帝的生母劉選侍。

崇禎帝生母劉氏，江蘇海州（今連雲港市海州區）人，後隸籍宛平（今北京市）。初入宮，為淑女。萬曆三十八年（一六一一年）十二月生朱由檢。不久，失寵，受到切責，驚嚇病死。夫君後悔，怕皇父萬曆帝知道，便秘密葬於西山。這年，朱由檢五歲（虛歲）。崇禎帝的母親，宮裏稱作劉娘娘。稍長大後，朱由檢問身邊近侍：「西山有劉娘娘墳乎？」回答說：「有！」他秘密地攜帶紙錢前往母親墳墓祭奠。崇禎帝童年失去母親是他人生的第一大悲。孤獨、驚恐的皇子生活，「三案」、複雜的宮廷糾葛，是形成崇禎帝孤僻多疑、剛愎多變性格的重要原因。或者說，幼年喪母，身處深宮，使崇禎帝幼年形成了一種不健康的心理與性格。

朱由檢做了皇帝，問左右宮女等人，我母親是甚麼樣子？誰也說不上來。有一位老宮女說自己曾和劉娘娘隔屋居住，知道劉娘娘長的模樣。於是照這位老宮女所述，由宮廷畫師畫了劉娘娘的像。像畫成，在隆重儀仗導引下，由正陽門經大明門，穿承天門過端門，迎往皇宮。崇禎帝在午門前，跪迎已故母親的畫像。崇禎帝見到母親畫像，回憶往事，思緒萬千，悲痛欲絕，淚如泉湧：「帝雨泣，六宮皆泣。」（《明史．后妃傳》卷一百十四）朱由檢迎進母親畫像，懸掛在宮中。後來，宮中有人說所奉劉太后像「未肖」——不太像。崇禎帝派大太監到外公家，問七十五歲的外祖母徐氏。徐氏口授，繪像以進，左右都驚道：「肖。」崇禎帝大喜，命卜吉日，跪伏歸極門，迎入安奉。朝夕上食，如其生時。（《明史·劉文炳傳》卷三百）從這件事可以看出，幼年喪母對他的傷害至深。

崇禎帝登極後，很想有所作為，中興大明皇朝。上任的第一板斧，砍向客、魏集團。客，是客氏；魏，是魏忠賢。這一舉措，既得心應手，又頗得人心。當時真是人心大快、大快人心啊！但是，關內的農民軍，關外的八旗軍，兩拳打擊，雙重困擾，導致崇禎帝內外交困，焦頭爛額。本來，崇禎帝有志向，還算勤政，應當在「中興之路」上一步一步地前進。但是，崇禎帝自以為是，剛愎自用，事與願違，演出悲劇。

二 剛愎之悲

崇禎帝性格的一個特點是：剛愎自用，獨斷專行。崇禎帝認為：明朝覆亡原因，都由「諸臣誤朕」！他臨死還不認錯，也不自省。許多人同情崇禎帝，認為他還是一個勤政之君，他的悲劇原因之一，在於「生不逢時」。時勢雖不能違逆，但可以順應。崇禎帝登極後，殺了太監魏忠賢，卻起用太監高起潛等，對於宦官頑症問題，換湯不換藥，改革無決心，僅做個案處理，沒做制度改革。

崇禎十七年（一六四四年），在嚴峻形勢面前，他重用太監：命太監高起潛監軍山海關，太監杜勳鎮守宣府，太監曹化淳守廣寧門（今廣安門），太監王承恩提督京師全城防守。太監杜勳到任宣府後，不率眾堅守，卻立即「降賊」。廷臣要追究責任，崇禎帝受太監假情報的蒙蔽，傳旨：「杜勳罵賊殉難，予蔭祠。」不僅不加懲治，還建廟祠祭祀。不久，李自成帶着杜勳到廣寧門外，還有原在西安的秦王，在太原的晉王，也被押在廣寧門外。杜勳在城下呼喊，要進城，見皇上。「物以類聚，人以群分。」守城的是太監，見城下呼喊的也是太監，就把太監杜勳用吊筐提到城牆上，同入大內。杜勳見崇禎帝，「盛稱賊勢，勸帝自為計」。崇禎帝左右大臣，請扣留他們，杜勳説：「不可，如果不返，則二王危。」於是，將他們放出，還是用繩吊筐縋下。杜勳還在廣寧門做策反：「吾曹富貴固在也！」鼓動大家都投降。不久，農民軍攻打廣寧門，太監曹化淳打開城門投降，此是後話。崇禎帝用人的一大特點——對太監是三個字：信，信，信；對忠良大臣也是三個字：殺，殺，殺！

一殺王洽。明崇禎朝六部中的兵部，第一個下獄死的是兵部尚書王洽。王洽，臨邑（今山東省德州市臨邑縣）人，萬曆進士。王洽貌美，「儀錶頎偉，危坐堂上，吏民望之若神明」；清廉，「其廉能為一方最」，既廉潔、又能幹，是一方官吏中最為優秀的。王洽官工部侍郎，主持部務。崇禎元年（一六二八年）十二月，兵部尚書王在晉罷免，崇禎帝召見群臣——「奇洽狀貌，即擢任之。」（《明史·王洽傳》卷二百五十七）崇禎帝任命王洽為兵部尚書。王洽上任不到一年，就是崇禎二年（一六二九年）十月，皇太極率八旗軍由大安口攻入，過通州，到京城，北京戒嚴。十一月，崇禎帝深感憂慮，召集廷臣，商討對策。這時，侍郎周延儒言：「世宗斬一丁汝夔，將士震悚，強敵宵遁。」意思是説，當年蒙古俺達兵臨北京城下，嘉靖帝下令將兵部尚書丁汝夔斬首——「即日斬於市，梟其首，妻流三千里，子戍鐵嶺。」（《明史·

丁汝夔傳》卷二百四）於是，官兵震動，敵軍撤退。暗示這次皇太極兵臨城下，首要的是將兵部尚書王洽斬首，以振奮將士守城御敵的決心。崇禎帝點頭，將王洽下獄。王洽這位兵部尚書，上任不到一年，雖有責任，卻無死罪！次年四月，王洽死於獄中，死了還不算，還要「尋論罪，復坐大辟」。「大辟」是古代五刑中最嚴重的一種，包括梟首、腰斬、剖腹、鑊烹、車裂、磔死等，崇禎帝將已死的王洽，還要大辟處置。

二殺袁崇煥。袁崇煥也是掛兵部尚書銜、薊遼督師，在皇太極率領八旗軍攻打北京城時，崇禎帝中皇太極「反間計」，惱羞成怒，不聽大臣懇請慎重，「敵在城下，非他時比」的諫言，先將袁崇煥下獄，後將袁崇煥凌遲處死。

三殺陳新甲。陳新甲，四川長壽（今重慶市長壽區）人，萬曆舉人，知曉邊事，以才能著。史書稱他辦事幹練：「軍書旁午，裁答無滯。」崇禎十三年（一六四〇年）正月，為兵部尚書。明朝自弘治以後，非進士出身，不能官尚書。但形勢危殆，諸大臣不願任兵部尚書，陳新甲才獲任此職。當時的局勢，南北交困，內外危機。崇禎帝開始秘密同皇太極進行議和。陳新甲為兵部尚書，受命遣使關外，負責這項工作，但朝廷官員不知。崇禎帝先後手寫書信數十封，交陳新甲同皇太極聯繫，告誡他千萬不能洩露。一日，陳新甲所派遣的兵部職方司郎中馬紹愉回京，以機密文件報告。陳新甲深夜看完報告後，沒有收起來，放在几案上。第二天早晨，陳新甲的家僮誤以為是塘報稿（「塘報」相當於現代的《內部簡報》），交付出去，進行抄傳。於是，朝廷上下，輿論譁然。崇禎帝下嚴旨，命陳新甲回奏。陳新甲不但不引罪，反而誇功——這就使君臣矛盾激化。崇禎帝覽奏大怒，將陳新甲下獄。陳新甲在獄中派家人上下行賄求人營救，沒有結果。有的大學士營救，說：「國法，敵兵不薄城，不殺大司馬。」奏上，不聽。崇禎十五

年（一六四二年）八月，將陳新甲凌遲處死。（《明史．陳新甲傳》卷二百五十七）

崇禎朝十七年間，「易中樞十四人，皆不久獲罪」。王洽、袁崇煥、陳新甲三人都慘遭磔刑，千刀萬剮，不得全屍。崇禎帝剛愎自用，不聽諫言，專制獨斷，酷刑大臣，必自食其果。唐太宗說：用功不如用過。崇禎帝如有唐太宗的大度與胸懷，對王洽、袁崇煥、陳新甲等，不僅能用其功，而且能用其過，那麼，大明江山會是另一番局面，至少不會由他自己演出「末日瘋狂」的悲劇。

三　末日之悲

滅亡之前多瘋狂，瘋狂之後必滅亡。崇禎帝在滅亡之前，表現了末日的瘋狂。

到崇禎十七年（一六四四年）春，中國政治舞台上主要有三股軍事、政治勢力：第一股是以朱由檢為代表的大明，第二股是以多爾袞為代表的大清，第三股是以李自成為代表的大順（還有大西）。清朝自努爾哈赤建立後金，歷努爾哈赤和皇太極兩代六十年的集聚，不僅建立八旗軍隊，而且建立清朝政權。特別是皇太極時期，關外軍隊先後七次，破牆入塞，騷擾中原，明朝政權受到極為沉重的打擊。西北農民軍揭竿而起，幾乎同崇禎帝糾纏了十六年。大明、大清、大順三股軍事、政治勢力，到甲申年，也就是崇禎十七年（一六四四年）春，進行了一場決定中國歷史命運的大決戰。在大明、大清、大順三角勢力決戰的關鍵時刻，在明清之際的舞台上，崇禎皇帝的表演——不是智慧，而是愚昧；不是戰鬥，而是虛弱；不是鎮定，而是焦躁；不是理智，而是瘋狂。

崇禎帝皇后周氏，初為信王妃。朱由檢即位後，信王妃就被冊立為皇后。在朝廷形勢危急時，周皇后對崇禎帝悄悄地說：「吾南中尚有一家居。」就是說，我們南邊還有一個家可以居住。崇禎帝沒聽明白，追問一句，皇后沒說。皇后的意思是：不行，就遷都南京吧！在帝王之家，夫妻之間有話也不敢直說，還要繞着彎子說。崇禎帝與周皇后平時有糾葛，一次在交泰殿說話，因話不投機，崇禎帝將周皇后推倒在地。周皇后生氣不吃飯。事後，崇禎帝後悔，派太監送皇后一件貂皮夾襖賠禮，皇后才算消了氣。周皇后見皇上日漸消瘦，親自做飯送上，帝后二人，面對飯菜，語及危難局勢，相向而泣，淚灑餐桌。

崇禎帝在歷史關鍵時期，完全喪失理智，表現極端瘋狂——

一殺皇后。崇禎十七年（一六四四年）三月十八日，天濛濛亮，李自成攻破北京城廣寧門（今廣安門）。崇禎帝見局勢危殆，對周皇后說：「大勢去矣！」周后跪下磕頭說：「妾事陛下十有八年，卒不聽一語，至有今日。」這時，周皇后邊撫慰皇太子和兩個兒子，邊慟哭。她派太監將兒子送出宮。這時，崇禎帝迫周皇后自裁。周后回到北屋，也就是坤寧宮，哭泣着，關上門。一會兒，宮女出來奏報：「皇后領旨！」大明崇禎帝的周皇后自殺了！

二殺貴妃。崇禎帝逼周皇后自殺後，又逼寵愛的袁貴妃自殺。袁貴妃被逼無奈，上吊自殺，但繩子斷了。她初雖斷氣，一會兒蘇醒過來。崇禎帝見袁貴妃沒死，揮劍砍到她的肩上，袁貴妃慘遭寵愛自己的皇帝夫君砍傷。崇禎帝又揮劍砍他的數位妃嬪，有的被砍死，有的被砍傷。

三殺公主。崇禎帝怎樣對待公主呢？他有六個女兒，此前已經死去四位，此時還有兩位公主。這兩位公主，一位是長平公主，十六歲，已經與周顯訂婚，本來要結婚，因北京告警，就暫緩婚期。這天，崇禎帝砍死袁貴妃、砍傷妃嬪後，提着寶劍，來到長平公主居住的壽寧宮。長平公主聽説城已陷落，皇后上吊自殺，自己正驚恐萬狀、六神無主的時候，皇父來到宮裏，急忙牽拉皇父的衣服，哭哭啼啼，哀求庇護。崇禎皇帝沒有安慰女兒一句，反倒無情地説：「汝何故生我家！」對一個十六虛歲，不懂世事的女孩來説，是何等的無情！你崇禎皇帝是長平公主的生身父親，沒有父親之因，焉有女兒之果？崇禎皇帝不等女兒回答，便舉劍砍向長平公主的肩膀。一劍揮去，砍斷左臂。可憐長平公主，連驚帶嚇，出血過多，昏睡五天。後清順治帝進京，長平公主請求出家為尼，清帝不許，命周顯仍娶公主，並賜給土地、府邸、車馬、金錢等。公主因父母已亡，自己斷臂，驚恐未定，憂懼生病，一年後病死。（《明史．公主傳》卷一百二十一）另一位是昭仁公主，住在昭仁殿。崇禎帝來到殿中，又揮劍砍向這位可憐的小昭仁公主！

崇禎帝有七個兒子，早殤四人，另三人：明亡時長子十六歲，三子、四子都不知所終。太子的下落，一説城破後被李自成軍捉住，李自成撤退時逃出，不知所終。

覆巢之下，豈有完卵。明亡，自大學士范景文以下死者數十人。而宮人的命運更為悲慘。魏氏，見大軍入宮，大聲呼喊：「我輩必遭賊汙，有志者早為計。」遂躍入御河而死，從死者一二百人。宮女費氏，年十六，自投井。被撈出，見其姿容美麗，互相奪搶。費氏欺騙説：「我是長公主！」李自成命太監來驗看，證明不是。於是，李自成將她賞給將校羅某人。費氏又欺騙羅某人説：「我是天潢貴冑，將軍應隆重婚娶成禮。」羅某人很高興，置酒歡飲，喝得酩酊大醉。費氏懷揣利刃，直刺羅某人。羅某人斷喉而死。費氏也自刎死。（《明史．后妃傳》卷一百十四）

最後自殺。崇禎十七年（一六四四年）三月十九日，天昧爽，內城陷。崇禎帝在萬歲山（今景山），自縊而死，太監王承恩從死。崇禎帝御書衣襟曰：「朕涼德藐躬，上干天咎，然皆諸臣誤朕。朕死無面目見祖宗，自去冠冕，以髮覆面。」

崇禎帝演出了歷史悲劇：童年之悲，剛愎之悲，末日之悲——丟了大明江山，成為亡國之君。這既是崇禎的悲劇，也是明朝的悲劇。崇禎帝臨死冥頑不悟：明滅亡之因，「皆諸臣誤朕」。果真是這樣嗎？七十歲的文淵閣大學士成基命，為了大明江山，或痛哭伏宮外，或長跪會極門，自辰至酉，達十小時（《明史·成基命傳》卷二百五十一），崇禎帝仍不聽諫，一意孤行。

崇禎帝最後正如西方諺語所說：上帝要誰滅亡，就先讓他瘋狂。

景山全景（二十世紀初）

第二十一講　正大光明

《易·大壯·彖》中的「正大」和《易·履·彖》中的「光明」，組合成「正大光明」，意為做人做事、為官為政、從學從商、亦農亦工，謹言謹行，修身修心，都要「正大光明」。「正大光明」是中華民族優秀傳統文化的一個共同理念和美好願景。帝制時代君主不可能表裏一致「正大光明」，但以「正大光明」作為哲學與政治、道德與踐行的「座右銘」，既是智慧的，也是可取的。

⌂站在故宮乾清宮門前，第一眼會看到寶座上方正中懸掛着一塊金字匾額，匾上有四個大字——「正大光明」。這是一個政治象徵、治國理念、倫理願景和文物珍品的完美融合。

一 匾的來歷

乾清宮自明永樂十八年（一四二〇年）建成後，沒改宮名，延續至今。從永樂十九年（一四二一年）正月初一日，乾清宮正式啟用，到康熙六十一年（一七二二年）十一月十三日，康熙帝賓天，其間大數算是三百年，明清十六位皇帝以乾清宮作為正宮。自清康熙六十一年（一七二二年）雍正帝登極後搬進養心殿理政、居住，到宣統三年十二月二十五日（一九一二年二月十二日），宣統帝退位，其間大數算是二百年，雖雍（正）、乾（隆）、嘉（慶）、道（光）、咸（豐）、同（治）、光（緒）、宣（統）八帝，搬到養心殿理政、居住，但乾清宮作為皇帝正宮的地位並沒有改變。

大家到故宮參觀乾清宮，中設寶座，舉頭一望，就看到「正大光明」匾。乾清宮這塊「正大光明」匾，其「正大光明」一詞，不見於「十三經」，也不見於先秦典籍。「正大光明」一詞的來源：「正大」二字，見於《易・大壯・彖》記載；「光明」二字，見於《易・履・彖》記載——兩處拼接整合，組成為「正大光明」一詞。這裏我解釋下「彖」，是《周易》中概括一卦基本內涵的辭。「正大光明」就是說，做人做事、為官為政、從學從商、亦農亦工，慎言慎行，修身修心，都要「正大光明」。「正大光明」是中華民族傳統文化的一個共同理念和美好願景。當然，帝制時代君主不可能表裏一致「正大光明」，但以「正大光明」作為哲學與政治、道德與踐行的「座右銘」，既是智慧的，也是可取的。

寶座前兩柱為康熙帝御書楹聯：表正萬邦，慎厥身修思永；弘敷五典，無輕民事惟難。聯句集自《尚書》，主要意思是：對外要身做萬國表率，自強不息，深謀遠慮；對內要弘揚論理典則，勿輕勞役，知民

乾清宮內景（一九〇〇年）

艱難。後兩柱為乾隆帝御書楹聯：克寬克仁，皇建其有極；惟精惟一，道積於厥躬。聯句也集自《尚書》，主要意思是：為君寬仁，社稷永祚；目標精一，心敬意誠。

明朝乾清宮沒有「正大光明」匾。乾清宮「正大光明」匾額是清朝順治帝題寫的。（《國朝宮史》卷十二）順治帝在文化上有鮮明特點：父親皇太極生長於東北滿洲森林文化，母親孝莊皇太后生長於西北蒙古草原文化，他自己則又學習儒家經典，用漢字書寫「正大光明」四個字，這體現了中原漢族農耕文化。所以，「正大光明」理念是東北滿洲森林文化、西北蒙古草原文化與中原農耕文化三者融匯的一個表現。到順治帝的兒子康熙皇帝，父親是滿洲人，母親是漢族人，祖母是蒙古人，又敬奉喇嘛教，康熙帝是東北森林文化、西北草原文化、中原農耕文化和西部高原文化四者融合的一個集大成者。順治帝題寫、康熙帝重視的「正大光明」匾，表明：「正大光明」應是哲學與政治、道德與法律共同知行的準則。

「正大光明」匾之所以引起社會廣泛關注，是因為雍正帝把秘密立儲鐍匣放在匾的後面。這是順治帝設置「正大光明」匾額時所沒有料到的。「正大光明」匾後放置秘密立儲鐍匣，留下許多歷史故事。

二　匾後故事

明清皇位的傳承家法是：父死子繼，兄終弟及。明朝在北京的十四位皇帝，永樂帝之後「父死子繼」的十位、「兄終弟及」的三位——正統帝被俘由皇弟朱祁鈺即景泰帝繼承，正德帝身後沒有兒子，由皇堂弟朱厚熜即嘉靖皇帝繼承，天啟帝身後沒有兒子，由皇弟朱由檢即崇禎帝繼承。明朝十六位皇帝，通過政變取得皇權的有兩位：一位是朱棣經「靖難之役」，從侄子建文帝手中奪取皇權；另一位是朱祁鎮的「南宮復辟」，從弟弟景泰帝手中奪回皇權。

清朝十二位皇帝，通過政變奪位的，一例沒有。有人說：慈禧的祺祥政變（辛酉政變或北京政變）呢？這次政變是掌控皇權，而不是奪取皇權。明朝朱棣的軍事政變，戰爭殘酷，損失重大。究其原因是明太祖朱元璋在制度設計上，有得有失：其得是分封諸子到各地為藩王，確實起到強固枝幹、維護根本的作用；失是枝幹強大，威脅根本——中央政權。為此，清朝總結明朝通過政變奪取皇權的歷史經驗與教訓：

「有明諸藩，分封而不錫（通「賜」）土，列爵而不臨民，食祿而不治事。蓋矯枉鑑覆，所以杜漢、晉末大之禍，意固善矣。然徒擁虛名，坐糜厚祿，賢才不克自見，知勇無所設施。防閑過峻，法制日增。出城省墓，請而後許，二王不得相見。」（《明史．諸王五》卷一百二十）

清朝對明朝的封藩制度，既取其善，就是「三不」：「分封而不錫土，列爵而不臨民，食祿而不治事。」又改其弊，就是諸王二要：「內襄政本，外領師干。」（《清史稿．諸王一》卷二百十五）

明朝皇位繼承採取嫡長制，沒有必要秘密立儲。清朝不用嫡長制，皇位繼承，大傷腦筋。清朝皇位繼承，經過四個時期：

第一，貴族公推制。清朝皇帝的選擇，太祖努爾哈赤、太宗皇太極、世祖福臨，都是由貴族會議推選的。努爾哈赤、皇太極是當時天下之精英，是各路英雄之俊傑。滿洲王公貴族共推努爾哈赤為昆都侖汗。皇太極、順治的登極，都是經過諸王貝勒大臣認真討論、反覆醞釀、彼此協調、政治平衡的結果。雖然順治六歲登極，但真正掌握實權的是睿親王多爾袞。多爾袞在清朝、南明、農民軍、蒙古四種政治力量角逐中是一位英傑。

第二，皇帝遺命制。順治帝開始將皇位繼承改為遺命制。清朝皇位繼承的貴族公推制，僅在太祖、太宗兩朝實行過。順治皇帝病危，皇位如何繼承？當時孝莊皇太后健在，且歷事天命、天聰、崇德、順治四朝，威望高，權勢重。順治帝臨終前，皇太后、順治帝商量由八歲的皇子玄燁繼承皇位。這種皇位繼承遺命制，其好處是避免皇位的爭奪與殘殺，保證皇位繼承者的順利過渡，缺憾是較貴族公推制減弱貴族參與決策的機會。後來康熙帝立太子，還請大學士、尚書等朝臣各陳己見，有點「民意測驗」的味道。清朝皇位繼承遺命制只實行了兩代——順治、康熙。雍正帝繼位後改為秘密立儲制。

第三，秘密立儲制。雍正帝從康熙帝兩立兩廢皇太子胤礽中總結出冊立皇太子的弊端，而實行秘密立儲制，還是皇帝生前確定皇位繼承人，但是不公開宣佈。秘密立儲的好處是「三避免」——避免太子驕傲，避免朝臣結黨，避免骨肉相殘。

第四，懿旨定儲制。就是慈禧皇太后「一人懿旨」，專權獨斷，決定皇位的繼承——先立四歲的光緒帝，後立三歲的宣統帝。

這裏我重點講秘密立儲的故事。

甚麼是秘密立儲？秘密立儲就是當朝皇帝將選定的儲君皇子的名字寫好，裝在鐍匣裏，放在乾清宮「正大光明」匾的後面。當朝皇帝崩逝後，滿洲貴族和朝廷眾臣在乾清宮，取下秘密立儲鐍匣，當眾開啟，公示於眾。

清有幾朝秘密立儲？有人說是四朝——雍正、乾隆、嘉慶、道光，但實際上只有兩朝，即雍正、道光兩朝，因為嘉慶帝是乾隆帝禪讓的。嘉慶朝秘密立儲的鐍匣，沒有放在「正大光明」匾後，而是帶在寵信太監身上。秘密建儲最大的缺陷是：皇位繼承人的選擇，由皇帝獨自暗箱操作。當初明神宗欲立鄭貴妃之子福王為太子，遭到群臣反對而作罷，先後演出「梃擊案」、「紅丸案」、「移宮案」等宮廷鬧劇。這說明當時還有一點不同的聲音。清朝秘密立儲卻沒有一點不同聲音，這就容易產生弊病。如清道光帝秘密立咸豐為太子，選人不當，鑄成大錯，就是秘密立儲制度缺陷的鮮活例子。

幾次置鐍匣在匾後？乾隆帝繼位時取用過一次。嘉慶帝繼位是乾隆帝當着眾臣在授受大典中面授的，沒有用鐍匣。道光帝繼位時在「正大光明」匾後沒找到秘密立儲鐍匣，後在嘉慶帝寵信太監腰間小盒裏發現的。咸豐帝繼位則是道光帝病危時，召宗人府宗令、御前大臣、軍機大臣、總管內務府大臣「宣示諭書，皇四子奕詝立為皇太子」（《清宣宗實錄》卷四百七十六）。同治帝為獨子，自然沒有立儲。光緒帝和宣統帝因改變祖制，為慈禧皇太后「一言而定」。所以，「正大光明」匾後的秘密立儲鐍匣，實際上只用了一次。並不像電影電視或某些書文所渲染的那樣熱鬧！

三 匾外思考

「正大光明」匾後的秘密立儲鐍匣，可做三點思考。

第一，立太子不好。自秦始皇以來，兩千年帝制史上，立太子幾乎成為慣例。皇帝個人的素質、才能、品德、喜好等，於國家、於民族至關重要。因此，選拔最優秀、最傑出的皇位繼承者，對於一個國家、一個民族、一個王朝，都是頭等大事。君主應該是當朝整個國家、各個民族中最傑出、最優秀的代表。當然，限於皇位世襲制度，只能選擇其宗室範圍內的最優秀的人才。康熙帝兩立兩廢太子的教訓，令人永記。

為甚麼說「立太子不好」呢？歷朝沿用皇位世襲制，自有它的道理。我們站在二十一世紀的中華視角和國際視角，重新審視家天下的皇位傳承制度，就會有新的認識。我們說「立太子不好」，因為「立太子」有「三弊」：一是容易自驕。皇太子放縱自我，反正是鐵打的寶座，無須刻苦修身修心。二是容易結黨。皇太子是未來的接班人，一些人就往太子身邊靠，容易形成「皇太子黨」。這樣「皇權」與「儲權」就形成矛盾。三是容易內訌。其他皇子設法打擊、陷害太子勢力，謀求自己為皇太子。或者太監、外戚、朝臣、宗室結黨，影響皇權的穩定。康熙朝是這樣，一個企業、一個公司、一個機構、一個集團又何嘗不是這樣？

第二，一人定不好。道光帝身後，皇位怎麼辦？一人定。一人定有甚麼不好？舉兩個例子。一是道光帝立奕詝。清朝沒有立嫡以長的家法。道光帝有多位皇子可以選擇，但他立嫡長子奕詝，可以說是「立之不當」。奕詝懶惰、懦弱、淫樂、放縱，缺乏歷史責任感。二是慈禧太后「懿旨定儲」——光緒帝載湉、大阿哥溥儁、宣統帝溥儀。王公貴族、御前大臣、內務府大臣、軍機大臣、領侍衛內大臣、大學士等都沒有參與。慈禧皇太后改變皇位繼承的祖制。載湉繼承皇位，既不是滿洲貴族會議推舉，也不是用遺詔形式公佈，更不是秘密立儲，乃是由慈禧皇太后「一言而定」。載湉和溥儁都是在愛新覺羅氏與葉赫那拉氏兩個家族血統的交叉點上選出來的，溥儀是在慈禧侄子、載灃之子與慈禧干女兒瓜爾佳氏之子血統的交叉點上，這在清朝是沒有先例的。選君以親、而不以賢，選帝以近、而不以能，這是慈禧皇太后不以江山社稷為重，而以私利為重的一個惡劣史例。

第三，閉門做不好。清朝道光以降，國際形勢大變。清朝郭嵩燾不僅看到西方的「船堅炮利」，而且看到西方的議會制度。郭嵩燾（一八一八～一八九一年），道光進士，署廣東巡撫、兵部侍郎，首任出使英國大臣兼駐法國大臣，主張學習西方科學技術和議會制度。他在《使西紀程》中說：「西洋所以享國長久，君民兼主國政故也！」但這位中國的先知先覺者，因此受到上自廟堂，下至士子的「叢罵」，甚至於要燒毀他的住宅，死後還要掘墳焚屍。

從清朝入關後的二百多年間，綜觀世界大勢，總的發展趨向，就是民主化。清朝閉眼不看世界大勢，卻立六歲的同治、四歲的光緒、三歲的宣統做皇帝，這完全背離世界發展的潮流。慈禧皇太后加上六歲的同治、四歲的光緒、三歲的宣統，在當時的世界上，面臨的對手是誰？

美國：林肯（一八〇九～一八六五年），家境貧寒，父為鞋匠，九歲喪母，通過自學，成為律師，當選美國第十六任總統（一八六一～一八六五年），在任期間平定南方叛亂，進一步掃蕩奴隸制度，捍衛了國家統一，遭到暗殺。

德國：俾斯麥（一八一五～一八九八年），德意志帝國宰相（一八六二～一八九〇年），與同治、光緒同時，曾任駐法大使，外交大臣。他通過三次王朝戰爭，統一德國；對內推行高壓政策，被稱為「鐵血宰相」。

日本：伊藤博文（一八四一～一九〇九年），曾四任日本首相，大體與光緒同時。曾任兵庫縣知事，在英國學習海軍，就是說既有基層工作經驗，又有海外留學經歷。在任期間，起草明治憲法，在廢除日本封建制度，建立現代國家過程中起過重大作用。在甲午戰爭中取得勝利，迫使清政府簽訂《馬關條約》。後在哈爾濱被朝鮮志士刺殺。

俄國：亞歷山大二世（一八一八～一八八一年），俄國皇帝（一八五五～一八八一年），大體與同治、光緒同時。在位期間廢除農奴制度，並進行財政、文化、司法、軍事等重大改革，其任期被譽為「大改革時代」。後被民意黨人炸死。

英國：亞歷山德麗娜．維多利亞（一八一九～一九〇一年），英國女王（一八三七～一九〇一年），在位期間，發展工商業，對外大擴張（號稱「日不落帝國」）。她與慈禧（一八三五～一九〇八年）大體同時。有人說：英國也是女王啊！但英國當時實行首相制、國會制，維多利亞女王在任期間嚴格遵守憲法原則，而慈禧實行「女皇」獨裁專制。

慈禧皇太后及其傀儡皇帝同治、光緒，恰與美國的林肯、德國的俾斯麥、日本的伊藤博文、俄國的亞歷山大二世和英國的維多利亞女王等同時代。這對孤兒寡母作為清朝最高權力者，怎麼可以同他們相匹敵呢？慈禧對奕訢這樣的議政王，卻可以任意革掉，不受任何約束。慈禧皇太后，不受任何監督——不受法律監督，不受行政監督，不受輿論監督，而形成極權專制局面——「一人治天下，天下奉一人」！

司馬遷有句名言：「究天人之際，通古今之變。」天，天時也；人，民意也；古，鑑戒也；

今，潮流也。其時，西方許多國家已經工業化、民主制，清朝還是家天下、君主制。清末慈禧皇太后通過「聽政—訓政—親政」實行專政，長達半個世紀之久，違天時，拂民意，不鑑古，逆潮流，拒通變。因此，清朝的覆亡，民國的興起，既是歷史的必然邏輯，也是民意的自然選擇。

從清朝皇位繼承演變的軌跡，來做個簡要的歷史回顧。

清朝同列強的競爭，不僅是經濟、軍力的較量，更重要的是最高執政者素養與智慧的較量。清朝後期的嘉慶帝為庸君，道光帝為愚君，咸豐帝為懦君，同治帝為頑君，光緒帝為哀君，宣統帝則為幼君。最後三位幼帝——六歲的同治帝、四歲的光緒帝、三歲的宣統帝，做大清帝國的元首，豈不是天大笑話！且執掌朝綱的是慈禧皇太后。我們不站在女權主義立場上，而是站在中華民族立場上，來考察這個現象。慈禧皇太后作為一個女人來説，無疑是傑出的，是優秀的，她很聰明，更懂權術。我們用政治家的尺規來衡量慈禧皇太后，則發現她——沒有政治家的遠見卓識、寬闊胸懷、治國謀略、創新精神。慈禧皇太后長年在紫禁城或頤和園，不懂農，不懂工，不懂學，不懂商，也不懂軍，更不了解國外實情，僅靠玩弄政治權術，掌控泱泱中華大國，面臨世界發展潮流，面對新興世界列強，怎能不敗？特別是慈禧皇太后掌權持續四十八年，在世界政治日趨民主化的大潮中，大清帝國的皇權卻日益高度集中。這既是同治、光緒、宣統三朝中國歷史悲劇的重要原因，也是「家天下、君主制」的必然結果。清朝的「家天下、君主制」，皇帝只能在愛新覺羅氏宗室中選擇，而不能在民眾中選出最優秀、最傑出的元首。在國際競爭面前，優勝劣汰，落後挨打，敗下陣來，清祚斷絕。

乾清宮「正大光明」匾後的秘密立儲鐍匣，只是一個歷史的記憶。這個歷史記憶啟示人們：要走民主化、國際化的道路。

第二十二講　交泰乾坤

乾清宮與坤寧宮之間的交泰殿，寓意乾坤交而天地泰，帝后交而夫妻泰。但縱觀歷史，乾坤、天地、陰陽、帝后之交，不泰者多而泰者少，不寧者多而寧者少。因此，人們在理想與現實、普世價值與客觀存在發生矛盾時，追求理念與現實諧和，企盼乾坤交合而安泰。

△在故宮後三宮中，交泰殿位置在乾清宮和坤寧宮之間。交泰殿的內容很多，本講介紹交泰特色、交泰報時和交泰寶璽。

一 交泰特色

從交泰殿到坤寧宮，是一個小的院落，我把它叫作坤寧宮庭院。院子並不大，從交泰殿基座到乾清宮和坤寧宮的距離，均僅有十四點一五米。這個院落，純屬後宮，四周圍合，宮規森嚴。殿的東廡（東廂），主要是御膳房，西廡（西廂），主要是御藥房和御茶房，還有太醫值班房。皇帝皇后吃的、喝的、看病的、吃藥的等，應有盡有，非常方便。這個小院，門特別多：東廡，開三個門——由南往北依次是

交泰殿（林京　攝）

景和門、永祥門、基化門，通往東六宮；西廡，開三個門——由南往北依次是隆福門、增瑞門、端則門，通往西六宮。

交泰殿平面呈方形，面闊、進深各三間，共九間，長寬各二十點六米，面積約四百二十四平方米；單簷，四角攢尖，殿頂為黃琉璃瓦，正中是鎏金寶頂。後三宮的交泰殿與前三殿的中和殿，都是平面呈方形，其建築形式，其規制格局，南北呼應，彼此對稱，既和諧，又美觀。殿內，正中上方為藻井，中為盤龍銜珠，結構複雜，工藝精美。殿裏寶座設在子午線即中軸線上。寶座後有四扇屏風，乾隆帝御書《交泰殿銘》。殿中懸掛康熙帝書寫的匾額——「無為」。「無為」二字，我查了一下，《老子》一書，大約出現過十三次。《老子》說：「聖人云：『我無為，而民自化；我好靜，而民自正；我無事，而民自富；我無欲，而民自樸。』」（第五十七章）康熙帝寫「無為」二字時是怎樣想的？他的子孫們又是怎樣理解的？康熙帝也許是在告誡他的子孫們：君上無欲，百姓自朴；治國理政，要在「無為」——不瞎折騰。

交泰殿既展現建築特點與實用功能，又蘊含普世倫理與深邃哲理。這座宮殿名為「交泰殿」，從始建到現在，近五百年，名稱沒有變化，這是很不容易的[1]。

交泰殿的殿名，源自《周易》。《周易》說：天行健，君子以自強不息；地勢坤，君子以厚德載物。乾，象徵天、男、陽；坤，象徵地、女、陰。所以，乾對坤，天對地，男對女，陽對陰。不光是對，而且要交；不光是交，交還要泰——關鍵是泰。天地、乾坤、陰陽、帝后，既分為二，又合為一。這裏，天地交、乾坤交、陰陽交、帝后交，期望是要「泰」。天地、乾坤、陰陽、帝后，是矛盾的、對立的，其相交結果，要達到平衡。天地、乾坤、陰陽、帝后相交，要泰安、泰寧、泰和、泰順，這就是「交泰殿」所蘊含的倫理和哲理。

交泰殿功能，主要有三：一是慶賀皇后生日的禮堂，二是珍藏天子寶璽的殿堂，三是貯存計時和報時的儀器館堂，還有其他。

中和殿主要是男性的殿堂，交泰殿則主要是女性的殿堂。皇帝生日叫萬壽節，先在中和殿升座接受內大臣等賀禮；皇后生日叫千秋節，慶典在交泰殿。明清皇后在元旦、冬至、千秋（皇后生日）三大節，登臨交泰殿，受妃嬪、公主、福晉、命婦等朝賀。皇后的千秋節，內外文武官員先期進賀箋，當天皇后先朝皇太后、皇帝，而後御交泰殿行慶賀禮。朝賀時，皇貴妃、貴妃、妃、嬪、公主、福晉（親王、郡王、世子、貝勒之妻）、命婦（有封誥的大臣之妻）等，都要在這裏行六肅三跪三叩禮。

典禮儀式隆重——從交泰殿到乾清門，陳列儀駕、輦輿、中和韶樂、丹陛大樂；等級分明——貴妃、妃、嬪立在殿的門外，公主、福晉以下，二品命婦以上，都會集在隆宗門外。典禮時，貴妃、妃嬪、公主、福晉等，身着禮服，到交泰殿，升丹陛，序立於殿前東西兩側。皇后御殿，起樂。皇后禮服升座，樂止。貴妃、妃嬪、公主、福晉、命婦等各就拜位序立。丹陛樂作，行大拜禮。

1 交泰殿始建時間，一說為嘉靖年間，一說為永樂十八年（一四二〇年）。《明史·輿服志》記載：「（永樂）十八年建北京，凡宮殿門闕規制，悉如南京，壯麗過之。中朝曰奉天殿……正北曰乾清門，內為乾清宮，是曰正寢。後曰交泰殿。又後曰坤寧宮，為中宮所居。」

禮畢，樂止。貴妃、妃、嬪，公主、福晉、命婦，各復其位。禮成，皇后還宮，各自退下。（《大清會典》）

皇后千秋節，賜金，賜銀，賜綢緞，賜寶物等，多在交泰殿。如咸豐六年（一八五六年）七月十二日，慈安皇后二旬千秋；光緒二十二年（一八九六年）正月初十日，隆裕皇后三旬千秋，都是在交泰殿呈遞如意、恭進食品等。（《內務府奏銷檔》）

作為皇后，最高的追求是「三喜」：乘轎從五門——大明門（大清門）、承天門（天安門）、端門、午門、奉天門（太和門）的中門抬進皇宮的大婚之喜，坐在交泰殿受妃嬪等賀千秋節的生日之喜，還有能生子繼位自己做皇太后之喜。

交泰殿除皇后生日、元旦、冬至三大節等在此舉行禮儀之外，一個重要功能是宮廷的計時與報時陳設在這裏。

二　交泰報時

現在看到交泰殿內寶座兩側，東次間安銅壺滴漏，西次間安大自鳴鐘——這裏曾經是宮廷、北京和國家的報時中心。

先說銅壺滴漏。銅壺滴漏是古代計時器，用銅壺滴漏器盛水滴漏來計時刻，西周就有，歷史久遠。銅壺滴漏的動力，有用水的，有用水銀的，有用沙子的，還有用半機械的。北宋太平興國四年（九七九年），張思訓以水銀代水，製作出「水銀滴漏」。北宋天聖九年（一〇三一年），發明了蓮花漏法，在漏壺的上部開孔，使多餘的水由孔中溢出，以保持漏壺有恒定水位，提高了漏壺計量時間的準確度。北宋蘇頌（一〇二〇～一一〇一年）的「水運儀象台」，是半機械時鐘，以水力做動力。元代詹希元以沙代水，製作出「五輪沙漏」。這些都是漏壺計時發展史上的重大革新。

北京皇宮的漏刻，元順帝妥懽帖睦爾曾設計製造過計時宮漏。據《元史·順帝紀六》記載，這套宮漏「約高六七尺，廣半之。造木為匱，陰藏諸壺其中，運水上下」，也就是完全用水做動力，驅動複雜的報時系統：第一套是整點報時——「匱腰立玉女，捧時刻籌，時至，輒浮水而上」；第二套是夜間打更——「左右列二金甲神人，一懸鐘，一懸鉦。夜則神人能按更而擊，無分毫差。當鐘、鉦之鳴，獅鳳在側者皆翔舞」；第三套是子午報時——匱上設西方三聖殿，「匱之西東有日月宮，飛仙六人立宮前。遇子、午時，飛仙自能耦進，渡仙橋，過三聖殿，已而復退位如前」。這架宮漏，其精巧構思、精絕技術，令人讚歎不已。這是當時最先進的計時宮漏。但是，元順帝這位「魯班天子」雖會做木匠，卻不會做皇帝，玩物喪志，腐敗已極，終被趕下寶座，逃往蒙古大漠。明朱元璋奪取皇位，司天監將元順帝的這台宮漏計時鐘進獻，朱元璋命左右碎之。

現在參觀故宮交泰殿看到的漏壺，是乾隆十年（一七四五年）製造的，為銅製，高五米餘，分三節，置於台上，外建方亭，亭為重簷，上飾寶頂。這是中國保存至今的珍貴歷史文物。

再說大自鳴鐘。據史書記載，唐代就出現自動報時的機械漏刻。明代萬曆年間，西方傳教士帶來自鳴鐘。清朝沿襲，到清嘉慶二年（一七九七年）乾清宮失火，殃及交泰殿，自鳴鐘被毀。今存交泰殿的這座自鳴鐘，是嘉慶三年（一七九八年）宮廷造辦處仿原鐘造的，高近六米（相當於兩層樓高），是中國現存最大的古代座鐘。

自鳴鐘高五百五十七釐米，寬二百二十一釐米，厚一百七十八釐米。外形仿中國式樓閣，分下、中、上三層。下層為櫃型，背面有兩扇門。中層正面是直徑三尺的錶盤，盤上有時針、分針和秒針，上面有羅馬數字，盤上有玻璃罩。錶盤背面也有兩扇小門，裏面有弦鈕。鐘砣重一百多斤。櫃內有左、中、右三組銅輪，中輪聯着鐘的針，左輪擊鐘報時，右輪擊鐘報刻。一時一鳴，一刻一響，如時針、刻針都指向十二點，先打四響，表示四刻，再打十二響，表示十二點。打刻和打時，聲音不同。報時鐘聲響亮，直達乾清門外。每天上弦，分秒無差。上層主要為裝飾。鐘後有八級階梯，專人登梯而上，給鐘上弦。這座自鳴鐘已經二百多年，仍能正常走動。據《西清筆記》說：「交泰殿大鐘，宮中皆以為准。」這架大鐘，很準確，「數十年，無少差」。（參見劉月芳《交泰殿的自鳴鐘》）

交泰殿裏的這座大鐘，是給宮內，是給北京，也是給國家定時間的。如上朝大臣的懷錶以大鐘報時來校準時間。

這裏順便介紹故宮的鐘錶。故宮珍存鐘錶數以千計。清帝因性格不同，對自鳴鐘偏好也不同。康熙帝注重鐘錶的科技性，雍正帝注重鐘錶的實用性，乾隆帝則注重鐘錶的觀賞性。皇宮、圓明園等許多宮殿都擺設鐘錶，皇帝出行也帶鐘錶。如雍正帝諭：「養心殿造辦處要好的表一件，隨侍用。欽此。」（清宮《活計檔》）他還賞賜近臣，如賜年羹堯自鳴表一隻，年感激謝恩，御批道：「我二人做個千古君臣知遇榜樣，令天下後世欽慕流涎就是矣。」（《年羹堯滿漢奏摺譯編》第二七六頁）伴君如伴虎，後雍正帝賜年羹堯自盡。乾隆帝愛玩，玩鐘錶，既命自造，又令進口。官員也買進口鐘錶送禮，中國一度成為世界最大鐘錶進口國。但嘉慶帝重節儉，他說：「宮禁之中所儲珍寶玩品，極為充仞，饑不可食，寒不可衣，可見此等珍奇祗屬無用之物。」（《上諭檔》嘉慶四年八月初十日）但是，清宮奢靡之風有增無減。光緒初，宮廷鐘錶達三千四百餘座。故宮博物院利用奉先殿舉辦「鐘錶館」，向觀眾展示近二百件宮廷珍藏的鐘錶。

交泰殿歸內務府管。設首領太監兩員（八品），太監六員，主要負責殿內珍藏的御寶、自鳴鐘，以及值班、衛生等事務。（《國朝宮史續編》）

交泰殿內除銅壺滴漏和大自鳴鐘外，還珍藏有二十五方寶璽。

交泰殿內御座和宝匣（一九〇〇年）

三 交泰寶璽

交泰殿貯藏清代寶璽二十五方。所謂寶璽，就是圖章，是國家權力的象徵。先說國寶。清初寶璽不規範，努爾哈赤用老滿文刻製了「天命金國汗之寶」和「後金國天命皇帝」兩方寶璽。清入關後，沿襲明制，但不完善。清初寶璽，除青玉「皇帝之寶」為滿文篆字外，其他寶璽都是滿漢兼書。其數量、存放、用途、篆刻，不規範，未劃一。乾隆帝對已有寶璽加以整合、規範。

乾隆整合。乾隆十三年（一七四八年），清二十五方寶璽收藏於交泰殿。每顆寶璽，名稱、用途、尺寸、質料、璽紐、文體等都不同。尺寸，大的方六寸，小的方二寸一分。文字統一篆刻。除關外所留「皇帝之寶，清書篆體」外，文體多是滿文、漢文兩種篆字，左為滿篆，右為漢篆。質料有玉、金、檀木，玉有白玉、青玉、碧玉、墨玉等。寶璽的龍紐，有交龍，有盤龍，也有蹲龍等，紐高者三寸五分。（弘曆《交泰殿寶譜·敍》）寶璽不同，各有專用。其中最常用的是第五方檀香木的「皇帝之寶」，頒發詔書、錄取進士時用；第十四方青玉的「制誥之寶」，用於詔敕大臣等。這二十五方寶璽都裝在寶盒內，上面覆蓋着黃綾。現清二十五方寶璽已存入故宮博物院文物庫珍藏，交泰殿陳列的是裝寶璽的寶盒。

寶璽為甚麼是二十五方呢？原來有寶璽二十九方和三十九方的記載。乾隆帝引《周易·繫辭上》說：「天數二十有五。」所以規範為二十五方。歷史上東周二十五王，歷五百一十五年。他又在《匣衍記》中說：「我大清得享號二十有五之數，亦可俯賜符願乎！」就是說，如果大清朝能傳二十五代，就是蒼天賜福，算是奢望！在這裏，乾隆帝沒有提大清國「億萬斯年」！

寶璽管理。寶璽的管理，明朝為尚寶監女官掌管，清朝由掌璽太監掌管。用寶璽時，內閣先到尚寶監，尚寶監請旨後，再去領取寶璽，然後加蓋寶璽。

封寶與開寶。每年末，要封寶，就是封印。封寶前，先洗寶——大學士先期啟奏，屆期，相關官員到乾清門通知內監到交泰殿請出寶來，在乾清門西一間正中，設洗寶黃案，依次用銀盆清洗寶璽。寶清洗畢，交泰殿首領仍捧入寶璽，恭貯於匣。開寶、封寶之日，都要在交泰殿設供——蘋果、秋梨等，焚香行九叩禮，然後開貼封條。開寶與封寶，其禮儀相同。

一個故事。前文述及，皇太極時，獲得傳國寶璽——「制誥之寶」。這方寶璽今在何處？成為一個歷史之謎。據記載：「制誥之寶」，世代流傳，後來遺失。兩百多年後，牧羊人在山中放羊，發現羊三天不吃草，總圍在一個地方跑，牧羊人在那裏挖掘，得到了這方傳國寶璽，後落入蒙古察哈爾部林丹汗手裏。天聰九年（一六三五年），多爾袞率軍征察哈爾得勝回朝，奏報獲得林丹汗的這方寶璽——玉質，交龍紐，漢文篆字「制誥之寶」。皇太極為此舉行隆重的受寶大典。又以此為由，舉行大典，改族名「諸申」（女真）為「滿洲」，改年號「天聰」為「崇德」，改國號「大金」為「大清」。此後許多文書都用此「制誥之寶」。清入關後改用滿漢合璧文的「制誥之寶」。奇怪的是，乾隆帝在欽定宮中二十五寶時，竟然沒有「制誥之寶」這方傳國寶璽。這方寶璽哪裏去了？乾隆十一年（一七四六年），被清理出來的原宮中保存的清初寶璽，都被送往盛京故宮鳳凰樓收藏，卻不見有這方「制誥之寶」。不久，乾隆帝下旨從盛京藏寶璽中撤去「丹符出驗四方」之寶，而換上了一方青玉「制誥之寶」。

這說明原來傳國寶璽「制誥之寶」還在。但是，專家認為這是元代寶璽的仿製品。乾隆帝為甚麼要這麼做？先是「傳國璽」失蹤，後又搞件贗品，皇太極那個「傳國璽」，據學者研究本來就是假的。當年那方「制誥之寶」哪裏去了？據宮中《活計檔》記載：乾隆十三年（一七四八年）五月二十二日，七品首領薩木哈來說，太監胡世傑交白玉「制誥之寶」一方（隨錦盒一件，磁青紙金道冊頁一冊，黑漆描金寶匣一件），旨交啟祥宮將寶上字磨去。原來，乾隆帝將皇太極當年造假證據，磨去字跡，永遠銷毀。（胡忠良《教科書裏沒有的清史》）可是，乾隆帝為甚麼要磨去一方假「制誥之寶」，又製作一方假「制誥之寶」呢？令人不解。當年皇太極獲得的元代傳國寶璽「制誥之寶」，其真偽、去向、存毀、變故，仍是個歷史之謎。

怎樣對待國寶，乾隆帝説：垂統萬世，在德耶？在寶耶？寶器非寶，寶於有德。所以，國祚綿長，社會久安，關鍵在德，而不在寶。

次説閒章。清代皇帝既有國寶，還有閒章——用於皇帝平時御筆、鑑賞書畫、刻印圖書及收藏玩賞等的各類鈐印。如年號璽、宮殿璽、收藏璽、鑑賞璽、銘言璽、詩詞璽等。質地有玉料、石料、木料、金屬，玉有青玉、白玉、黃玉、碧玉、墨玉，石有青田石、壽山石、昌化石，還有瑪瑙、水晶、珊瑚、檀香木、竹根、象牙、犀角、金、銀、銅等，反映了清代皇帝印璽的豐富多樣。

文人雅趣。明清文人的書畫，詩、書、畫、印，四者並重，有機結合，構成一個完美的藝術整體，其中印章是不可缺少的。明清文人治印之風日盛，他們把反映自己內心世界的名言、佳句、詩詞、個性等，與自己的書法、繪畫、詩詞、圖案等，刻入印章，再通過印章與自己的書法、繪畫、詩詞相結合，從而達到高雅的藝術境界。這個文化現象也影響到了宮廷，特別是清康熙、雍正、乾隆諸帝，他們聘請文化素養優秀的文人做南書房翰林和上書房師傅，自己也習書作畫，賦詩填詞，收藏珍玩，鑑賞名品，還刻製了各種閒章，幾餘玩賞，精心排架。

三帝閒章。康熙帝的「敬天勤民」閒章，自視之為座右銘。雍正帝即位後，把康熙帝諸璽鎖箱收藏，而留「敬天勤民」寶，以鈐印御書，表示繼承康熙遺志。乾隆時，效仿雍正，留「敬天勤民」寶鈐印御書。雍正帝剛繼位就發出「為君難」的感歎（《清世宗實錄》卷十八），為此還製了「為君難」閒章。乾隆帝尤喜閒章，刻製閒章一千多方，其中年號印璽七十多方，宮殿行宮印璽二百多方，並編修《寶藪》記存。他七十歲時，刻製了一副閒章「古稀天子之寶」，副章「猶日孜孜」；八十歲時，又刻製了一副閒章「八徵耄念之寶」，副章「自強不息」——「猶日孜孜」和「自強不息」，老驥伏櫪，精神可嘉。特別要提及的是，乾隆帝八十大壽，大學士和珅投其所好，進獻壽山石印一百二十方，每方都帶壽字，形制不同，字體各異。

閒章不閑。道光帝秘密建儲諭旨，蓋閒章「慎德堂」印記，收藏在黃硬紙夾板中。咸豐帝的「御賞」和「同道堂」本是兩方閒章，一般用於鑑賞和收藏。但同治帝的諭旨，須上起用「御賞」章，下訖用「同道堂」章。這兩方閒章分別在慈安皇太后和慈禧皇太后手裏，無此二章，諭旨無效，到同治帝親政為止。上面三方小閒章，起到國寶的作用。

歷史告訴人們：珍寶玩品，列架充室，饑不可食，寒不可衣。鑑賞可意，怡養情趣，文物玩賞，適可而止。

乾清宮與坤寧宮之間的交泰殿，寓意乾坤交而天地泰，帝后交而夫妻泰。但縱觀歷史，乾坤、天地、陰陽、帝后之交，不泰者多而泰者少，不寧者多而寧者少。因此，人們在理想與現實、普世價值與客觀存在發生矛盾時，追求理念與現實諧和，企盼乾坤交合而安泰。

明朝皇帝簡表

	年號	廟號	姓名	在位時間	元年	即位年齡	生卒年	享年
1	洪武	明太祖	朱元璋	三十一年	一三六八	四十一歲	一三二八至一三九八	七十一歲
2	建文	明惠帝	朱允炆	四年	一三九九	二十二歲	一三七七至？	？歲
3	永樂	明成祖	朱　棣	二十二年	一四〇三	四十三歲	一三六〇至一四二四	六十五歲
4	洪熙	明仁宗	朱高熾	一年	一四二五	四十七歲	一三七八至一四二五	四十八歲
5	宣德	明宣宗	朱瞻基	十年	一四二六	二十八歲	一三九九至一四三五	三十七歲
6	正統 天順	明英宗	朱祁鎮	十四年 八年	一四三六 一四五七	九歲 三十一歲	一四二七至一四六四	三十八歲
7	景泰	明代宗	朱祁鈺	七年	一四五〇	二十二歲	一四二八至一四五七	三十歲
8	成化	明憲宗	朱見深	二十三年	一四六五	十八歲	一四四七至一四八七	四十一歲
9	弘治	明孝宗	朱佑樘	十八年	一四八八	十八歲	一四七〇至一五〇五	三十六歲
10	正德	明武宗	朱厚照	十六年	一五〇六	十五歲	一四九一至一五二一	三十一歲
11	嘉靖	明世宗	朱厚熜	四十五年	一五二二	十五歲	一五〇七至一五六六	六十歲
12	隆慶	明穆宗	朱載垕	六年	一五六七	三十歲	一五三七至一五七二	三十六歲
13	萬曆	明神宗	朱翊鈞	四十八年	一五七三	十歲	一五六三至一六二〇	五十八歲

14	泰昌	明光宗	朱常洛	一個月	一六二〇	三十九歲	一五八二至一六二〇	三十九歲
15	天啟	明熹宗	朱由校	七年	一六二一	十六歲	一六〇五至一六二七	二十三歲
16	崇禎	明毅宗	朱由檢	十七年	一六二八	十八歲	一六一一至一六四四	三十五歲

清朝皇帝簡表

	年號	廟號	姓名	在位時間	元年	即位年齡	生卒年	享年
1	天命	清太祖	努爾哈赤	十一年	一六一六	五十八歲	一五五九至一六二六	六十八歲
2	天聰 崇德	清太宗	皇太極	九年 八年	一六二七 一六三六	三十五歲	一五九二至一六四三	五十二歲
3	順治	清世祖	福臨	十八年	一六四四	六歲	一六三八至一六六一	二十四歲
4	康熙	清聖祖	玄燁	六十一年	一六六二	八歲	一六五四至一七二二	六十九歲
5	雍正	清世宗	胤禛	十三年	一七二三	四十五歲	一六七八至一七三五	五十八歲
6	乾隆	清高宗	弘曆	六十年	一七三六	二十五歲	一七一一至一七九九	八十九歲

	年號	廟號	姓名	在位時間	元年	即位年齡	生卒年	享年
7	嘉慶	清仁宗	顒琰	二十五年	一七九六	三十七歲	一七六〇至一八二〇	六十一歲
8	道光	清宣宗	旻寧	三十年	一八二一	三十九歲	一七八二至一八五〇	六十九歲
9	咸豐	清文宗	奕詝	十一年	一八五一	二十歲	一八三一至一八六一	三十一歲
10	同治	清穆宗	載淳	十三年	一八六二	六歲	一八五六至一八七四	十九歲
11	光緒	清德宗	載湉	三十四年	一八七五	四歲	一八七一至一九〇八	三十八歲
12	宣統	（無）	溥儀	三年	一九〇九	三歲	一九〇六至一九六七	六十二歲

【注】西漢十二帝，平均壽齡三十八點七五歲；東漢十三帝，平均壽齡二十九點七歲；唐二十二帝，平均壽齡四十六歲；元十一帝，平均壽齡三十七歲；明十六帝平均壽齡四三點二歲；清十二帝，平均壽齡五十八點三歲。

紫禁城宮殿門闕名稱簡表

現名	明永樂	明嘉靖	清順治	其他
中華門	大明門		大清門	明末李自成稱大順門，民國稱中華門
天安門	承天門		天安門	
太和門	奉天門	大朝門 皇極門	太和門	
協和門	左順門	會極門	協和門	
熙和門	右順門	歸極門	雍和門	乾隆時改稱熙和門
昭德門	東角門	弘正門	昭德門	
貞度門	西角門	宣治門	貞度門	
神武門	玄武門			康熙時改稱神武門
太和殿	奉天殿	皇極殿	太和殿	
中和殿	華蓋殿	中極殿	中和殿	
保和殿	謹身殿	建極殿	保和殿	順治時曾稱位育宮，康熙時曾稱清寧宮
體仁閣	文樓	文昭閣	體仁閣	
弘義閣	武樓	武成閣	弘義閣	

現名	明永樂	明嘉靖	清順治	其他
乾清宮				
交泰殿				
坤寧宮				
景仁宮	長安宮	景仁宮		
承乾宮	永寧宮	承乾宮		
鐘粹宮	咸陽宮	鍾粹宮		
延禧宮	長壽宮	延祺宮	延禧宮	
永和宮	永安宮	永和宮		
景陽宮	長陽宮	景陽宮		
永壽宮	長樂宮	毓德宮		萬曆時改稱永壽宮
翊坤宮	萬安宮	翊坤宮		
儲秀宮	壽昌宮	儲秀宮		
太極殿	未央宮	啟祥宮	太極殿	
長春宮	永寧宮	長春宮		
咸福宮	壽安宮	咸福宮		

大故宮・有鳳來儀

目錄

大故宮·奉天承運

目錄

大故宮

九五之尊

責任編輯　許　穎
設　　計　黃希欣
排　　版　漢　圖
印　　務　劉漢舉

出版
中華書局（香港）有限公司
香港北角英皇道四九九號北角工業大廈一樓 B
電話：（852）2137 2338
傳真：（852）2713 8202
電子郵件：info@chunghwabook.com.hk
網址：http://www.chunghwabook.com.hk

發行
香港聯合書刊物流有限公司
香港新界荃灣德士古道 220-248 號
荃灣工業中心 16 樓
電話：（852）2150 2100
傳真：（852）2407 3062
電子郵件：info@suplogistics.com.hk

印刷
美雅印刷製本有限公司
香港觀塘榮業街六號海濱工業大廈四樓 A 室

版次
2022 年 6 月初版

規格
16 開（240mm×170mm）

ISBN
978-988-8758-92-0